Harlan Coben

Verloren

2009 – De Boekerij – Amsterdam

Oorspronkelijke titel: Long Lost (Dutton)
Vertaling: Martin Jansen in de Wal
Omslagontwerp: Wil Immink Design
Omslagbeeld: Marcin Klepacki/Arcangel Images

ISBN 978-90-225-4993-3

Published by arrangement with Lennart Sane Agency AB.

Voor Sandra Whitaker
De coolste nicht van de hele wereld

Zet je schrap.
Dit gaat je meer pijn doen dan alles
wat je tot nu toe hebt meegemaakt.

William Fitzsimmons in 'I don't feel it anymore'

Deel 1

1

'Je weet niet wat haar geheim is,' zei Win tegen me.
'Zou ik het moeten weten?'
Win haalde zijn schouders op.
'Is het erg?' vroeg ik.
'Heel erg,' zei Win.
'Misschien wíl ik het dan niet weten.'

Twee dagen voordat ik het te horen zou krijgen – het geheim waarmee ze al tien jaar rondliep en dat niet alleen ons beiden maar mogelijk de hele wereld voor altijd zou veranderen – belde Terese Collins me om vijf uur 's morgens, waardoor ik van de ene erotische droom in de andere terechtkwam. 'Kom naar Parijs,' was het enige wat ze zei.

Ik had haar stem in – hoe lang? – zeven jaar niet gehoord, er zat ruis op de lijn en voor een inleidend praatje had ze blijkbaar geen tijd; ze zei me niet eens gedag. Ik schrok wakker en vroeg: 'Terese? Waar ben je?'

'In een knus hotelletje op de linkeroever van de Seine. Je zult het hier geweldig vinden. Vanavond om zeven uur vertrekt er een vlucht van Air France.'

Ik ging rechtop zitten. Terese Collins. Er doemden beelden in mijn hoofd op: haar publieksgevaarlijke bikini, het privé-eiland, het zonovergoten strand, haar blik waarvan het glazuur van je tanden sprong, haar publieksgevaarlijke bikini…

Haar bikini is een dubbele vermelding waard.

'Ik kan niet,' zei ik.

'Parijs,' zei ze.

'Dat weet ik.'

Bijna tien jaar geleden waren we als twee verloren zielen naar dat eiland gevlucht. Ik had gedacht dat we elkaar daarna nooit meer zouden zien, maar ik had het mis. Een paar jaar later had ze me geholpen het leven van mijn zoon te redden. En toen, *poef*, was ze verdwenen zonder een spoor achter te laten... tot dit moment.

'Denk erover na,' zei ze. 'De Lichtstad. We kunnen de hele nacht de liefde bedrijven.'

Ik slikte, met moeite. 'Ja, natuurlijk, maar wat doen we dan overdag?'

'Als ik het me goed herinner, moet jij overdag uitrusten.'

'En vitamine E slikken,' zei ik, als vanzelf glimlachend. 'Ik kan niet, Terese. Ik heb iemand.'

'De 11-septemberweduwe?'

Ik vroeg me af hoe ze dat wist. 'Ja.'

'Die staat hierbuiten.'

'Sorry, maar dat denk ik niet.'

'Hou je van haar?' vroeg ze.

'Maakt het iets uit als ik "ja" zeg?'

'Niet echt.'

Ik nam de telefoon in mijn andere hand. 'Wat is er mis, Terese?'

'Er is niks mis. Ik wil gewoon een romantisch weekend vol wilde seks met jou in Parijs.'

Ik slikte weer. 'Nadat ik – hoe lang? – zeven jaar niks van je heb gehoord?'

'Bijna acht.'

'Ik heb je gebeld,' zei ik. 'Meer dan eens.'

'Dat weet ik.'

'Ik heb berichten ingesproken. Ik heb je brieven geschreven. Ik heb naar je gezocht.'

'Dat weet ik,' zei ze weer.

Er viel een stilte. Ik hou niet van stiltes.

'Terese?'

'Toen je me nodig had,' zei ze, 'me echt nodig had, was ik er voor je, weet je nog?'

'Ja.'

'Kom naar Parijs, Myron.'

'Zomaar?'

'Ja.'

'Waar ben je al die tijd geweest?'

'Ik vertel je alles als je hier bent.'

'Ik kan niet. Ik heb iemand.'

Weer die verdomde stilte.

'Terese?'

'Weet je nog hoe we elkaar hebben leren kennen?'

Het was in de optrekkende rook van de grootste ramp in mijn leven geweest. Ik denk dat hetzelfde voor haar gold. We waren allebei door goedbedoelende vrienden gepusht om naar een of ander liefdadigheidsfeestje te gaan en zodra we elkaar zagen, waren we door ons beider ellende als magneten naar elkaar toe getrokken. Ik ben niet iemand die echt gelooft dat de ogen de vensters van de ziel zijn. Ik ken te veel psychopaten die je genadeloos afstraffen wanneer je daarop vertrouwt. Maar de droefheid in Tereses ogen was onmiskenbaar. Die beheerste haar hele wezen, en op die avond, toen mijn eigen leven ook aan gruzelementen lag, was ik daar extra gevoelig voor.

Terese had een vriend die eigenaar was van een Caraïbisch eilandje, niet ver van Aruba. We waren er diezelfde avond nog naartoe gevlogen, zonder tegen iemand iets te zeggen. Uiteindelijk bleven we er drie weken, een periode waarin we vooral de liefde bedreven, nauwelijks met elkaar praatten maar voortdurend aan elkaar plukten en onszelf in elkaar verloren omdat er niks anders te doen was.

'Natuurlijk weet ik dat nog,' zei ik.

'We hadden allebei een reusachtige opdonder gehad. We hebben er nooit over gepraat. Maar we wisten het van elkaar.'

'Ja.'

'Wat jou was overkomen...' zei Terese. 'Jij was in staat je eroverheen te zetten. Dat is een natuurlijke reactie. Mensen herstellen zich. We raken gekwetst en daarna pakken we ons leven weer op.'

'En jij?'

‘Het lukte me niet te herstellen. Ik weet niet eens of ik dat wel wilde. Ik was kapot en misschien was het maar beter dat ik kapot blééf.’

‘Ik kan je niet helemaal volgen, geloof ik.’

Haar stem had een zachtere klank gekregen. ‘Ik dacht niet – sterker nog, ik denk nog steeds niet – dat mijn leven me zou bevallen als ik het weer oppakte. Dat ik blij zou zijn met het resultaat.’

‘Terese?’

Ze gaf geen antwoord.

‘Ik wil je best helpen,’ zei ik.

‘Misschien kun je dat niet,’ zei ze. ‘Misschien heeft het allemaal geen zin.’

Weer een stilte.

‘Vergeet maar dat ik je heb gebeld, Myron. Pas goed op jezelf.’

En toen had ze opgehangen.

2

'Ah,' zei Win. 'De verrukkelijke Terese Collins. Dat was nog eens een derrière van absolute wereldklasse.'

We zaten op de smalle zijtribune van de sportzaal van Kasselton High. De bekende geuren van zweet en profesioneel schoonmaakmiddel zweefden ons tegemoet. Alle geluiden, zoals in elke andere sportzaal waar ook ter wereld, werden vervormd en voorzien van een merkwaardige echo, alsof ze door een douchegordijn kwamen.

Ik hou van dit soort sportzalen. Ik ben erin opgegroeid. In bedompte zalen als deze heb ik de gelukkigste momenten van mijn leven beleefd. Met een basketbal in mijn handen. Ik hou van het geluid van de dribbel. Ik hou van het glimmende zweet dat tijdens de warming-up op de gezichten verschijnt. Ik hou van het gevoel van het korrelige leer aan mijn vingertoppen, het moment van bijna religieuze puurheid wanneer je blik zich hecht aan de voorste rand van de basket, je de bal loslaat, die achteruit begint te draaien en er op de hele wereld niets anders bestaat dan dat.

'Fijn dat je nog weet wie ze is,' zei ik.

'Absolute wereldklasse, die derrière.'

'Ja, dat zei je zonet ook al.'

Win was mijn kamergenoot geweest toen ik op Duke zat. Hij was nu mijn zakelijk partner en samen met Esperanza Diaz mijn beste vriend. Zijn echte naam is Windsor Horne Lockwood III en zo ziet hij er ook uit: dun blond haar met een scheiding, een blozend gezicht met knappe aristocratische gelaatstrekken, een gebruinde hals tot aan de V van zijn golfshirt en blauwe ogen zo koud als ijs. Hij was gekleed in een kakibroek met een vouw zo scherp als zijn scheiding, een blauwe Lilly Pulitzer-blazer met een groen met roze gestreepte voering en een bijpassende pochet die als een waterspuitende bloem van een clown uit zijn borstzak stak.

Watjeskleding.

'Toen Terese op tv was,' zei Win, en zijn nasale kostschoolaccent klonk alsof hij een wat traag kind iets overduidelijks uitlegde, 'kon je dat niet zien. Omdat ze achter haar presentatiedesk zat.'

'Eh... nee.'

'Maar toen ik haar in die bikini zag...' Voor degenen die aantekeningen maken; het gaat hier om die publieksgevaarlijke bikini waar ik het eerder over had. '... nou, zoiets verstop je niet. Pure verspilling achter een presentatiedesk. Diep tragisch, wanneer je er goed over nadenkt.'

'Zoals de ramp met de Hindenberg,' zei ik.

'Een bespottelijke vergelijking,' zei Win. 'En zo gedateerd.'

Wins gezicht stond permanent hooghartig. Mensen die naar Win keken, zagen een elitaire snob met oud geld. Voor het grootste deel hadden ze dan nog gelijk ook. Maar het deel dat ze niet goed zagen... dat zou je je leven kunnen kosten.

'Ga door,' zei Win. 'Maak je verhaal af.'

'Dat is alles.'

Win fronste zijn wenkbrauwen. 'En? Wanneer vertrek je naar Parijs?'

'Ik ga niet.'

Op het speelveld begon het tweede kwartier. Dit was basketbal groep vijf. Mijn vriendin – de term voldoet niet echt, maar ik betwijfel of 'geliefde', 'mijn betere helft' of 'mijn bedmaatje' zo veel beter klinkt – Ali Wilder heeft twee kinderen, van wie de jongste in dit team speelde. Hij heet Jack en hij is niet erg goed in basketbal. Ik zeg dit niet als kritiek, of met het oog op zijn sportieve toekomst – Michael Jordan begon ook pas in zijn eerste jaar op de middelbare school – maar ik stel gewoon iets vast. Jack is groot voor zijn leeftijd, lang en slungelig, en dat gaat vaak ten koste van snelheid en coördinatie. Zijn manier van sport beoefenen had iets moeizaams.

Maar Jack was dol op basketbal en dat betekende alles voor me.

Jack was een lieve jongen, een softie in de allerbeste zin van het woord, en hij kon wel een steuntje in de rug gebruiken, wat niet zo vreemd is voor een joch dat zijn vader op zo'n jonge leeftijd en op zo'n tragische manier heeft verloren.

Ali kon pas in de rust hier zijn en als ik ergens goed in ben, is het in iemand de helpende hand bieden.

Win zat nog steeds fronsend voor zich uit te kijken. 'Even voor de duidelijkheid: je hebt een uitnodiging voor een weekend met de verrukkelijke madame Collins met haar derrière van absolute wereldklasse in een knus hotelletje in Parijs afgewezen?'

Het was altijd een grove fout om met Win over relaties te beginnen.

'Ja, dat klopt,' zei ik.

'Waarom?' Win draaide zich naar me toe. Hij leek oprecht verbijsterd. Toen ontspanden zijn gelaatstrekken. 'O, wacht...'

'Wat?'

'Ze is flink aangekomen, is dat het?'

Typisch Win.

'Dat weet ik niet.'

'Dus?'

'Dat weet je best. Ik heb iemand, weet je nog?'

Win staarde me aan alsof ik op het speelveld had gepoept.

'Wat is er?' vroeg ik.

Hij leunde achterover. 'Wat ben je toch een tut.'

Het signaal van het tweede kwart klonk en Jack Wilder zette zijn bril op en slofte met die heerlijke goedmoedige grijns om zijn mond naar de reservebank. Groep vijf van Livingston speelde tegen hun aartsrivalen van Kasselton. Ik deed mijn best om niet te glimlachen om het fanatisme waarmee alles zich voltrok... niet zozeer van de spelers als wel van de ouders langs de kant. Ik wil niet generaliseren, maar vaak kon je de moeders in twee kampen verdelen: de gezelligheidsmensen, die hier kwamen om te kletsen met de andere ouders, en de hysterici, die zwaar gestrest toekeken en bijna een hartaanval kregen elke keer wanneer hun kind een bal aanraakte.

De vaders waren nog erger. Er waren er bij die hun opwinding redelijk in toom wisten te houden, die nagelbijtend en mompelend toekeken en hun kind probeerden te helpen met aanwijzingen, zowel verbaal als door ze voor te doen. De overige vaders schreeuwden het uit en probeerden scheidsrechters, coaches en spelers te intimideren.

Een van de vaders – hij zat twee rijen voor ons en had van Win en mij de bijnaam 'Pa de la Tourette' gekregen – maakte er een gewoonte van om alles en iedereen gedurende de hele wedstrijd hardop uit te kafferen.

Mijn standpunt in dit soort zaken is duidelijker dan dat van de meeste andere mensen. Want ik was ooit die ene uitverkorene geweest... de écht talentvolle sportman. Dat was een schok voor de hele familie geweest, want tot dan toe was de grootste sportprestatie van de familie Bolitar die van mijn oom Saul, toen hij in 1974 tijdens een cruise op de Princess het sjoelbaktoernooi won. Ik kwam van Livingston High met een licentie om in alle Amerikaanse leagues te spelen. Op Duke was ik sterspeler en aanvoerder van twee NCAA-kampioensteams. Ik was basisspeler van de Boston Celtics geweest.

En toen, *kaboem*, was het allemaal voorbij.

'Wissel,' riep iemand.

Jack schoof zijn bril hoger op zijn neus en rende het veld in.

De coach van de tegenpartij wees naar Jack en riep: 'Hé, Connor! Jij neemt die nieuwe. Hij is groot en traag. Kom je gemakkelijk langs.'

Pa de la Tourette mopperde: 'Het gaat gelijk op. Waarom zetten ze hém nu in?'

Groot en traag? Had ik dat goed gehoord?

Ik keek naar de coach van Kasselton. Hij had zijn haar in spikes, met lichte puntjes, en had een kort, donker ringbaardje waardoor hij op een ouder lid van een of andere grungeband leek. Hij was groot – ik ben een meter negentig, maar hij was zeker vijf centimeter langer – en een kilo of tien, vijftien zwaarder dan ik.

'Hij is groot en traag?' herhaalde ik tegen Win. 'Het is toch niet te geloven dat een coach dat hardop roept?'

Win haalde zijn schouders op.

Ik probeerde er niet meer aan te denken. De hitte van de strijd. Laat het lopen.

Het stond 24-24 toen het noodlot toesloeg. Er was een time-out geweest en Jacks team speelde de bal rond op de eigen helft. Het team van Kasselton besloot een verrassingsuitval te doen. Jack stond vrij. Hij kreeg de bal toegespeeld en even, door al die tegenstanders die op hem af kwamen, raakte Jack in de war. Dat gebeurt soms.

Jack keek om zich heen, wist niet wat hij moest doen. Hij keerde zich naar de bank van Kasselton, waar hij het dichtstbij stond, en de coach met de spikes riep: 'Schiet! Schiet!' en wees op de basket.

De verkeerde basket.

'Schiet!' riep de coach weer.

En Jack, die volwassenen graag vertrouwde en deed wat ze zeiden, schoot.

De bal ging erin. In de verkeerde ring. Twee punten voor Kasselton.

De ouders van Kasselton barstten uit in gejuich en gelach. De ouders van Livingston stoven op en klaagden luidkeels over de fout van de jongen van groep vijf. En toen gaf de coach van Kasselton, met zijn piekhaar en zijn grungesikje, zijn assistent-coach een high five, wees naar Jack en riep: 'Hé knul, doe dat nog een keer!'

Jack mocht dan de grootste jongen op het hele speelveld zijn, nu zag hij eruit alsof hij het liefst de kleinste was. De vage, goedmoedige glimlach was van zijn gezicht verdwenen. Zijn onderlip trilde. Zijn ogen glansden. Hij schrompelde letterlijk ineen, en mijn hart deed hetzelfde in mijn borstkas.

Een vader van Kasselton had de grootste lol. Hij schaterde van het lachen, vouwde zijn handen als een toeter om zijn mond en riep: 'Schiet de bal naar die lange van de tegenpartij! Hij is ons geheime wapen!'

Win tikte de man op de schouder. 'Je houdt nú je mond dicht.'

De vader draaide zich om naar Win, zag de watjeskleding, het blonde haar en de porseleinen gelaatstrekken. Bijna was hij in hoongelach uitgebarsten en had hij een messcherpe opmerking gemaakt, maar iets – waarschijnlijk een of ander overlevingsinstinct in een vergeten deel van zijn hersenen – bracht hem ertoe dat hij dat toch beter niet kon doen. Hij zag Wins ijzig koude blik, sloeg zijn ogen neer en zei: 'Oké, sorry, dat was nogal flauw.'

Ik hoorde het nauwelijks. Ik kon me niet verroeren. Ik zat op de tribune en staarde naar de coach met het piekhaar. Het bloed tintelde in mijn aderen.

De zoemer gaf het einde van het tweede kwart aan. De coach met het piekhaar stond nog steeds te lachen en schudde zijn hoofd van ongeloof. Een van zijn assistenten kwam naar hem toe en gaf hem een hand. Een paar ouders en andere toeschouwers deden hetzelfde.

'Ik moet weg,' zei Win.

Ik gaf geen antwoord.

'Of wil je dat ik blijf? Voor de zekerheid?'

'Nee.'

Win knikte en vertrok. Mijn blik bleef gefixeerd op de coach van Kasselton. Ik stond op en liep de tribune af. Mijn voetstappen voelden loodzwaar. De coach liep naar de deur. Ik ging hem achterna. Hij liep naar de wc's, grijnzend als de idioot die hij ongetwijfeld was. Ik wachtte hem op bij de deur.

Toen hij naar buiten kwam zei ik: 'Klasse.'

Op zijn shirt stond in sierlijke letters COACH BOBBY geborduurd. Hij bleef staan en keek me aan. 'Pardon?'

'Een jongen van tien aanmoedigen om in de verkeerde basket te schieten,' zei ik. 'En dan, nadat je hem al hebt vernederd, die dolkomische opmerking: "Hé knul, doe dat nog een keer." Dat getuigt van grote klasse, coach Bobby.'

De blik in zijn ogen werd scherper. Van dichtbij was hij groot en breed, had hij dikke onderarmen, grote handknokkels en het voorhoofd van een neanderthaler. Ik kende het type. We kennen ze allemaal.

'Hoort bij het spel, maat.'

'Een jongen van tien voor gek zetten hoort bij het spel?'

'Beïnvloeding. Je tegenstander dwingen een fout te maken.'

Ik zei niets. Hij schatte me in en kwam tot de conclusie dat hij me wel aankon. Stoere mannen als coach Bobby zijn ervan overtuigd dat ze vrijwel iedereen aankunnen. Ik staarde hem alleen maar aan.

'Heb je daar problemen mee?' vroeg hij.

'We hebben het over jongens van tien. Kinderen.'

'Ja, kinderen. En wat ben jij… zo'n wollensokkensoftie-papa die vindt dat iedereen op het veld gelijk moet zijn? Dat niemand hun gevoelens mag kwetsen, dat er niemand mag winnen of verliezen? Hé, misschien moeten we niet eens meer de stand bijhouden, wil je dat?'

De assistent-coach van Kasselton kwam naar ons toe. Hij had zo'n zelfde shirt aan, maar dan met ASSISTENT-COACH PAT erop geborduurd. 'Bobby? De tweede helft gaat zo beginnen.'

Ik deed een stap naar voren. 'Laat die jongen verder met rust.'

Coach Bobby grijnsde en reageerde zoals te verwachten was. 'En anders?'

'Het is een gevoelige jongen.'

'Boe-hoe-hoe. Als hij zo gevoelig is, moet hij misschien niet spelen.'

'En misschien zou jij geen coach moeten zijn.'

Assistent-coach Pat deed een stap naar voren. Hij keek me aan en die alwetende glimlach, die ik maar al te goed kende, kwam op zijn gezicht. 'Kijk eens aan.'

'Wat?' vroeg coach Bobby.

'Weet je wie dit is?'

'Nou? Wie?'

'Myron Bolitar.'

Je kon coach Bobby zien nadenken, alsof er een raampje in zijn voorhoofd zat en het eekhoorntje in zijn hoofd steeds snellere rondjes rende. Toen zijn zenuwimpulsen hun spervuur staakten, werd de grijns op zijn gezicht zo breed dat zijn grungesikje bijna inscheurde.

'Onze grote "superster"…' Hij vormde aanhalingstekens met zijn vingers. '… die het niet redde bij de profs? Onze wereldberoemde uitvaller in de eerste ronde?'

'In eigen persoon,' zei assistent-coach Pat.

'Nu begrijp ik het.'
'Hé, coach Bobby?' zei ik.
'Ja?'
'Laat die jongen nou maar met rust.'
De wenkbrauwen zakten een centimeter. 'Je kunt beter geen ruzie met me zoeken,' zei hij.
'Dat doe ik ook niet. Ik wil alleen dat je die jongen met rust laat.'
'Weinig kans, maat.' Hij glimlachte en kwam dichter bij me staan. 'Heb je daar problemen mee?'
'Ja, daar heb ik inderdaad problemen mee.'
'Wat zou je er dan van zeggen dat we dit na de wedstrijd afhandelen, wij samen?'
De eerste bliksemschichten vlogen door mijn aderen. 'Wil je met me op de vuist?'
'Ja. Tenzij je natuurlijk een schijtlijster bent. Ben je dat, een schijtlijster?'
'Nee, ik ben geen schijtlijster.'
Soms ben ik erg goed in gevatte antwoorden. Ik oefen er thuis op.
'Ik ga nu mijn wedstrijd coachen. Maar daarna handelen we dit af, jij en ik. Begrepen?'
'Begrepen.'
Alweer zo'n gevat antwoord. Ik begon in vorm te komen.
Coach Bobby hield zijn wijsvinger vlak voor mijn gezicht. Ik overwoog hem af te bijten... dat werkt altijd goed. 'Je bent er geweest, Bolitar. Hoor je me? Je bent dood.'
'Doof?' vroeg ik.
'Dood.'
'O, gelukkig maar, want als ik doof was, zou ik je niet kunnen verstaan. Aan de andere kant, als ik dood was, zou ik dat ook niet kunnen.'
De zoemer klonk. Assistent-coach Pat zei: 'Kom mee, Bobby.'
'Dood,' zei hij nog een laatste keer.
Ik hield mijn hand bij mijn oor en riep: 'Wat?' Maar hij had zich al omgedraaid.
Ik keek hem na. Hij had die zelfverzekerde trage gang, met zijn

schouders naar achteren en zijn armen net iets te ver van zijn lichaam. Ik wilde hem nog een flauwe opmerking naroepen toen ik een hand op mijn arm voelde. Ik draaide me om. Het was Ali, Jacks moeder.

'Wat is hier allemaal aan de hand?' vroeg Ali.

Ali had grote groene ogen en een leuk open gezicht dat ik ronduit onweerstaanbaar vond. Het liefst had ik haar opgetild en met kussen overdekt, maar je zou kunnen zeggen dat het daar niet het geschikte moment voor was.

'O, niks,' zei ik.

'Hoe is de eerste helft gegaan?'

'We staan twee punten achter, geloof ik.'

'Heeft Jack gescoord?'

'Nee, niet echt.'

Ali bleef me even aankijken en zag aan mijn gezicht iets wat haar niet beviel. Ik draaide me van haar weg, liep naar de tribune en ging zitten. Ali kwam naast me zitten. Het derde kwart was twee minuten bezig toen ze vroeg: 'Wat is er mis?'

'Niks.'

Ik schoof ongemakkelijk heen en weer.

'Leugenaar,' zei Ali.

'Ik probeer me op de wedstrijd te concentreren.'

'Leugenaar.'

Ik keek opzij, naar dat mooie, eerlijke gezicht met die sproetjes waar ze eigenlijk de leeftijd niet meer voor had maar die haar zo verdomd aantrekkelijk maakten, en ik zag ook iets op háár gezicht. 'Je lijkt er zelf ook niet helemaal bij.'

Het was niet alleen vandaag, bedacht ik, het ging al een paar weken niet geweldig tussen ons. Ali had een afstandelijke, bezorgde indruk gemaakt, maar ze had er niet over willen praten. Zelf had ik het vrij druk met mijn werk gehad, dus ik had niet aangedrongen.

Ali bleef naar het speelveld kijken. 'Heeft Jack goed gespeeld?'

'Ja hoor,' zei ik. En daarna: 'Hoe laat vertrekt je vlucht morgen?'

'Om drie uur.'

'Ik breng jullie wel naar het vliegveld.'

Ali's dochter Erin ging aan Arizona State studeren. Ali, Erin en Jack gingen er voor een week naartoe om de eerstejaars daar te installeren.

'Dat hoeft niet. Ik heb al een auto gehuurd.'

'Ik wil best rijden.'

'We redden ons wel.'

De manier waarop ze het zei sloot verdere discussie over dit onderwerp uit. Ik liet het lopen en probeerde me weer op de wedstrijd te concentreren. Mijn hart zat nog steeds in mijn keel. Na een paar minuten vroeg Ali: 'Waarom zit je de hele tijd naar de coach van de tegenpartij te staren?'

'Welke coach?'

'Die met die ijspegels op zijn kop en dat rare Robin Hood-sikje.'

'Ik overweeg een nieuw kapsel,' zei ik.

Bijna had ze geglimlacht.

'Heeft Jack in de eerste helft lang gespeeld?'

'Zijn gebruikelijke minuten,' zei ik.

De wedstrijd kwam tot een einde en Kasselton won met drie punten verschil. Het publiek werd rumoerig. Jacks coach, op alle punten een prima kerel, had besloten hem in de tweede helft niet in te zetten. Ali was een beetje teleurgesteld, want de coach gaf alle jongens meestal evenveel speelminuten, maar ze zei er niets over.

De twee teams trokken zich terug in de hoeken van de zaal voor de nabespreking. Ali en ik stonden op, liepen de sportzaal uit en gingen op de gang staan. Lang hoefden we niet te wachten. Coach Bobby kwam naar me toe, op zijn bekende trage, stoere manier, maar deze keer met zijn handen tot vuisten gebald. Hij werd gevolgd door drie mannen, onder wie assistent-coach Pat, allemaal groot en zwaar en lang niet zo stoer als ze dachten te zijn. Coach Bobby bleef een meter voor ondergetekende staan. Zijn drie maten verspreidden zich, sloegen hun armen over elkaar en staarden me aan.

Enige tijd zei niemand iets. Ze keken me alleen maar boos aan.

'Is dit het moment dat ik in mijn broek moet piesen?' vroeg ik.

Coach Bobby stak dreigend zijn wijsvinger op. 'Ken je de Landmark Bar in Livingston?'

'Natuurlijk,' zei ik.
'Vanavond om tien uur. Het parkeerterrein aan de achterkant.'
'Zo laat mag ik niet meer naar buiten,' zei ik. 'Dat soort afspraakjes ben ik niet gewend. Ik wil eerst uit eten. Een bosje bloemen misschien...'
'Als je niet komt opdagen...' Hij bracht zijn wijsvinger dichter bij mijn gezicht. '... pak ik hem op een andere manier. Ben ik duidelijk?'
Dat was hij niet, maar voordat ik om uitleg kon vragen, beende hij weg. Zijn maten beenden hem achterna. Ze keken alle drie om. Ik stak mijn hand op en maakte een toedeloe-gebaar met mijn vingers. Toen een van hen langer bleef staan kijken dan nodig was, wierp ik hem een kushandje toe. Hij draaide zijn hoofd om alsof hij een klap in zijn gezicht had gekregen.
Een kushandje... de perfecte manier om een homofoob de stuipen op het lijf te jagen.
Ik keerde me om naar Ali, zag haar gezicht en dacht: o, o...
'Wat heeft dit in hemelsnaam te betekenen?'
'Er is iets gebeurd in de eerste helft,' zei ik. 'Toen jij er nog niet was.'
'Wat?'
Ik vertelde het haar.
'En toen ben je verhaal gaan halen bij die coach?'
'Ja.'
'Waarom?' vroeg ze.
'Hoe bedoel je: waarom?'
'Nu heb je het juist erger gemaakt. Die man is een bluffer. De jongens wéten dat.'
'Jack liep bijna te huilen.'
'Als dat zo is, handel ík dat af. Daar heb ik jouw machogedrag niet voor nodig.'
'Het was geen machogedrag. Ik heb hem alleen gevraagd Jack met rust te laten.'
'Geen wonder dat hij in de tweede helft geen speelminuten heeft gekregen. Zijn coach heeft natuurlijk dat idiote machogedrag van

jou gezien en was zo slim om geen olie op het vuur te gooien. Ben je nou tevreden?'

'Nee, nog niet,' zei ik. 'Maar als ik hem vanavond bij de Landmark op zijn gezicht heb geslagen, ja, dan wel, denk ik.'

'Als je het maar uit je hoofd laat.'

'Je hebt gehoord wat hij zei.'

Ali schudde haar hoofd. 'Ik kan mijn oren niet geloven. Wat is er in godsnaam met je aan de hand?'

'Ik heb het opgenomen voor Jack.'

'Dat is jouw taak niet. Daar heb je het recht niet toe. Je...'

Ze hield abrupt op met praten.

'Zeg het maar, Ali.'

Ze deed haar ogen dicht.

'Je hebt gelijk,' zei ik. 'Ik ben zijn vader niet.'

'Dat wilde ik niet zeggen.'

Dat wilde ze wel, maar ik liet het lopen. 'Misschien is het mijn taak niet, als het daarover ging, maar dat is niet zo. Als hij het tegen een ander kind had gezegd, was ik ook achter hem aan gegaan.'

'Waarom?'

'Omdat het verkeerd is.'

'En wie ben jij om dat uit te maken?'

'Uit te maken? Je hebt goed en je hebt fout. Hij zat fout.'

'Die man is een arrogante hufter. Sommige mensen zijn zo. Dat hoort bij het leven. Jack begrijpt dat, of hij zal dat uit ervaring leren. Dat hoort bij zijn ontwikkeling... omgaan met hufters. Begrijp je dat dan niet?'

Ik zei niets.

'En als mijn zoon zo diep gekwetst is,' zei Ali tussen haar opeengeklemde tanden door, 'hoe haal jij het dan in je hoofd om dat voor mij te verzwijgen? Zelfs toen ik je in de rust ernaar vroeg, weet je nog?'

'Ja.'

'Je zei dat er niks aan de hand was.'

Ik hield nog wat langer mijn mond.

'Wat dacht je, Myron? Dat hoeft het vrouwtje niet te weten?'

'Dat was het niet.'
Ali schudde haar hoofd en zei niets meer. Het was alsof alle energie uit haar wegliep.
'Wat is er?' vroeg ik.
'Ik heb je te dicht bij hem laten komen,' zei ze.
Ik voelde mijn hart krimpen.
'Verdomme,' zei ze.
Ik wachtte af.
'Voor een prachtkerel als jij, die meestal zo fijngevoelig is, kun je af en toe knap horkerig zijn.'
'Misschien had ik me er niet mee moeten bemoeien, oké? Maar als je erbij was geweest en hem naar Jack had horen roepen dat hij het nog een keer moest doen, als je Jacks gezicht had gezien...'
'Daar heb ik het niet over.'
Ik zweeg en dacht na. 'Dan heb je gelijk. Ik ben een hork.'
Ik ben één meter negentig en Ali is dertig centimeter kleiner. Ze stond vlak voor me en keek naar me op. 'Ik ga niet naar Arizona om Erin te installeren. Of in ieder geval niet alleen daar voor. Mijn ouders wonen daar. En zíjn ouders wonen daar.'
Ik wist wie 'zijn' ouders waren... die van haar omgekomen man, de geest die ik had leren accepteren en die ik soms zelfs in de armen had gesloten. De geest die nooit wegging. Ik wist niet of dat ooit zou gebeuren, maar er waren momenten geweest dat ik het graag had gewild, en het was natuurlijk heel erg om zoiets te denken.
'Ze – ik bedoel beide opa's en oma's – willen dat we daar komen wonen. Ze willen ons graag dichter bij zich hebben. Wat niet zo raar is, als je erover nadenkt.'
Ik knikte omdat ik niet wist wat ik anders moest doen.
'Jack en Erin en... verdorie, ik ook, we hebben er behoefte aan.'
'Behoefte aan wat?'
'Aan familie. Zijn ouders moeten deel uitmaken van Jacks leven. En die kunnen niet meer tegen het koude weer hier. Begrijp je dat?'
'Natuurlijk begrijp ik dat.'
Mijn stem klonk raar in mijn eigen oren, alsof er iemand anders antwoord gaf.

'Mijn ouders hebben een huis gevonden dat misschien iets voor ons is,' zei Ali. 'Een flat in hetzelfde gebouw als waar zij wonen.'

'Flats zijn leuk,' zei ik, om maar iets te zeggen. 'Weinig onderhoud. Eén maandelijks bedrag en klaar ben je, toch?'

Nu was zij het die niets zei.

'En,' zei ik, 'om het maar meteen op tafel te gooien, wat betekent dat voor ons?'

'Wil jij in Scottsdale wonen?' vroeg ze.

Ik aarzelde.

Ze legde haar hand op mijn arm. 'Kijk me aan.'

Ik deed wat ze zei. En toen zei ze iets wat ik niet had zien aankomen.

'Jij en ik zijn geen blijvertjes, Myron. Dat weten we allebei.'

Een groepje jongens rende ons voorbij. Een van de jongens botste tegen me aan en zei tot mijn verbazing: 'Sorry, meneer.' De scheidsrechter blies op zijn fluit. De zoemer klonk.

'Mama?'

Jack, God zegene hem, kwam de hoek om lopen. Ali en ik rukten onze blik van elkaar los en keken hem glimlachend aan. Hij glimlachte niet terug. Meestal, het maakte niet uit hoe beroerd hij had gespeeld, was Jack twee minuten na afloop weer het jonge hondje dat lachend high fives uitdeelde. Kinderen kunnen dat. Maar vandaag niet.

'Hé, kerel,' zei ik, omdat ik niks anders wist te verzinnen. Je hoort mensen in soortgelijke situaties vaak zeggen: 'Goed gespeeld, joh', maar kinderen weten dan heus wel dat je liegt, dat ze worden gekleineerd, en dat maakt alles alleen maar erger.

Jack kwam naar me toe rennen, sloeg zijn armen om me heen, drukte zijn gezicht tegen mijn borst en begon te snikken. Ik voelde mijn hart weer breken. Ik stond daar, met mijn hand op zijn achterhoofd. Ali stond me aan te kijken. Wat ik op haar gezicht zag, beviel me niet.

'Een zware dag,' zei ik tegen Jack. 'We maken ze allemaal mee. Laat je niet gek maken, oké?' Toen zei ik iets wat de jongen op dit moment onmogelijk kon begrijpen, maar wat wel waar was. 'Zo belangrijk zijn die wedstrijden nou ook weer niet.'

Ali legde haar hand op de schouder van haar zoon. Jack liet me los, keerde zich naar haar en drukte zijn gezicht tegen haar aan. Zo bleven we een minuutje staan, totdat hij gekalmeerd was. Toen klapte ik in mijn handen en forceerde een glimlach.

'Iemand trek in een ijsje?'

Jack herstelde zich snel. 'Ik!'

'Vandaag niet,' zei Ali. 'We moeten gaan pakken en ons klaarmaken voor de reis.'

Jack keek haar aan.

'Misschien een andere keer.'

Ik had verwacht dat Jack 'ah toe, mam' zou zeggen, maar misschien had ook hij iets in de toon van haar stem gehoord. Hij hield zijn hoofd schuin, zei niets en draaide zich weer om naar mij. We balden onze vuist en stootten de knokkels zacht tegen elkaar – onze manier om elkaar gedag te zeggen en afscheid te nemen – en Jack liep naar de uitgang.

Ali gebaarde met haar ogen dat ik naar rechts moest kijken. Ik deed het en zag coach Bobby verderop staan. 'Waag het niet met die man te gaan vechten,' zei ze.

'Hij heeft me uitgedaagd,' zei ik.

'Een echte man loopt dan weg.'

'In films misschien. Met regenbogen, paashazen en schattige elfjes. Maar in het echte leven word je nog steeds beschouwd als een grote sukkel wanneer je een knokpartij uit de weg gaat.'

'Doe het dan voor mij, oké? En voor Jack. Ga vanavond niet naar die bar. Beloof het me.'

'Hij zei dat hij op een andere manier wraak zou nemen als ik niet kom opdagen.'

'Die man bluft. Beloof het me.'

Ze dwong me haar aan te kijken.

Ik aarzelde, maar niet al te lang. 'Goed dan, ik ga niet.'

Ze draaide zich om, wilde weglopen. Geen zoen, niet eens een kusje op mijn wang.

'Ali?'

'Wat is er?'
De gang leek opeens heel leeg.
'Gaan we uit elkaar?'
'Wil jij in Scottsdale wonen?'
'Moet ik daar nu antwoord op geven?'
'Nee. Maar ik weet het antwoord al. Jij ook.'

3

Ik weet niet precies hoeveel tijd er voorbijging. Waarschijnlijk maar een of twee minuten. Toen liep ik naar mijn auto. De lucht was grijs en het motregende. Ik bleef staan, deed mijn ogen dicht, legde mijn hoofd in mijn nek en keek toen naar de hemel. Ik dacht aan Ali. Ik dacht aan Terese in een knus hotelletje in Parijs.

Ik draaide mijn hoofd terug, deed twee stappen vooruit... en dat was het moment waarop ik coach Bobby en zijn kornuiten in een Chevy Expedition zag zitten.

Zucht.

Ze waren met z'n vieren: assistent-coach Pat zat achter het stuur, coach Bobby naast hem, en de twee andere kleerkasten op de achterbank. Ik haalde mijn mobiele telefoon uit mijn zak en drukte op keuzetoets nummer 1. Win antwoordde meteen.

'Duidelijk spreken,' zei Win.

Zo neemt hij al zijn gesprekken aan, zelfs als hij op de display kan zien dat ik het ben, en ja, dat is inderdaad irritant.

'Je kunt beter terugkomen,' zei ik.

'O ja?' zei Win, blij als een kind op kerstochtend. 'Gossie gossie.'

'Hoe lang heb je nodig?'

'Ik ben maar één straat van je vandaan. Ik had al zo'n vermoeden dat er iets kon gebeuren.'

'Je hoeft ze niet dood te schieten,' zei ik.

'Nee, moeder.'

Mijn auto stond achteraan op het parkeerterrein. De Expedition reed me langzaam achterna. De motregen werd iets feller. Ik vroeg me af wat ze van plan waren – iets oerdoms en macho-achtigs ongetwijfeld – en besloot de kaarten te spelen zoals ik ze gedeeld kreeg.

Wins Jaguar kwam de hoek om en bleef op een afstand wachten. Ik rij in een Ford Taurus die beter bekendstaat als de 'Meidenmagneet'. Win vindt mijn auto afschuwelijk. Hij weigert erin te gaan zitten. Ik haalde mijn sleutels uit mijn zak en drukte op het knopje van de deurvergrendeling. De auto liet een zachte *bliep* horen en de sloten sprongen open. Ik stapte snel in. Op dat moment kwam de Expedition in actie. Hij schoot naar voren en stopte vlak achter de Taurus, zodat ik er niet meer uit kon. Coach Bobby stapte als eerste uit en plukte aan zijn sikje. Zijn maten volgden hem.

Ik zuchtte en zag ze aankomen in mijn achteruitkijkspiegel.

'Kan ik iets voor je doen?' vroeg ik.

'Ik hoorde dat je werd uitgekafferd door je vriendin,' zei hij.

'Luistervinken is heel onbeleefd, coach Bobby.'

'Ik dacht dat je misschien van gedachten zou veranderen en niet zou komen opdagen. Daarom vind ik dat we het nu maar moeten afhandelen. Hier.'

Coach Bobby bracht zijn gezicht vlak bij het mijne.

'Tenzij je bang bent.'

'Wat heb je voor lunch gegeten? Tonijn?' vroeg ik.

Wins Jaguar stopte naast de Expedition. Coach Bobby deed een stap terug en kneep zijn ogen half dicht. Win stapte uit. De vier mannen keken naar hem en fronsten hun wenkbrauwen.

'En wie mag dit dan wel zijn?'

Win glimlachte en maakte een handgebaar alsof hij was aangekondigd in een talkshow en het applaus van het studiopubliek in ontvangst nam. 'Wat fijn om hier te zijn,' zei hij. 'Dank u, dank u zeer.'

'Een vriend van me,' zei ik. 'Om de partijen een beetje in evenwicht te brengen.'

'Hij?' Bobby begon te lachen. Zijn koor deed mee. 'Ah, ja, natuurlijk.'

Ik stapte uit mijn auto. Win bewoog zich wat dichter naar de drie maten.

'Ik sla je helemaal verrot,' zei coach Bobby.

Ik haalde mijn schouders op. 'Je doet je best maar.'

'Er zijn hier te veel mensen. Daar, achter dat veldje,' zei hij, en hij wees, 'is een open plek in het bos. Daar kunnen we ongestoord onze gang gaan.'

'Zeg eens, beste man,' zei Win, 'hoe weet je dat, van die open plek?'

'Ik heb hier op school gezeten en daar heel wat gozers verrot geslagen.' Hij zette zijn borst op toen hij eraan toevoegde: 'Ik was aanvoerder van het footballteam.'

'Wauw,' zei Win, volstrekt toonloos. 'Mag ik je sportjack aan op het schoolfeest?'

Coach Bobby richtte zijn dikke wijsvinger op Win. 'Je kunt er je bloed mee opdweilen als je niet gauw je kop houdt.'

Win deed erg zijn best om niet al te angstig te kijken.

Ik dacht aan mijn belofte aan Ali. 'We zijn allebei volwassen mensen,' zei ik. Ik kon het bijna niet uit mijn mond krijgen; het was alsof ik glassplinters spuwde. 'We hoeven ons toch niet te verlagen tot een ordinair partijtje matten?'

Ik keek langs hem heen naar Win. Win fronste zijn wenkbrauwen en vroeg: 'Zei je dat echt? "Matten"?'

Coach Bobby kwam nóg dichter bij me staan. 'Ben je een schijtlijster?'

Daar had je hém weer met zijn schijtlijsters.

Maar ik was de echte man... en de echte man is degene die wegloopt als hij wordt uitgedaagd. Ja, ja...

'Ja,' zei ik, 'ik ben een bange schijtlijster. Ben je nou tevreden?'

'Horen jullie dat, jongens? Hij is bang.'

Ik huiverde inwendig maar hield me sterk. Of zwak, afhankelijk van hoe je het bekeek. Jep, de echte man. Dat was ik, helemaal.

Ik geloof niet dat ik Win ooit zo verslagen heb zien kijken.

'Als je nu zo vriendelijk zou willen zijn om jullie auto weg te halen, zodat ik eruit kan,' zei ik.

'Oké,' zei coach Bobby. 'Maar ik heb je gewaarschuwd.'

'Waarvoor?'

Hij kwam weer heel dicht bij me staan. 'Als je niet wilt vechten, mij best. Maar dan is vanaf nu het jachtseizoen op die jongen van jou geopend.'

Ik voelde meteen het bloed in mijn oren ruisen.

'Waar heb je het over?'

'Die spastische knul die in de verkeerde basket scoorde? Die gaan we de rest van het seizoen op zijn nek zitten. Elke kans die hij ons biedt op een gratis doelpunt, daar gaan we gebruik van maken. Elke mogelijkheid om hem zo gek te krijgen dat hij een fout maakt... idem dito.'

Het kan zijn dat mijn mond openviel, maar dat weet ik niet zeker. Ik keek naar Win om te checken of ik het goed had verstaan. Win zag er niet langer verslagen uit. Hij stond zich in zijn handen te wrijven.

Ik wendde me weer tot coach Bobby. 'Meen je dat serieus?'

'Padvinderserewoord.'

Ik dacht aan mijn belofte aan Ali en zocht naar een opening. Toen een blessure een abrupt einde aan mijn basketbalcarrière had gemaakt, moest ik de wereld zo nodig bewijzen dat alles prima met me ging en dat ik geen behoefte had aan medelijden. Dus ging ik rechten studeren... op Harvard. Myron Bolitar, de veelzijdigheid zelve... de sportster met hersens die zich tot een geslepen maar humaan jurist had getransformeerd. Ik was beëdigd advocaat. Wat inhield dat ik in staat moest zijn om een maas in de wet te vinden.

Wat had ik Ali precies beloofd? Volgens mij had ze letterlijk gezegd: *Ga vanavond niet naar die bar. Beloof het me.*

Nou, dit was geen bar, of wel soms? Dit was een bebost gebied achter een schoolgebouw. Goed, volgens de strekking van onze afspraak zat ik misschien fout, maar volgens de letter van de wet niet. En de letter was hier de sleutel.

'Oké, kom op dan,' zei ik.

Met z'n zessen liepen we naar het bos. Win huppelde bijna. Na een meter of twintig kwamen we bij een open plek. Het lag er bezaaid met sigarettenpeuken en bierblikjes. Een middelbare school. Sommige dingen veranderen niet.

Coach Bobby stelde zich op in het midden van de open plek. Hij stak zijn hand op en wenkte me. Ik liep zijn kant op.

'Heren,' zei Win, 'één ogenblik van jullie tijd, voordat we beginnen.'

Alle blikken werden op hem gericht. Win stond met assistent-coach Pat en de twee anderen bij een hoge esdoorn aan de rand van de open plek.

'Ik zou ernstig tekortschieten,' vervolgde Win, 'als ik jullie niet wat welgemeend advies gaf.'

'Waar heb je het verdomme over?' vroeg coach Bobby.

'Ik heb het niet tegen jou. Dit advies geldt je drie makkers.' Win keek ze een voor een aan. 'Jullie zouden op een zeker moment in de verleiding kunnen komen om coach Bobby te hulp te schieten. Dat zou een kapitale fout zijn. De eerste van jullie die ook maar één stap hun kant op doet, gaat voor langere tijd het ziekenhuis in. Let op; ik zeg niet "die wordt tegengehouden", of "die doe ik pijn", nee... die gaat het ziekenhuis in.'

Iedereen staarde hem aan.

'Tot zover mijn welgemeende advies.' Hij keerde zich om naar coach Bobby en mij. 'Dan schakelen we nu terug naar het vooropgezette treffen.'

Coach Bobby keek me aan. 'Is die gast van deze planeet?'

Maar ik was inmiddels klaar voor het gevecht en mijn situatie was niet erg gunstig. Want ik was heel boos. Dat is niet goed als je met iemand op de vuist moet. Je moet juist de rust zien te bewaren, zien te voorkomen dat je hartslag te veel versnelt en dat je wordt bedwelmd door je eigen adrenaline.

Bobby keek me aan en voor het eerst zag ik iets van twijfel in zijn blik. Maar ik dacht terug aan hoe hij had gelachen, hoe hij op de verkeerde basket had gewezen en had geroepen: *Hé knul, doe dat nog een keer!*

Ik haalde diep adem.

Coach Bobby stak zijn beide vuisten op, als een bokser. Ik deed hetzelfde, maar mijn lichaamshouding was veel minder star dan de zijne. Ik hield mijn knieën licht gebogen en wipte een beetje op en neer. Bobby was een grote, zware man, de plaatselijke schrik van de buurt, en eraan gewend dat tegenstanders zich door hem geïntimideerd voelden. Maar vandaag had hij met een tegenstander van een ander kaliber te maken.

Even een paar korte feiten over knokken. Ten eerste, de hoofdregel: je weet nooit hoe een vuistgevecht zal verlopen. Iedereen kan een voltreffer uitdelen. Te veel zelfvertrouwen is nooit goed. Maar de werkelijkheid was dat coach Bobby geen schijn van kans had. Ik zeg dit niet om stoer te doen of om mezelf moed in te spreken. In tegenstelling tot wat ouders op de tribunes graag willen geloven, met al hun privécoaches en hun veel te zware en veel te agressieve trainingsaanpak, worden sportmensen voor het overgrote deel in de baarmoeder geschapen. Ja zeker, je moet heel graag willen en doorzetten en hard trainen, maar het eigenlijke verschil, het grote verschil, is natuurlijke aanleg.

Aanleg boven aanleren, elke keer weer.

Ik was gezegend met belachelijk snelle reflexen en een uitstekende oog-handcoördinatie. Dat is geen opschepperij. Het is net zoiets als je haarkleur, of je lengte, of je goede of slechte gehoor. Je krijgt het gewoon mee, gratis. En dan heb ik het nog niet eens gehad over al die jaren training om mijn conditie te verbeteren en om te leren hoe ik moest vechten. Dat speelt natuurlijk ook mee.

Coach Bobby deed wat te verwachten was. Hij kwam naar voren en haalde naar me uit met een wilde zwaaistoot. Geen erg effectief middel tegen een ervaren vechter. Je leert al snel dat wanneer het erop aankomt, de kortste afstand tussen twee punten een rechte lijn is. Als je dat weet, kun je beter uit de voeten.

Ik helde een stukje naar rechts. Niet te veel. Net genoeg om de stoot met links af te weren en geen ruimte te verspelen voor de tegenaanval. Ik stapte Bobby's open verdediging binnen. Alles ging nu in slow motion. Ik kon kiezen uit diverse zachte doelwitten.

Ik koos voor het strottenhoofd.

Ik boog mijn rechterarm en raakte zijn adamsappel met het bot van mijn onderarm.

Coach Bobby stootte een schel kwakend geluid uit. Eigenlijk was het gevecht al beslist. Dat wist ik. Of ik had het moeten bedenken. Ik had een stap achteruit moeten doen en hem de kans moeten geven om naar adem happend in elkaar te zakken.

Maar die treiterende stem zat nog steeds in mijn hoofd...

Hé knul, doe dat nog een keer... die gaan we de rest van het seizoen op zijn nek zitten... elke kans die hij ons biedt op een gratis doelpunt, daar gaan we gebruik van maken... schijtlijster!

Ik had hem de kans moeten geven om in elkaar te zakken. Ik had hem moeten vragen of hij genoeg had gehad en er een eind aan moeten maken. Maar de geest was uit de fles. Ik kon me niet meer beheersen. Ik boog mijn linkerarm en zette een pirouette in, op volle snelheid, tegen de klok in. Met de bedoeling hem met mijn elleboog vol in het gezicht te raken.

Het zou, bedacht ik terwijl ik ronddraaide, een vernietigende stoot gaan worden. Een van het soort die zijn aangezichtsbotten zou breken. Van het soort die een chirurgische ingreep en maanden pijnstillers slikken zou vereisen.

Op het allerlaatste moment kwam ik weer een beetje bij zinnen. Ik stopte niet maar boog me wel iets achteruit. In plaats van hem vol te raken schampte mijn elleboog alleen zijn neus. Het bloed spoot eruit. Het geluid dat ik hoorde deed denken aan iemand die op een droog twijgje ging staan.

Bobby sloeg hard tegen de grond.

'Bobby!'

Het was assistent-coach Pat. Ik draaide me naar hem om, stak mijn handen omhoog en riep: 'Niet doen!'

Maar het was al te laat. Pat balde zijn vuisten en deed een stap naar voren.

Wins lichaam bewoog amper. Alleen zijn been. Een flitsende trap tegen Pats linkerknie. Het gewricht boog opzij, op een manier waarvoor het niet bedoeld was. Pat schreeuwde het uit en stortte neer alsof iemand hem had neergeschoten.

Win glimlachte, keek naar de twee andere mannen en trok zijn wenkbrauwen op. 'Wie volgt?'

Geen van de mannen leek nog adem te halen.

Mijn woede was opeens verdwenen. Coach Bobby zat op zijn knieën, met zijn beide handen om zijn neus alsof het een gewond vogeltje was. Ik keek op hem neer. Het verbaasde me hoezeer een verslagen man op een klein jongetje lijkt.

'Wacht,' zei ik. 'Ik zal je helpen.'

Het bloed uit zijn neus stroomde tussen zijn vingers door. 'Blijf van me af!'

'Je moet erop drukken. Om het bloeden te stoppen.'

'Ga weg, zei ik!'

Ik wilde nog iets zeggen om mezelf te verdedigen, maar toen voelde ik een hand op mijn schouder. Het was Win. Hij schudde zijn hoofd alsof hij wilde zeggen: het heeft geen zin. Hij had gelijk.

Zonder nog iets te zeggen liepen we het bos uit.

Toen ik een uur later thuiskwam, had ik twee voicemails. Beide waren kort maar krachtig. De eerste verbaasde me niet eens. Slecht nieuws verspreidt zich snel in een kleine stad.

Ali zei: 'Ik kan niet geloven dat je je belofte hebt verbroken.'

Dat was alles.

Ik zuchtte. Geweld lost niets op. Win zou een verontwaardigd gezicht trekken als ik dat zei, maar de waarheid was dat de keren dat ik geweld had moeten gebruiken, wat redelijk vaak was, het nooit daarbij was gebleven. Geweld resoneert na en zet een golfbeweging in gang. En de echo's vallen nooit helemaal stil.

Het tweede bericht op mijn voicemail was van Terese.

'Kom, alsjeblieft.'

Ze deed geen poging meer om haar wanhoop te verbergen.

Twee minuten later begon mijn mobiele telefoon te trillen. Ik zag op de display dat het Win was.

'We hebben een probleempje,' zei hij.

'En dat is?'

'Assistent-coach Pat… die bij de orthopedisch chirurg langs moet?'

'Wat is er met hem?'

'Hij werkt bij de politie van Kasselton. Hij is zelfs hoofdinspecteur, al maakte hij geen al te scherpzinnige indruk.'

'O,' zei ik.

'Het schijnt dat ze ons willen arresteren.'

'Zij zijn begonnen,' zei ik.

'Correct,' zei Win, 'en ik ben ervan overtuigd dat ze ons eerder zullen geloven dan de plaatselijke hoofdinspecteur van politie en drie getuigen die hier al hun hele leven wonen.'

Goed punt.

'Maar ik dacht,' vervolgde Win, 'dat we misschien een paar weekjes Thailand konden pakken terwijl mijn advocaat dit oplost.'

'Geen slecht idee.'

'Ik ken een nieuwe herenclub in Bangkok, bij Patpong Street. Misschien zouden we onze excursie daar kunnen beginnen.'

'Mij niet gezien,' zei ik.

'Wat ben je toch preuts. Maar hoe dan ook, je zou er verstandig aan doen een tijdje te verdwijnen.'

'Dat ga ik ook doen.'

We beëindigden ons gesprek en ik belde Air France. 'Hebben jullie nog een plek vrij op de vlucht van vanavond naar Parijs?'

'Mag ik uw naam, meneer?'

'Myron Bolitar.'

'Er is al een stoel voor u geboekt en betaald. Wilt u bij het raam of aan het middenpad zitten?'

4

Ik gebruikte mijn opgespaarde Flyer Miles om mezelf wat comfort te verschaffen. Gratis drank of beter eten hoefde ik niet, maar wat extra beenruimte betekende alles voor me. Als ik vlieg krijg ik altijd de middelste stoel tussen twee reuzen met een ruimteprobleem en eelt op hun ellebogen. En vóór me zit altijd en eeuwig een tenger oud dametje wier voeten niet eens de grond raken, maar die haar stoel zo ver mogelijk achteruit schuift en blijkbaar een bijna seksueel genot beleeft aan het knarsen van mijn knieën tegen haar rugleuning, die bovendien zo ver achterover gekanteld staat dat ik gedurende de hele vlucht naar de roosschilfers op haar schedel moet kijken.

Ik had Tereses telefoonnummer niet, maar ik herinnerde me dat ze in Hotel D'Aubusson verbleef. Ik belde het hotel en liet de boodschap achter dat ik onderweg was. Ik stapte in het vliegtuig en stopte de dopjes van mijn iPod in mijn oren. Algauw zonk ik weg in die typische vliegtuigenhalfslaap en dacht aan Ali, de eerste keer dat ik een vriendin met kinderen had gehad, een weduwe, en aan de manier waarop ze me haar rug toe had gekeerd nadat ze had gezegd: 'Jij en ik zijn geen blijvertjes, Myron...'

Was dat zo?

Ik probeerde me het leven zonder haar voor te stellen.

Hield ik van Ali Wilder? Ja.

Ik had in mijn leven van drie vrouwen gehouden. De eerste was Emily Downing, mijn schoolliefde op Duke. Ze had me uiteindelijk gedumpt voor mijn aartsrivaal uit die tijd. Mijn tweede grote liefde, die het dichtst in de buurt kwam van wat je een soulmate noemt, was

Jessica Culver, een schrijfster. Ook Jessica had mijn hart verpulverd alsof het een piepschuimen koffiebeker was… of misschien was ik wel degene die háár hart had verpulverd. Moeilijk te zeggen als je erop terugkijkt. Ik had van haar gehouden met alles wat ik in me had, maar blijkbaar was dat niet genoeg geweest. Ze was nu getrouwd. Met een kerel die Stone heette.

En de derde… nou, dat was dus Ali Wilder. Ik was de eerste man met wie ze was uitgegaan nadat haar man op 11 september in de North Tower was omgekomen. Onze liefde voor elkaar was sterk, maar ook bedachtzaam en volwassen, en misschien hoort liefde dat niet te zijn. Ik wist dat het einde pijnlijk zou zijn, maar dat niet mijn hele wereld erdoor zou instorten. Ik vroeg me af of dat ook met volwassenheid te maken had, of dat je hart, nadat het al een paar keer was gebroken, een soort natuurlijk pantser ontwikkelt.

Of misschien had Ali gewoon gelijk. Dat we geen blijvertjes waren. Zo simpel kon het zijn.

Er is een oud Jiddisch gezegde dat ik wel toepasselijk vind, hoewel niet van harte: *De mens probeert en God lacht.* Ik ben het levende voorbeeld. Ik had mijn leven zo goed voor elkaar gehad. Gedurende mijn hele jeugd was ik een basketbal-ster geweest, voorbestemd om als prof bij de Boston Celtics te spelen. Maar in mijn allereerste wedstrijd, nog voordat de NBA-competitie was begonnen, kwam ik in botsing met Big Burt Wesson en liep een ernstige knieblessure op. Ik revalideerde en dat verliep redelijk, maar er zit een groot verschil tussen redelijk en honderd procent. Mijn carrière was al voorbij voordat die begonnen was.

Ik was ook voorbestemd om een gezinsmens te worden, net als de man die ik van iedereen ter wereld het meest bewonderde: Al Bolitar, mijn vader. Hij was getrouwd met zijn schoolliefde, mijn moeder Ellen. Ze waren in een buitenwijk van Livingston, New Jersey, gaan wonen, stichtten een gezin, hadden keihard gewerkt en barbecues in de achtertuin gegeven. Zo zou mijn leven er ook uitzien: met een loyale echtgenote, twee komma zes kinderen, zitten op gammele zaaltribunes om mijn eigen kinderen te zien sporten, misschien een hond, een verroeste basketbalring op de oprit en zaterdags naar de kringloopwinkel en Modell's Sportartikelen. U begrijpt wel wat ik bedoel.

Maar hier zat ik dan, de veertig al gepasseerd en nog steeds ongetrouwd en kinderloos.

'Wilt u iets drinken?' vroeg de stewardess.

Ik ben niet zo'n drinker, maar ik vroeg een whisky-soda. Wins drankje. Ik had behoefte aan iets wat me een beetje verdoofde, zodat ik zou kunnen slapen. Ik deed mijn ogen weer dicht. Blokkeren die handel. Blokkeren was goed.

Maar hoe paste Terese Collins, de vrouw voor wie ik de oceaan overvloog, in dit plaatje?

Ik had nooit aan Terese gedacht als een van mijn liefdes. Of in ieder geval geen grote liefde. Als ik aan haar dacht, dacht ik aan haar zachte huid, die naar cacaoboter rook. Ik dacht aan het verdriet dat in golven van haar af straalde. Ik dacht aan hoe we op dat eiland de liefde hadden bedreven als twee wanhopige schipbreukelingen. Toen Win me ten slotte met zijn jacht was komen halen, was ik sterker geworden door de tijd die we samen hadden gehad. Zij niet. We hadden afscheid van elkaar genomen, maar dat was nog niet het einde geweest. Terese had me geholpen toen ik haar het meest nodig had, acht jaar geleden, en daarna was ze verdwenen, had ze zich weer teruggetrokken in haar verdriet.

Nu was ze terug.

Acht jaar lang was Terese Collins niet alleen uit míjn blikveld verdwenen geweest, maar ook uit dat van het grote publiek. In de jaren negentig was ze een populaire tv-persoonlijkheid geweest, een van de beste presentators van CNN, en toen ineens, *poef*, was ze weg.

Het vliegtuig landde en taxiede naar de gate. Ik trok mijn tas van het rek – ik had niet veel bagage, want het was maar voor een paar dagen – en vroeg me af wat me te wachten stond. Ik was als derde het vliegtuig uit en na een paar grote passen liep ik als eerste naar de rij bij de douane en de immigratiedienst. Ik hoopte meteen aan de beurt te zijn, maar helaas waren er nog drie vluchten net geland en stond er een flinke rij.

De mensen schoven tussen de koorden door alsof we voor Disney World stonden. Het ging vrij snel. De beambten wuifden de meeste mensen door of wierpen slechts een vluchtige blik in hun paspoort. Toen ik aan de beurt was, keek de vrouwelijke douanebeambte in mijn paspoort, toen naar mijn gezicht, toen weer in mijn paspoort en daarna weer naar mijn gezicht. Haar blik bleef op mij rusten. Ik glimlachte, maar hield de bekende Bolitar-charme op de laagste stand. Ik wilde de arme vrouw niet te veel opwinden tijdens haar werk.

Ze draaide zich van me weg alsof ik iets onfatsoenlijks had gezegd, en knikte naar een mannelijke beambte een paar meter verderop. Toen ze me weer aankeek, besloot ik mijn reactie een beetje te verfijnen. Breder te glimlachen en de charme van 'laag' op 'onweerstaanbaar' te zetten.

'Komt u hier even staan, alstublieft,' zei ze fronsend.

Ik stond nog steeds te grijnzen als een idioot. 'Waarom?'

'Mijn collega handelt uw geval af.'

'Ben ik een geval?' vroeg ik.

'Komt u hier staan, alstublieft.'

Ik hield de rij op en de wachtenden achter me vonden dat niet leuk. Ik ging naast de desk staan. De andere beambte zei: 'Komt u met me mee, alstublieft.'

Het beviel me niet, maar wat kon ik anders? Ik vroeg me af: waarom ik? Misschien was er een Franse wet tegen te charmant zijn. Ja, dat moest het wezen.

De beambte bracht me naar een kleine kamer zonder ramen. De muren waren kaal en grijs. Aan de deur zaten twee haken waaraan kleerhangers hingen. De stoelen waren van plastic. In de hoek stond een tafel. De beambte nam mijn tas en zette die op de tafel. Hij begon hem te doorzoeken.

'Maak uw zakken leeg, alstublieft. Doe alles in deze schaal. En trek uw schoenen uit.'

Dat deed ik. Portefeuille, mobiele telefoon, wisselgeld, schoenen.

'Ik moet u fouilleren.'

Hij deed dat nogal grondig. Bijna had ik een grap gemaakt, over of hij het leuk vond, of dat we misschien eerst een tochtje met een rondvaartboot op de Seine moesten maken voordat we intiem werden, maar ik was niet bekend met het Franse gevoel voor humor. Was Jerry Lewis hier niet populair? Dan kon je maar beter op je tellen passen.

'Neemt u plaats, alstublieft.'

Ik ging zitten. Hij ging de kamer uit en nam de schaal met mijn spullen met zich mee. Een half uur lang zat ik daar alleen... om me klein te krijgen, zoals ze dat zeggen. Dit beviel me helemaal niet.

Twee mannen kwamen de kamer in. De eerste was de jongste, tegen de dertig, zo te zien, knap gezicht, lichtblond haar en een stoppelbaard van drie dagen, die mooie jongens vaak laten staan om er wat meer macho uit te zien. Hij had een spijkerbroek en laarzen aan, en een overhemd waarvan hij de mouwen tot net onder de elleboog had opgerold. Hij leunde met zijn rug tegen de muur, sloeg zijn armen over elkaar en kauwde op een tandenstoker.

De tweede man was ongeveer vijfenvijftig, had een bril op met een stalen montuur en heel grote glazen, en futloos grijs haar dat hij over niet al te lange tijd dwars over zijn schedel zou moeten kammen. Hij droogde zijn handen aan een papieren handdoek toen hij binnenkwam. Zijn windjack zag eruit alsof hij het in 1986 bij Members Only had gekocht.

Tot zover de Fransen en hun haute couture.

De oudere man nam het woord. 'Wat is het doel van uw bezoek aan Frankrijk?'

Ik keek hem aan, keek naar de knaap met de tandenstoker en toen weer naar hem. 'En wie bent u?'

'Ik ben inspecteur Berleand. Dit is rechercheur Lefebvre.'

Ik knikte naar Lefebvre. De tandenstoker bewoog even.

'Het doel van uw bezoek?' vroeg Berleand weer. 'Zaken of vakantie?'

'Vakantie.'

'Waar logeert u?'

'In Parijs.'

'Waar in Parijs?'

'In Hotel D'Aubusson.'

Hij schreef het niet op. Geen van beiden had pen en papier.

'Bent u alleen?' vroeg Berleand.

'Nee.'

Berleand stond nog steeds zijn handen te drogen aan de papieren handdoek. Hij stopte, deed zijn hand omhoog en schoof met zijn wijsvinger zijn bril hoger op zijn neus. Toen ik verder niets zei, haalde hij zijn schouders op alsof hij wilde vragen: nou?

'Ik heb hier afgesproken met een vriendin.'

'Hoe heet die vriendin?'

'Hoor eens, is dit allemaal nodig?' vroeg ik.

'Nee, meneer Bolitar. Ik ben alleen maar nieuwsgierig en vraag het zonder enige reden.'

De Fransen hielden blijkbaar van sarcasme.

'Haar naam?'

'Terese Collins,' zei ik.

'Wat is uw beroep?'

'Ik ben agent.'

Berleand keek verbaasd. Lefebvre, zo leek het, verstond geen Engels.

'Ik vertegenwoordig acteurs, sporters, schrijvers en artiesten,' legde ik uit.

Berleand knikte; hij begreep het. De deur ging open. De beambte kwam binnen en gaf de schaal met mijn bezittingen aan Berleand. Hij zette hem op tafel, naast mijn reistas. Daarna ging hij weer door met zijn handen te drogen.

'Mevrouw Collins en u zijn niet samen hiernaartoe gekomen, is het wel?'

'Nee, ze was al in Parijs.'

'Aha. Hoe lang bent u van plan in Frankrijk te blijven?'

'Dat weet ik nog niet. Een dag of twee, drie.'

Berleand keek naar Lefebvre. Lefebvre knikte, maakte zich los van de muur en liep naar de deur. Berleand ging hem achterna.

'Excuses voor het ongemak,' zei Berleand. 'Ik wens u een prettig verblijf.'

5

Terese Collins wachtte me op in de aankomsthal.
Ze omhelsde me, maar niet al te stevig. Haar lichaam leunde tegen het mijne, alsof het steun zocht, maar ook dat niet te zwaar, en ze wekte zeker niet de indruk dat ze op instorten stond. We waren allebei een beetje terughoudend in onze eerste begroeting in acht jaar. Toch, toen ik haar in mijn armen had en even mijn ogen dichtdeed, meende ik de geur van cacaoboter te ruiken.

Mijn gedachten vlogen terug naar het Caraïbische eiland, maar vooral – laat ik eerlijk blijven – naar dat waaraan we ons hadden overgegeven: de hartverscheurende seks. Dat wanhopige vastgrijpen en je tegen elkaar aan persen waardoor je begrijpt hoe pijn – emotionele pijn – en genot zich niet alleen met elkaar kunnen vermengen, maar elkaar ook kunnen versterken, en dat dan op een absoluut niet sadomasochistische manier. Geen van beiden hadden we behoefte aan woorden, aan gevoelens uitspreken of elkaar geruststellen, al dan niet gemeend, of handjes vasthouden... zelfs voor een lichte omhelzing was geen plaats, alsof dat allemaal veel te teder was, en alsof tederheid het eind zou kunnen betekenen van de kwetsbare luchtbel waarin we ons op dat moment bevonden.

Terese liet me los. Ze was nog steeds zo mooi dat ik er rubberen knieën van kreeg. Ze was wat ouder geworden, maar sommige vrouwen – zeker in een tijd waarin de meesten veel te veel aan hun gezicht laten rotzooien – staat dat juist heel goed.

'En, wat is er loos?' vroeg ik.

'Is dat het eerste wat je na al die jaren tegen me zegt?'

Ik haalde mijn schouders op.

'Ik zei tenminste nog: "Kom naar Parijs",' zei Terese.

'Ik probeer mijn charme in toom te houden,' zei ik. 'In ieder geval tot ik weet wat er aan de hand is.'

'Je zult wel moe zijn.'

'Ik voel me prima.'

'Ik heb een kamer voor ons genomen. Een dubbele. Met aparte bedden, voor als we dat nodig vinden.'

Ik zei niets.

Het lukte Terese te glimlachen. 'Man, wat ben ik blij je te zien.'

Ik voelde me net zo. Misschien was het tussen ons geen echte liefde geweest, maar er was wel iets, iets wat heel sterk, oprecht en speciaal was. Ali had gezegd dat wij geen blijvertjes waren. Nou, Terese en ik waren dat ook niet, maar er was wel wat, iets wat moeilijk te definiëren was, wat je jarenlang op de plank kon leggen, kon vergeten en als iets vanzelfsprekends kon beschouwen, en misschien moest het ook wel zo zijn.

'Je wist dat ik zou komen,' zei ik.

'Ja. En jij weet dat ik hetzelfde zou hebben gedaan als je mij had gebeld.'

Dat was waar. 'Je ziet er geweldig uit,' zei ik.

'Kom, laten we iets gaan eten.'

De portier pakte mijn bagage aan en wierp een bewonderende blik op Terese voordat hij me aankeek met die universele 'man tot man'-grijns. Vuile mazzelaar, zei de grijns.

Rue Dauphine is een smalle straat. Een wit busje stond dubbel geparkeerd naast een taxi en blokkeerde bijna al het verkeer. De taxichauffeur was uitgestapt en riep – nam ik aan – Franse verwensingen naar het busje, of misschien was het wel de plaatselijke, luidruchtige manier om iemand de weg te vragen.

We sloegen rechts af. Het was negen uur 's morgens. New York zou al swingen om deze tijd, maar de Parijzenaars die wij tegenkwamen zagen eruit alsof ze liever nog in hun bed zouden liggen. We kwamen bij de Seine en Pont Neuf. Rechts in de verte zag ik de torens van de Notre Dame. Terese liep die kant op, over de rivieroever, langs de groene stalletjes waar ooit antiquarische boeken werden verkocht, maar die zich nu steeds meer in ordinaire souvenirs specialiseerden. Aan de overkant van de rivier zag ik een soort fort met een mooi lichtgrijs pannendak.

Toen we de Notre Dame naderden zei ik: 'Zou je je heel erg opgelaten voelen als ik met een bochel en een slepend linkerbeen ging lopen?'

'Men zou je voor een toerist kunnen aanzien,' zei Terese.

'Goed punt. Misschien moet ik een alpinopet kopen en mijn naam op de voorkant laten borduren.'

'Ja, dan ben je op en top Fransman.'

Terese had nog steeds die prachtige manier van lopen, met geheven hoofd, de schouders naar achteren en de rug kaarsrecht. Nog iets wat ik bedacht wanneer het om de vrouwen in mijn leven ging: dat ze allemaal zo mooi konden lopen. Ik vind een zelfverzekerde tred sexy, die bijna schrijdende manier waarop sommige vrouwen een kamer binnenkomen alsof die hun eigendom is. Je kunt veel afleiden van de manier waarop een vrouw loopt.

We liepen het terras van een bistro op Saint Michel op. De hemel was nog steeds grijs, maar je kon zien dat de zon terrein aan het winnen was. We gingen zitten en Terese bleef me lange tijd aankijken.

'Eh, zit er iets tussen mijn tanden?' vroeg ik.

Ze glimlachte en zei: 'God, wat heb ik je gemist.'

Haar woorden bleven in de lucht hangen. Ik wist niet precies wie ze had uitgesproken, zij of deze stad. Zo is Parijs. Er is veel geschreven over alle pracht en praal en natuurlijk is dat allemaal waar. Elk gebouw is een architectonisch wondertje, een lust voor het oog. Parijs is als een beeldschone vrouw die weet dat ze beeldschoon is, die zich lekker voelt door die wetenschap en dus niet de behoefte heeft om al te zeer haar best te doen. Ze is gewoon oogverblindend en dat weet jij net zo goed als zij.

Meer nog dan dat geeft Parijs je het gevoel dat je... hoe moet je het zeggen... dat je leeft. Of: Parijs geeft je het gevoel dat je *wílt* leven. Je wilt zijn en dingen doen en genieten als je hier bent. Je wilt voelen, alleen maar voelen, en het maakt niet uit wat. Je beleeft alles intenser. Parijs maakt je aan het huilen en aan het lachen; je wilt verliefd worden, gedichten schrijven, de liefde bedrijven en een symfonie componeren.

Terese reikte over de tafel en pakte mijn hand vast.

'Je had kunnen bellen,' zei ik. 'Al was het alleen maar om te zeggen dat alles oké met je was.'

'Ik weet het.'

'Ik ben niet verhuisd,' zei ik. 'Mijn kantoor is nog steeds op Park Avenue. Ik deel nog steeds een appartement met Win in het Dakota.'

'En je hebt het huis van je ouders in Livingston gekocht,' zei ze.

Het was geen verspreking. Terese wist het van het huis. En van Ali. Ze wilde me laten weten dat ze me niet uit het oog had verloren.

'Je was ineens verdwenen,' zei ik.

'Ik weet het.'

'Ik ben naar je op zoek geweest.'

'Dat weet ik ook.'

'Kun je daarmee ophouden, met "ik weet het" zeggen?'

'Oké.'

'Nou, wat is er gebeurd?' vroeg ik.

Ze trok haar hand terug. Haar blik dwaalde af naar de Seine. Er liep een jong stel voorbij. Ze maakten ruzie in het Frans. De vrouw was woedend. Ze raapte een leeg frisdrankblikje van de stoep en smeet het naar het hoofd van haar vriend.

'Je zou het niet begrepen hebben,' zei Terese.

'Dat is nog erger dan "ik weet het".'

Haar glimlach was zo bedroefd. 'Ik ben een beschadigd mens. Ik zou je hebben meegetrokken in mijn ellende. Ik gaf te veel om je om dat te laten gebeuren.'

Ik begreep het. En tegelijkertijd niet. 'Ik wil niet flauw doen, maar dat klinkt als amateuristisch zelfbesef.'

'Dat is het niet.'

'Nou, waar heb je uitgehangen, Terese?'

'Ik heb me verborgen gehouden.'

‘Waarvoor?’

Ze schudde haar hoofd.

‘Vertel op, waarom ben ik hier?’ vroeg ik. ‘En zeg alsjeblieft niet “omdat je me zo miste”.’

‘Dat is het ook niet. Ik bedoel, ik miste je wel… je hebt geen idee hoe erg. Maar je hebt gelijk; dat is niet de reden dat ik je heb gebeld.’

‘Dus?’

Een ober met een wit overhemd en een zwart schort kwam naar onze tafel. Terese bestelde in vloeiend Frans voor ons allebei. Ik spreek geen woord Frans, dus misschien kreeg ik zo meteen wel poep op volkorenbrood voorgezet.

‘Een week geleden werd ik gebeld door mijn ex-man,’ zei ze.

Ik had nooit geweten dat ze getrouwd was geweest.

‘Ik had Rick al negen jaar niet gesproken.’

‘Negen jaar,’ herhaalde ik. ‘Dat was dus omstreeks de tijd dat wij elkaar leerden kennen.’

Ze keek me aan.

‘Laat je niet van wijs brengen door mijn wiskundeknobbel,’ zei ik. ‘Rekenen is een van mijn verborgen talenten. Ik doe mijn best om het geheim te houden.’

‘Je vraagt je af of Rick en ik nog getrouwd waren toen wij op dat eiland zaten?’ zei ze.

‘Nee, niet echt.’

‘Je bent zo verdomde fatsoenlijk.’

‘Nee,’ zei ik, en ik dacht weer aan wat we op dat eiland hadden gedaan, ‘dat ben ik niet.’

‘Zoals ik heb kunnen ervaren?’

‘Ook een verborgen talent,’ zei ik, ‘dat ik probeer geheim te houden.’

‘Mooi zo. Maar ik kan je geruststellen: Rick en ik waren niet meer bij elkaar toen wij samen waren.’

‘En wat wilde ex-man Rick?’

‘Hij zei dat hij in Parijs was. En dat het van het allergrootste belang was dat ik naar hem toe kwam.’

'Naar Parijs?' vroeg ik.

'Nee, naar Six Flags-avonturenpark in Jackson, New Jersey. Natuurlijk naar Parijs.'

Ze deed haar ogen dicht. Ik wachtte af.

'Sorry. Dat was niet nodig.'

'Ik vind het wel leuk zoals je snauwt. Wat zei je ex nog meer?'

'Dat ik een kamer in Hotel D'Aubusson moest nemen.'

'En?'

'Dat is alles.'

Ik verschoof op mijn stoel. 'Dat was het hele gesprek? "Hallo, Terese, met Rick, je ex-man die je al bijna tien jaar niet hebt gesproken. Kom onmiddellijk naar Parijs en neem een kamer in Hotel D'Aubusson. En, o ja, het is dringend."'

'Ja, zo ongeveer wel.'

'Heb je hem niet gevraagd waaróm het zo dringend was?'

'Doe je expres alsof je gek bent? Natuurlijk heb ik dat gevraagd.'

'En?'

'Dat kon hij niet zeggen. Hij moest me persoonlijk spreken.'

'En toen heb jij alles uit je handen laten vallen en ben je hiernaartoe gekomen?'

'Ja.'

'Na al die jaren ben je gewoon...' Ik stopte. 'Wacht eens even. Je zei net dat je je verborgen had gehouden.'

'Ja.'

'Ook voor Rick?'

'Voor iedereen.'

'Waar?'

'In Angola.'

Angola? Ik besloot daar nu niet op in te gaan. 'Hoe heeft Rick je dan gevonden?'

De ober kwam. Hij zette twee koppen koffie en twee stukken stokbrood met ham en kaas voor ons neer.

'Dit noemen ze hier een Croque Monsieur,' zei Terese.

Niks nieuws onder de zon, dacht ik. Gewoon een broodje hamkaas, maar dan met een chique naam.

‘Rick en ik werkten samen bij CNN,’ zei ze. ‘Hij is een van de beste onderzoeksjournalisten van de hele wereld, denk ik, maar hij is niet graag in beeld. Hij werkt liever achter de schermen. Hij heeft me opgespoord, neem ik aan.’

Terese zag er natuurlijk bleker uit dan toen op dat zonovergoten eiland. Haar blauwe ogen fonkelden minder dan toen, maar ze hadden nog wel die dunne gouden ring om de pupillen. Ik had altijd een voorkeur gehad voor vrouwen met donker haar, maar haar zongebleekte lokken hadden me destijds de das omgedaan.

‘Oké,’ zei ik. ‘Ga door.’

‘Dus heb ik gedaan wat hij vroeg. Ik ben vier dagen geleden aangekomen. Maar ik heb nog steeds geen woord van hem gehoord.’

‘Heb je hem dan niet gebeld?’

‘Ik heb zijn nummer niet. Rick was heel duidelijk. Hij zou contact met mij opnemen zodra ik hier was. Tot nu toe heeft hij dat nog niet gedaan.’

‘En daarom heb je mij gebeld?’

‘Ja,’ zei ze. ‘Jij bent goed in het opsporen van mensen.’

‘Als ik daar zo goed in ben, hoe kan het dan dat ik jou niet heb gevonden?’

‘Omdat je niet hard genoeg hebt gezocht?’

Daar kon ze gelijk in hebben.

Ze boog zich over de tafel. ‘Ik was er toen, weet je nog?’

‘Ja, ik weet het.’

Ze hoefde me niet te vertellen wat ik al wist. Ze had me geholpen toen het leven van een voor mij heel belangrijk iemand aan een zijden draadje hing. Zonder haar zou het me niet gelukt zijn. Dan zou hij gestorven zijn. Ze hoefde niet te zeggen dat ik haar iets schuldig was. Dat wist ik maar al te goed.

‘Dus je weet niet eens of je ex vermist wordt,’ zei ik.

Terese gaf geen antwoord.

‘Kan het niet zo zijn dat hij je gewoon een loer heeft willen draaien? Misschien is dit Ricks gestoorde gevoel voor humor. Of misschien was het toch niet zo belangrijk. Of hij is van gedachten veranderd.’

Ze bleef me alleen maar aankijken.

'En als hij vermist wordt, vraag ik me af hoe ik je zou kunnen helpen. Ja, natuurlijk, thuis in de Verenigde Staten kan ik wel het een en ander doen. Maar we zijn hier in het buitenland. Ik spreek geen woord Frans. En ik heb Win niet om me te helpen, en Esperanza en Big Cyndi niet...'

'Ik ben hier. Ik spreek Frans.'

Ik keek haar aan. De tranen stonden in haar ogen. Ik had haar gezien toen ze in de kreukels lag, maar nog nooit zoals ze er nu uitzag. Ik schudde mijn hoofd.

'Wat verzwijg je voor me?'

Ze deed haar ogen dicht. Ik wachtte af.

'Zijn stem,' zei ze.

'Wat was daarmee?'

'Rick en ik leerden elkaar kennen tijdens ons eerste jaar op de universiteit. We zijn tien jaar getrouwd geweest. We hebben praktisch elke dag met elkaar gewerkt.'

'Ja?'

'Ik ken hem door en door, al zijn stemmingen, begrijp je wat ik bedoel?'

'Ik denk het wel.'

'We zijn samen in oorlogsgebieden geweest. We hebben martelkamers in het Midden-Oosten gevonden. We hebben in Sierra Leone dingen gezien die geen mens zou geloven. Rick wist hoe hij zich tegen dat soort indrukken moest wapenen. Hij was altijd in balans, wist hoe hij zijn emoties onder controle moest houden. Hij had de pest aan de overdrijving die je in het tv-nieuws zo vaak hoort. Dus ik weet hoe zijn stem klinkt in de meest uiteenlopende situaties.'

Terese deed haar ogen weer dicht. 'Maar zoals een week geleden had ik hem nooit gehoord.'

Ik reikte met mijn hand over de tafel, maar ze pakte hem niet vast.

'Hoe klonk hij dan?' vroeg ik.

'Er zat een trilling in die ik nooit eerder had gehoord. Ik dacht...

het leek wel alsof hij gehuild had. Hij klonk doodsbang. En dat voor iemand die voor niets en niemand bang was. Hij zei dat ik op iets voorbereid moest zijn.'

'Waarop?'

Haar ogen glansden van de tranen. Terese vouwde haar handen, alsof ze bad, en legde de vingertoppen op haar neusbrug. 'Hij zei dat hij me iets moest vertellen wat mijn hele leven zou veranderen.'

Ik leunde achterover en fronste mijn wenkbrauwen. 'Zei hij het in die woorden... dat het je hele leven zou veranderen?'

'Ja.'

Terese hield zelf ook niet van overdrijven. Ik wist niet wat ik ervan moest denken.

'Waar woont Rick?' vroeg ik.

'Dat weet ik niet.'

'Kan het zijn dat hij hier in Parijs woont?'

'Ja, dat zou kunnen.'

Ik knikte. 'Is hij hertrouwd?'

'Dat weet ik ook niet. Zoals ik net al zei hebben we elkaar in geen jaren gesproken.'

Dit beloofde niet gemakkelijk te worden.

'Weet je of hij nog voor CNN werkt?'

'Dat betwijfel ik.'

'Misschien kun je een lijst van familie en vrienden maken, zodat ik iets heb om mee te beginnen?'

'Oké.'

Haar hand trilde toen ze haar koffiekop pakte en die naar haar mond bracht.

'Terese?'

Ze hield de koffiekop voor haar gezicht alsof ze zich erachter wilde verschuilen.

'Wat kan jouw ex-man je in godsnaam te vertellen hebben wat je hele leven zou veranderen?'

Terese wendde haar blik af.

Er reden bussen langs de Seine, rode dubbeldekkers vol toeristen. Op alle bussen zat dezelfde reclameposter van een of ander modehuis, met een aantrekkelijke vrouw die een Eiffeltoren op haar hoofd had. Het zag er bespottelijk en buitengewoon ongemakkelijk uit. De Eiffeltorenhoed, die loodzwaar op het hoofd van de vrouw rustte, werd op zijn plaats gehouden door een dun, stoffen lintje. De slanke hals van het model boog door alsof hij ieder moment doormidden kon breken. Wie meende dat dit een goede manier was om reclame te maken voor de nieuwste mode?

Er kwamen meer voetgangers langs. Het meisje dat haar vriend zojuist met een frisdrankblikje had bekogeld, liep haar doelwit nu te zoenen. Ah, de Fransen. Een verkeersagent stond druk te gebaren naar een wit busje dat het verkeer ophield. Ik keerde me naar Terese en wachtte op antwoord. Ze zette haar koffiekop neer.

'Ik kan niks bedenken.'

Maar ik hoorde de heel lichte aarzeling in haar stem. Als we aan het pokeren waren geweest, zou ze zichzelf hebben verraden. Ze loog niet. Daar was ik vrij zeker van. Maar ze vertelde me ook niet alles.

'En het is uitgesloten dat je ex overdrijft?'

'Ja.'

Ze zweeg, wendde haar blik af en probeerde zich te herstellen.

Dit, wist ik, was het moment voor de grote vraag. 'Wat is er met je gebeurd, Terese?' vroeg ik.

Ze wist wat ik bedoelde. Ze wilde me niet aankijken, maar er kwam een vage glimlach om haar lippen.

'Jij hebt mij ook nooit iets verteld,' zei ze.

'Dat was onze afspraak op het eiland.'

'Ja.'

'Maar we zijn nu niet meer op het eiland.'

Stilte. Ze had gelijk. Ik had haar nooit verteld wat me daar had gebracht… wat me zo hard had geraakt dat ik er kapot van was. Dus misschien moest ik het als eerste doen.

'Ik was ingehuurd om iemand te beschermen,' zei ik. 'Ik heb dat niet goed gedaan. Ze is door mijn schuld gestorven. En om alles nog erger te maken heb ik daar heel slecht op gereageerd.'

Geweld, dacht ik weer. De echo die nooit stilvalt.

'Je zei "ze",' zei Terese. 'Dus het was een vrouw die je moest beschermen?'

'Ja.'

'Je was naar haar graf geweest,' zei Terese. 'Ik herinner me dat je dat vertelde.'

Ik zei niets.

Nu was het haar beurt. Ik leunde achterover en gaf haar de tijd. Win had me over haar geheim verteld, dat het iets heel ergs was. Ik was nerveus. Ik keek in het rond en dat was het moment dat me iets opviel.

Het witte busje.

Je raakt na een tijdje gewend aan mijn manier van leven. Aan het op je hoede zijn, bedoel ik. Je kijkt in het rond, begint bepaalde patronen te herkennen en vraagt je af of die iets te betekenen hebben. Dit was de derde keer dat ik hetzelfde busje zag. Of in ieder geval dácht ik dat het hetzelfde busje was. Het had voor het hotel gestaan toen we naar buiten kwamen. En wat belangrijker was, de laatste keer dat ik het zag, werd het door een verkeersagent gemaand door te rijden.

Toch stond het nog steeds op dezelfde plek.

Ik draaide me om naar Terese. Ze zag de blik in mijn ogen en vroeg: 'Wat is er?'

'Volgens mij worden we gevolgd door dat witte busje.'

Ik hoefde er geen 'niet kijken' of zoiets aan toe te voegen. Terese was niet gek.

'Wat doen we nu?' vroeg ze.

Ik dacht erover na. De eerste puzzelstukjes vielen al op hun plaats. Ik hoopte dat ik het mis had. Even stelde ik me voor dat dit hele project in een kwestie van seconden voorbij kon zijn. Ex-echtgenoot Rick zat achter het stuur van het busje en bespioneerde ons. Ik zou ernaartoe lopen, het portier opentrekken en hem achter het stuur vandaan sleuren.

Ik kwam overeind en kon vanaf waar ik stond door het zijraampje aan de bestuurderskant naar binnen kijken. Als ik gelijk had, hoefden er geen spelletjes te worden gespeeld. De ruit spiegelde, maar desondanks herkende ik het ongeschoren gezicht, en, wat belangrijker was, de tandenstoker.

Het was Lefebvre van het vliegveld.

Hij deed geen moeite om zichzelf te verbergen. Het portier ging open en hij stapte uit. Vanaf de passagiersstoel boog de oudere politieman, Berleand, zich in beeld. Hij schoof zijn bril hoger op zijn neus en glimlachte bijna verontschuldigend naar me.

Ik voelde me oliedom. Agenten in burger op het vliegveld. Dat had genoeg moeten zijn. Mensen van de douane en de immigratiedienst zijn nooit in burger. En dan al die rare vragen. Om me te misleiden. Ik had het moeten zien aankomen.

Zowel Lefebvre als Berleand bracht zijn hand naar zijn heup. Ik dacht even dat ze hun wapen gingen trekken, maar beiden haalden een rode armband met het woord POLICE uit hun zak. Ze schoven de band om hun bovenarm. Ik keek naar links en zag twee uniformagenten onze kant op komen.

Ik verroerde me niet. Ik hield mijn handen stil naast mijn bovenbenen, goed zichtbaar voor iedereen. Ik wist nog steeds niet wat er aan de hand was, maar dit leek me niet het moment voor onverwachte bewegingen.

Mijn blik bleef op Berleand gericht. Hij kwam naar onze tafel toe, keek naar Terese en zei tegen ons: 'Wilt u allebei met ons meekomen, alstublieft?'

'Wat is er aan de hand?' vroeg ik.

'Dat kunnen we op het bureau bespreken.'

'Staan we onder arrest?' vroeg ik.

'Nee.'

'Dan gaan we helemaal nergens naartoe totdat we weten wat er aan de hand is.'

Berleand glimlachte. Hij keek naar Lefebvre. Die glimlachte ook, langs zijn tandenstoker. 'Wat is er?' vroeg ik.

'Denkt u dat u hier in Amerika bent, meneer Bolitar?'

'Nee, maar wel in een moderne democratie waar mensen bepaalde grondrechten hebben. Of zie ik dat verkeerd?'

'Wij lezen u hier in Frankrijk uw rechten niet voor. We hoeven u niet eens ergens van te beschuldigen om u mee te nemen naar het bureau. Sterker nog, ik kan u allebei achtenveertig uur vasthouden voor een of andere futiliteit.'

Berleand kwam dichter bij me staan, schoof zijn bril weer omhoog en veegde zijn handen af aan zijn broek. 'Dus vraag ik het nog een keer. Wilt u allebei met ons meekomen, alstublieft?'

'Met alle plezier,' zei ik.

6

Al op straat werden Terese en ik van elkaar gescheiden. Lefebvre bracht haar naar het busje. Ik wilde protesteren, maar Berleand keek me aan met een verveelde blik die aangaf dat alles wat ik zei zinloos zou zijn. Berleand nam mij mee naar een politiewagen. Achter het stuur zat een agent in uniform. Berleand kwam naast me op de achterbank zitten.

'Is het ver?' vroeg ik.

Berleand keek op zijn horloge. 'Ongeveer dertig seconden rijden.'

Het bleek een ruime schatting. Ik had het gebouw eerder gezien: het zandstenen fort op het eiland in de Seine. Het dak van grijze leisteen, en de spitse, niet zo hoge torens. We hadden net zo goed kunnen gaan lopen. Ik knipperde met mijn ogen toen we dichterbij kwamen.

'Herkent u het?' vroeg Berleand.

Geen wonder dat het eerder mijn aandacht had getrokken. Twee gewapende agenten gingen opzij toen we door de imposante poort naar binnen reden, als door een muil die ons in zijn geheel zou verslinden. Daarachter lag de grote binnenplaats. We werden nu aan alle kanten omringd door de indrukwekkende architectuur. Een fort, ja, die term paste er wel bij. Je voelde je een beetje als een gevangene in de achttiende eeuw.

'En?'

Ik herkende het, voornamelijk uit de boeken van Georges Simenon, en, nou ja... omdat het in politiekringen gewoon legendarisch was.

Ik bevond me op de binnenplaats van Quai des Orfèvres nummer 36, het befaamde hoofdbureau van de Franse politie. Minstens zo befaamd als Scotland Yard en Quantico.

'Tjonge... jonge... jonge,' zei ik, de woorden lang uitrekkend terwijl ik uit het raampje keek. 'Ik weet niet wat ik moet zeggen, maar groot is het zeker.'

Berleand hield zijn handen op. 'We doen hier niet aan parkeerboetes.'

Je moest het de Fransen nageven. Het hoofdbureau van politie zag er onverwoestbaar als een fort, intimiderend, reusachtig en absoluut beeldschoon uit.

'Indrukwekkend, vindt u niet?'

'Zelfs jullie politiebureaus zijn architectonische parels,' zei ik.

'Wacht maar tot u het binnen ziet.'

Berleand, had ik al snel begrepen, was weer sarcastisch. Het contrast tussen de buitengevels en wat daarachter lag, was ronduit ontnuchterend. Het omhulsel was gebouwd om eeuwenlang mee te gaan, maar het interieur had de charme en de persoonlijkheid van een openbaar toilet langs de snelweg. De muren waren crèmekleurig, of misschien waren ze wit geweest en in de loop der jaren vergeeld. Er hingen geen schilderijen aan de muren, noch enige andere versieringen, maar aan de onderkant zaten talloze zwarte strepen, alsof er mensen met pas gepoetste schoenen tegenaan hadden geschopt. Op de vloer lag linoleum dat zelfs voor de sociale woningbouw van 1957 te ouderwets zou worden bevonden.

Voor zover ik kon zien was er geen lift. We liepen een brede trap op, in een Franse versie van de boef die publiekelijk wordt vernederd voordat hij voor de rechter verschijnt. Er leek geen eind aan onze klim te komen.

'Deze kant op.'

Kale stroomdraden liepen kriskras over het plafond alsof men graag kortsluiting wilde. Ik volgde Berleand door een gang. We passeerden een magnetronoven die op de grond tegen de muur stond. We kwamen nog meer tegen: printers, monitors en computers.

‘Zijn jullie aan het verhuizen?’

‘Nee.’

Hij bracht me naar een cel die hooguit twee bij twee was. Eén cel maar. Met plexiglas ruiten waar normaliter de tralies zaten. Langs twee van de muren stonden banken, in een L-vorm. De matrassen waren dun en blauw en leken verdacht veel op de worstelmatten die ik me van gymnastiek van de middelbare school herinnerde. Een tot op de draad versleten deken in een vuile oranje kleur, zo te zien afgedankt door een derderangs luchtvaartmaatschappij, lag opgevouwen op een van de banken.

Berleand spreidde zijn armen alsof hij me als de maître in Café Maxim’s verwelkomde.

‘Waar is Terese?’

Berleand haalde zijn schouders op.

‘Ik wil een advocaat,’ zei ik.

‘En ik wil in een bubbelbad met Catherine Deneuve,’ pareerde hij.

‘Wou je me vertellen dat ik tijdens het verhoor geen recht op een advocaat heb?’

‘Dat is juist. U kunt wel vooraf met een advocaat praten, maar tijdens het verhoor mag die er niet bij zijn. En ik zal eerlijk tegen u zijn. Met een advocaat wekt u de indruk dat u schuldig bent. Bovendien word ik chagrijnig van advocaten. Dus raad ik het u af. Maak het uzelf in de tussentijd gemakkelijk.’

Hij liet me alleen. Ik probeerde te bedenken wat ik moest doen en zag af van overhaaste acties. De worstelmatras was kleverig en ik wilde niet weten waarvan. Er hing een zure stank in het vertrek, de bekende onaangename combinatie van zweet, angst en, eh... andere lichaamssappen. De stank drong mijn neusgaten binnen en zette zich vast in mijn voorhoofdsholten. Er ging een uur voorbij. Ik hoorde de *ping* van de magnetron. Een bewaker kwam me een bord eten brengen. Er ging nog een uur voorbij.

Toen Berleand terugkwam, zat ik op de grond, met mijn rug tegen de min of meer schone glazen deur.

‘Ik hoop dat uw verblijf aangenaam is geweest.’

'Dat eten,' zei ik. 'Ik had hier in Parijs wel iets beters verwacht.'

'Ik zal het doorgeven aan de chef de cuisine.'

Berleand draaide de deur van het slot. Ik liep achter hem aan de gang in. Ik had verwacht dat hij me naar een verhoorkamer zou brengen, maar dat bleek niet het geval. We bleven staan voor een deur met een bordje waarop ik GROUPE BERLEAND las.

'Is dat je voornaam? Groupe?'

'U maakt een grapje?'

We gingen naar binnen. Ik nam aan dat *groupe* Frans was voor 'groep', en zo te zien had ik gelijk. Er stonden zes bureaus in het kantoor, dat je niet eens ruim had kunnen noemen wanneer er maar één had gestaan. We moesten ons op de bovenste verdieping bevinden, achter het leistenen dak, want een van de wanden liep schuin. Ik moest bukken om mijn hoofd niet te stoten.

Vier van de zes bureaus waren bemand, naar ik aannam door de overige rechercheurs van Groupe Berleand. Ze hadden nog ouderwetse monitors, die bijna hun halve bureau in beslag namen. Foto's van het gezin, vlaggetjes van hun favoriete sportploeg, een Coca-Cola-poster, een kalender met blote vrouwen... de hele atmosfeer had meer weg van een illegaal wedkantoortje in Hoboken dan van een befaamde politiedienst in de hoofdstad van Frankrijk.

'Groupe Berleand,' zei ik. 'Dus jij bent de baas?'

'Ik ben hoofdinspecteur van de *Brigade Criminelle*. Dit zijn mijn teamleden. Neemt u plaats.'

'Wat? Hier?'

'Ja, waarom niet? Dit is Lefebvres bureau. Neem zijn stoel maar.'

'Geen verhoorkamer?'

'U denkt nog steeds dat u in Amerika bent. Wij doen onze verhoren gewoon in de teamkamer.'

De andere rechercheurs schonken geen aandacht aan ons. Twee van hen dronken een kop koffie en zaten met elkaar te praten. Een derde typte iets op zijn computer. Ik ging zitten. Er stond een doos tissues op Berleands bureau. Hij trok er een uit en begon zijn handen weer te drogen.

'Vertel me eens over uw relatie met Terese Collins,' zei hij.

'Waarom?'

'Omdat ik graag op de hoogte ben van de laatste roddels.' Het klonk luchthartig, maar met een stalen ondertoon. 'Vertel me over uw relatie.'

'Ik heb haar in geen acht jaar gezien,' zei ik.

'En toch bent u nu samen in Parijs.'

'Ja.'

'Waarom?'

'Ze belde me en nodigde me uit een paar dagen hiernaartoe te komen.'

'En toen hebt u alles uit uw handen laten vallen en bent u in het vliegtuig gesprongen?'

Mijn antwoord bestond uit één opgetrokken wenkbrauw.

Berleand glimlachte. 'Typisch Frans, denkt u nu zeker?'

'Ik begin me zorgen om je te maken, Berleand.'

'Dus u bent hiernaartoe gekomen voor een romantisch rendez-vous?'

'Nee.'

'Waarvoor dan wel?'

'Ik wist niet waarom ze wilde dat ik kwam. Maar ik had de indruk dat ze in de problemen zat.'

'En u wilde haar helpen?'

'Ja.'

'Wist u waarmee u haar moest helpen?'

'Voordat ik hier aankwam? Nee.'

'En nu?'

'Nu wel, ja.'

'Zou u het mij willen vertellen?'

'Heb ik veel keus?' vroeg ik.

'Nee, niet echt.'

'Haar ex-man wordt vermist. Hij heeft haar gebeld, zei dat hij iets heel dringends met haar moest bespreken en vervolgens is hij van de aardbodem verdwenen.'

Berleand leek een beetje verbaasd, door mijn antwoord of door mijn bereidwilligheid om mee te werken. Ik vermoedde het laatste.

'Dus mevrouw Collins heeft u gevraagd haar te helpen hem – wat? – op te sporen?'

'Precies.'

'Waarom u?'

'Ze denkt dat ik goed ben in dat soort dingen.'

'Ik meen dat u me hebt verteld dat u agent was. Dat u artiesten vertegenwoordigt. Op welke manier maakt dat u goed in het opsporen van mensen?'

'Mijn werk vereist een heel persoonlijke aanpak. Ik doe soms de vreemdste dingen voor mijn cliënten.'

'Ik begrijp het,' zei Berleand.

Lefebvre kwam binnen. Hij had de tandenstoker nog steeds in zijn mond. Hij wreef met zijn hand over zijn baardstoppels, kwam rechts van me staan en wierp me een dodelijke blik toe. Dames en heren, mag ik u voorstellen: mister Bad Cop. Ik keek Berleand aan alsof ik wilde zeggen: hoor eens, is dit echt nodig? Hij haalde zijn schouders op.

'U geeft veel om mevrouw Collins, hè?'

'Ja.'

Lefebvre, die helemaal in zijn rol zat, wierp me nog meer boze blikken toe. Toen haalde hij langzaam de tandenstoker uit zijn mond en blafte: 'Je liegt dat je barst!'

'Pardon?'

'Jij,' zei hij, met een zwaar Frans accent. 'Jij bent een vuile leugenaar!'

'En jij,' verdedigde ik me, 'bent een heel slecht acteur.'

Berleand keek me alleen maar aan.

'En je mag je wel eens scheren.'

Berleand kreeg een moedeloze blik in zijn ogen. Ik kon het hem niet kwalijk nemen.

'Houdt u van mevrouw Collins?' vroeg hij.

Ik besloot het bij de waarheid te houden. 'Dat weet ik niet.'

'Maar u geeft wel veel om haar?'

'Ik heb haar in geen jaren gezien.'

'Dat hoeft daar niets aan te veranderen, toch?'

'Nee,' zei ik. 'Ik neem aan van niet.'
'Kent u Rick Collins?'
Om de een of andere reden, toen Berleand het zei, verbaasde het me dat Terese zijn naam had aangenomen. Alhoewel, ze hadden elkaar al op de middelbare school leren kennen. Dus het zou wel normaal zijn, vermoedde ik. 'Nee.'
'Hebt u hem nooit ontmoet?'
'Nooit.'
'Wat kunt u me over hem vertellen?'
'Helemaal niks.'
Lefebvre legde zijn hand op mijn schouder en gaf er een kneepje in. 'Vuile leugenaar.'
Ik keek naar hem op. 'Is dat dezelfde tandenstoker die je op het vliegveld in je mond had? Zeg alsjeblieft dat dat niet zo is, want anders ben je verdomd onhygiënisch bezig.'
Berleand vroeg: 'Heeft mevrouw Collins gelijk?'
Ik wendde me weer tot hem. 'Waarover?'
'Dat u goed bent in het opsporen van mensen?'
Ik haalde mijn schouders op. 'Ik denk dat ik weet waar Rick Collins is.'
Berleand keek Lefebvre aan. Lefebvre ging iets rechterop staan.
'O ja? Waar is hij dan?'
'In een of ander mortuarium hier in de stad,' zei ik. 'Iemand heeft hem vermoord.'

7

Berleand en ik verlieten de teamkamer van Groupe Berleand en liepen rechtsaf de gang in.

'Waar gaan we naartoe?' vroeg ik.

Hij veegde zijn handen af aan zijn broekspijpen en zei: 'Komt u nou maar mee.'

We kwamen op een galerij met daarnaast een gapende diepte van vijf verdiepingen. Vanaf de galerij was een stalen vangnet gespannen.

'Waar is dat net voor?' vroeg ik.

'Twee jaar geleden hadden we een vermeende terrorist gearresteerd. Een vrouw. Toen we over deze galerij liepen, greep ze een van de bewakers vast en probeerde ze zich samen met hem over de balustrade te werpen.'

Ik keek naar beneden. Een hele val.

'Zijn ze omgekomen?'

'Nee, de andere bewakers wisten ze bij de enkels te grijpen. Maar voor de zekerheid hebben we nu dat vangnet.'

Hij liep een paar treden op en we kwamen op wat de zolder bleek te zijn. 'Pas op uw hoofd,' zei Berleand over zijn schouder.

'Een vermeende terrorist?'

'Ja.'

'Doen jullie terrorisme?'

'Terrorisme, moord, de grens is niet altijd even duidelijk. We doen een beetje van alles.'

We liepen de zolder op. Ik moest nu echt bukken. Er hing een waslijn met kleren eraan. 'Doen jullie hier de was?'

'Nee.'
'Van wie zijn die kleren dan?'
'Van slachtoffers. Die hangen we hier op.'
'Je maakt een grapje, hè?'
'Nee.'
Ik bleef staan en keek naar de kleren. Een donkerblauw shirt met een scheur erin en bloedvlekken erop. 'Zijn deze van Rick Collins?'
'Komt u mee?'
Hij deed een raam open, klom eruit en stapte op het dak. Hij draaide zich om en wenkte me.
'Je maakt een grapje, hè?' zei ik weer.
'Het mooiste uitzicht over Parijs.'
'Vanaf het dak van Quai des Orfèvres 36?'
Ik klom over het raamkozijn en... wauw, hij had gelijk wat het uitzicht betreft. Berleand stak een sigaret op, nam zo'n lange haal dat ik dacht dat hij hem in één keer zou oproken en blies door zijn neus twee lange rookpluimen uit.
'Verhoor je hier vaker mensen?'
'Dit is de eerste keer, om eerlijk te zijn,' zei hij.
'Je zou kunnen dreigen me van het dak te gooien.'
Berleand haalde zijn schouders op. 'Dat is niet mijn stijl.'
'Waarom zijn we hier dan?'
'Omdat we binnen niet mogen roken en ik snakte naar een sigaret.'
Hij nam nog een lange haal.
'Weet u, in het begin had ik er geen moeite mee. Alleen buiten roken. Ik liep de vijf trappen af en daarna weer op als een soort training. Maar na een tijdje raakte ik buiten adem van het roken.'
'Het een zou het ander opheffen,' zei ik.
'Precies.'
'Je zou kunnen overwegen te stoppen.'
'Maar dan heb ik geen reden meer om de trappen op en af te rennen en mis ik mijn training. Kunt u me volgen?'
'Ik doe mijn uiterste best, Berleand.'
Hij ging op het raamkozijn zitten en tuurde in de verte. Hij ge-

baarde me naast hem te komen zitten. Dus daar zat ik dan, op het dak van een van 's werelds beroemdste politiebureaus, te genieten van een ronduit schitterend uitzicht op de Notre Dame.

'En kijkt u daar eens.'

Hij wees over zijn rechterschouder. Ik tuurde over de Seine en daar stond hij dan: de Eiffeltoren. Ik weet hoe toeristisch het is om de Eiffeltoren te bewonderen, maar ik bleef er toch enige tijd naar kijken.

'Mooi, hè?' zei hij.

'De volgende keer dat ik gearresteerd word, zorg ik dat ik een camera bij me heb.'

Hij lachte.

'Je spreekt heel goed Engels,' zei ik.

'Dat leren we hier al op jonge leeftijd. Ik heb een semester op Amherst College gestudeerd toen ik jong was, en heb twee jaar in Quantico gewerkt in het kader van de internationale uitwisseling. O, en ik heb de complete serie van *The Simpsons* op dvd, in het Engels.'

'Dat moet genoeg zijn.'

Hij nam nog een trek van zijn sigaret.

'Hoe is hij vermoord?' vroeg ik.

'Zou ik nu niet moeten zeggen: "Aha! Hoe weet u dat hij is vermoord?"'

Ik haalde mijn schouders op. 'Zoals je zei doen jullie hier niet aan parkeerboetes.'

'Wat kunt u me over Rick Collins vertellen?'

'Niks.'

'En over Terese Collins?'

'Wat wil je weten?'

'Ze is heel mooi,' zei hij.

'Is dạt wat je wilt weten?'

'Ik heb wat research gedaan. We hebben hier CNN, natuurlijk. Ik herinner me haar.'

'Ja?'

'Een jaar of tien geleden stond ze daar aan de top. Dan verdwijnt ze van de ene op de andere dag van het toneel en is er op Google helemaal niets meer over haar te vinden. Ik heb alles afgezocht. Geen enkele link. Geen baan, geen woonplaats, niets.'

Ik zei niets.

'Waar heeft ze uitgehangen?'

'Waarom vraag je dat niet aan haar?'

'Omdat ik het nu aan u vraag.'

'Ik heb je al verteld dat ik haar acht jaar lang niet heb gezien.'

'En u hebt geen idee waar ze was?'

'Nee, ik had geen idee.'

Hij glimlachte en stak zijn wijsvinger op.

'Wat is er?'

'U zei "ik had". Verleden tijd. Dat betekent dat u nu wel weet waar ze was.'

'Je goede Engels doet me de das om,' zei ik.

'Nou?'

'In Angola,' zei ik. 'Tenminste, dat zei ze.'

Hij knikte. Er begon een sirene te loeien, van de politie of een andere Franse overheidsdienst. De Fransen hebben andere sirenes dan wij... indringender en snerpend, als de liefdesbaby van een goedkoop autoalarm en de zoemer bij een verkeerd antwoord in een of andere tv-quiz. We lieten onze stilte uiteenrijten en wachtten tot het ding ophield.

'Je hebt naar me geïnformeerd, hè?'

'Ja. We hebben een paar mensen gebeld.'

'En?'

Hij ging er niet op door.

'Je weet heus wel dat ik hem niet heb vermoord. Ik was niet eens hier.'

'Dat weet ik.'

'Maar?'

'Mag ik een ander scenario voorstellen?'

'Ga je gang.'

'Terese Collins heeft haar ex-man vermoord,' zei Berleand. 'Ze moest zich van het lijk ontdoen en de rommel opruimen... met de hulp van iemand die ze kon vertrouwen. Toen heeft ze u gebeld.'

Ik fronste mijn wenkbrauwen. 'En toen ik opnam zei ze: "Hoor eens, ik heb net in Parijs mijn ex-man vermoord. Kun je me even komen helpen?"'

'Nou, misschien heeft ze alleen gevraagd of u hiernaartoe kon komen, en heeft ze u de reden hier pas verteld.'

Ik glimlachte. Dit had lang genoeg geduurd. 'Je weet best dat ze dat niet heeft gezegd.'

'O ja? Hoe kan ik dat dan weten?'

'Omdat jullie hebben meegeluisterd.'

Berleand keek me niet aan. Hij rookte zijn sigaret en bleef voor zich uit turen.

'Toen jullie me aanhielden op het vliegveld,' vervolgde ik, 'hebben jullie een microfoontje in mijn spullen verstopt. Misschien in mijn schoen, maar ik denk in mijn mobiele telefoon.'

Het was de enige logische verklaring. Ze hadden het lijk van Rick Collins gevonden, hadden zijn mobiele telefoon onderzocht, waren er op de een of andere manier achter gekomen dat zijn ex-vrouw in de stad was, hadden haar telefoon afgeluisterd en gehoord dat ze mij had gebeld, hadden me op het vliegveld vastgehouden om een microfoontje in mijn spullen te verstoppen en hadden me vervolgens geschaduwd.

Daarom was ik zo coöperatief tegen Berleand geweest... omdat hij de antwoorden op al deze vragen al wist. Ik had gehoopt zijn vertrouwen te winnen.

'Uw mobiele telefoon,' zei hij. 'We hebben de batterij vervangen door een zendertje dat dezelfde spanning levert. Een nieuwe vinding, heel geavanceerd.'

'Dus jullie wisten dat Terese dacht dat haar ex vermist werd.'

Hij knikte één keer, heel langzaam. 'We weten dat ze dat tegen u heeft gezegd.'

'Kom op, Berleand. Je hebt gehoord hoe ze klonk. Ze was echt van streek.'

'Daar leek het op,' beaamde hij.

'Dus?'

Hij drukte zijn sigaret uit. 'We hebben ook gehoord dat ze iets achterhield,' zei Berleand. 'Ze heeft tegen u gelogen. Dat weet u net zo goed als ik. Ik had gehoopt dat het u zou lukken om de waarheid uit haar te krijgen, maar toen zag u het busje.' Hij dacht erover na. 'Dat moet het moment geweest zijn dat u besefte dat u werd afgeluisterd.'

'Dus we zijn allebei vreselijk slim,' zei ik.

'Of minder slim dan we denken.'

'Hebben jullie zijn nabestaanden al ingelicht?'

'Daar wordt aan gewerkt.'

Ik wilde het subtiel spelen, maar opnieuw vond ik dat we die fase voorbij waren. 'Wie zijn de nabestaanden?'

'Alleen zijn vrouw.'

'Hoe heet ze?'

'Niet zo veel vragen, alstublieft,' zei Berleand.

Hij nam nog een sigaret, stak hem tussen zijn lippen en liet hem schuin omlaag hangen terwijl hij hem aanstak met een hand die dat vele malen eerder had gedaan.

'Er is bloed gevonden op de plaats delict,' zei hij. 'Heel veel bloed. Het meeste was natuurlijk van het slachtoffer. Maar de eerste tests hebben uitgewezen dat het vermengd was met het bloed van ten minste één andere persoon. Dus hebben we Terese Collins een bloedmonster afgenomen en gaan we een volledig DNA-onderzoek doen.'

'Ze heeft het niet gedaan, Berleand.'

Hij zei niets.

'Er is nog iets wat je me niet vertelt,' zei ik.

'Er is heel veel wat ik u niet vertel. Want helaas maakt u geen deel uit van de Groupe Berleand.'

'Kun je me niet tot tijdelijke assistent of zoiets benoemen?'

Hij zweeg en vertrok geen spier. Toen zei hij: 'Het kan geen toeval zijn dat hij werd vermoord meteen nadat zijn ex-vrouw in Parijs is aangekomen.'

'Je hebt gehoord wat ze tegen me zei. Dat haar ex doodsbang klonk. Waarschijnlijk had hij zich op de een of andere manier in de nesten gewerkt... wat trouwens de reden was dat hij haar in eerste instantie heeft gebeld.'

We werden onderbroken door het trilsignaal van zijn telefoon. Berleand klapte het toestel open, hield het bij zijn oor en luisterde. Hij zou een uitstekend pokerspeler zijn, mijn nieuwe vriend Berleand, hoewel zijn gezichtsuitdrukking nu toch veranderde. Hij zei iets in het Frans, heel kortaf, duidelijk geïrriteerd, of in de war gebracht. Daarna zweeg hij. Even later klapte hij zijn telefoon dicht, maakte zijn sigaret uit en stond op.

'Problemen?' vroeg ik.

'Kijk nog één keer goed om u heen.' Berleand sloeg met beide handen zijn broek af. 'We nemen niet vaak toeristen mee naar boven.'

Ik deed wat hij zei. Andere mensen zouden het misschien vreemd vinden, dit hoofdbureau van politie met zijn spectaculaire uitzicht. Ik besloot er nog even van te genieten en me te herinneren waarom moord zoiets walgelijks was.

'Waar gaan we naartoe?' vroeg ik.

'Het lab heeft de eerste resultaten van het DNA-onderzoek van het bloed.'

'Wat? Nu al?'

Hij haalde quasi-theatraal zijn schouders op. 'Wij Fransen hebben meer in onze mars dan wijn, eten en vrouwen.'

'Jammer. En, wat heeft het opgeleverd?'

'Ik denk,' zei hij, en hij bukte zich om door het raam naar binnen te klimmen, 'dat we met Terese Collins moeten gaan praten.'

8

We troffen haar in dezelfde cel als waar ik een half uur daarvoor uit was gekomen.

Haar ogen waren rood en dik. Toen Berleand de deur van het slot draaide, viel haar laatste façade van kracht. Ze vloog me in de armen en ik drukte haar tegen me aan. Ze snikte tegen mijn borstkas. Ik liet haar gaan. Berleand stond erbij en deed niets. Ik keek hem aan. Hij haalde zijn schouders weer op.

'We laten u beiden zo meteen gaan,' zei hij, 'als u bereid bent uw paspoort hier achter te laten.'

Terese maakte zich van me los en keek me aan. We knikten allebei.

'Maar voordat het zover is, wil ik u nog een paar dingen vragen,' zei Berleand. 'Is dat goed?'

'Ik begrijp dat ik een verdachte ben,' zei Terese. 'Zijn ex-vrouw, na al die jaren in dezelfde stad, de telefoontjes, al die dingen. Het maakt niet uit... het enige wat ik wil is dat jullie degene pakken die Rick heeft vermoord. Dus u kunt me vragen wat u wilt, inspecteur.'

'Ik waardeer uw scherpzinnigheid en uw bereidheid tot medewerking.' Hij maakte nu een terughoudende, bijna voorzichtige indruk. Iets wat hij tijdens dat telefoontje op het dak had gehoord, had hem uit het lood geslagen. Ik vroeg me af wat er aan de hand was.

'Wist u dat uw ex-man was hertrouwd?' vroeg Berleand.

Terese schudde haar hoofd. 'Nee, dat wist ik niet. Wanneer?'

'Wanneer wat?'

'Is hij hertrouwd?'

'Dat weet ik niet.'

'Mag ik vragen hoe zijn vrouw heet?'

'Karen Tower.'
Er kwam bijna een glimlach op Tereses gezicht.
'Kent u haar?'
'Ja zeker.'
Berleand knikte en wreef zijn handen weer droog aan zijn broekspijpen. Ik had verwacht dat hij zou vragen waar ze Karen Tower van kende, maar dat deed hij niet.
'We hebben de eerste uitslagen van de bloedtests van het lab teruggekregen.'
'Nu al?' Terese was verbaasd. 'Het is me amper een uur geleden afgenomen.'
'Nee, niet de uitslagen van uw monster. Die zullen wat meer tijd vergen. Ik heb het over het bloed dat op de plaats delict is gevonden.'
'O.'
'Er is iets merkwaardigs mee aan de hand.'
We wachtten allebei af. Terese slikte alsof ze zich schrap zette voor iets ergs.
'Het meeste bloed – vrijwel alles, in feite – was afkomstig van het slachtoffer, Rick Collins,' zei Berleand. Zijn stem klonk nu afgemeten, alsof hij zich een weg probeerde te banen naar hetgeen hij ons wilde vertellen. 'Wat natuurlijk geen verrassing is.'
Wij zeiden nog steeds niets.
'Maar er is nog een bloedvlek op de vloerbedekking gevonden, niet ver van het lijk. We weten niet precies hoe die daar is gekomen. In eerste instantie dachten we het meest voor de hand liggende: er heeft een worsteling plaatsgevonden. Rick Collins heeft teruggevochten en zijn aanvaller verwond.'
'En wat denken jullie nu?' vroeg ik.
'Om te beginnen hebben we een blonde haar in het bloed gevonden. Een lange blonde haar. Hoogstwaarschijnlijk van een vrouw.'
'Vrouwen plegen ook moorden.'
'Ja, natuurlijk.'
Hij wachtte even.
'Maar?' zei ik.

'Maar het lijkt ons niet mogelijk dat dit bloed van de dader afkomstig is.'

'Waarom niet?'

'Omdat, volgens het DNA-onderzoek, het bloed en de blonde haar afkomstig zijn van Rick Collins' dochter.'

Terese slaakte geen kreet. Het was een langgerekte kreun die uit haar mond kwam. Haar knieën begaven het. Ik schoot snel toe en greep haar vast voordat ze op de grond viel. Ik keek Berleand vragend aan. Hij leek niet verbaasd. Hij observeerde haar, alsof hij deze reactie had verwacht.

'U hebt geen kinderen, is het wel, mevrouw Collins?'

Alle kleur was uit haar gezicht weggetrokken.

'Mag ze zich even herstellen, alsjeblieft?' zei ik.

'Nee, het gaat wel,' zei Terese. Ze ging rechtop staan en keek Berleand met een scherpe blik aan. 'Nee, ik heb geen kinderen. Maar dat wist u al, of niet soms?'

Berleand gaf geen antwoord.

'Vuile schoft,' zei ze tegen hem.

Ik wilde vragen wat er aan de hand was, maar misschien was dit zo'n moment om mijn mond te houden en goed te luisteren.

'We hebben Karen Tower nog niet kunnen bereiken,' zei Berleand. 'Maar ik mag aannemen dat het hier om háár dochter gaat?'

'Ja, ik denk het,' zei Terese.

'En u wist, natuurlijk, niet van haar bestaan?'

'Dat klopt.'

'Hoe lang zijn meneer Collins en u gescheiden?'

'Negen jaar.'

Ik had er genoeg van. 'Wat is hier verdomme aan de hand?'

Berleand negeerde me. 'Dus zelfs als uw ex-man vrijwel onmiddellijk is hertrouwd, kan deze dochter niet ouder dan – wat? – een jaar of acht zijn?'

Dat bracht iedereen in het vertrek tot zwijgen.

'Dus nu weten we,' vervolgde Berleand, 'dat Ricks jonge dochter op de plaats delict is geweest en daar gewond is geraakt. Maar waar zou ze volgens u nu kunnen zijn?'

We gingen lopend terug naar het hotel.

We staken Pont Neuf over. Het water onder ons was moddergroen. Ergens werd een kerkklok geluid. Mensen bleven midden op de brug staan en maakten foto's van elkaar. Een man vroeg me of ik er een van hem en – naar ik aannam – zijn vriendin wilde maken. Ze gingen dicht tegen elkaar aan staan, ik telde tot drie, nam de foto en toen ze vroegen of ik zo aardig wilde zijn om er nog een te maken, telde ik nog een keer tot drie, nam de foto, bedankten ze me en liepen ze door.

Terese had nog geen woord gezegd.

'Heb je honger?' vroeg ik.

'We moeten praten.'

'Oké.'

Ze bleef doorlopen, over Pont Neuf, Rue Dauphine in, door de lobby van het hotel. De receptionist achter de balie begroette haar met een hartelijk 'Welkom terug!', maar ze glimlachte alleen en beende langs hem heen.

Pas toen de liftdeuren dicht waren, keek ze me aan en zei: 'Je wilde weten wat mijn geheim was, wat me naar dat eiland heeft gebracht en waarom ik al die jaren op de vlucht ben geweest.'

'Als je het me wilt vertellen,' zei ik, op een manier die zelfs in mijn eigen oren denigrerend klonk. 'Als ik je ermee kan helpen.'

'Nee, dat kun je niet. Maar je moet het toch weten.'

We stapten uit op de derde verdieping. Ze opende de deur van onze kamer, liet me voorgaan en deed de deur achter zich dicht. De kamer was van gemiddelde grootte, klein voor Amerikaanse begrippen, en had een wenteltrap die naar een soort zolder leidde. Het leek allemaal heel erg op wat het in feite was: een zestiende-eeuws Frans huis, maar dan met een breedbeeld-tv met ingebouwde dvd-speler.

Terese liep naar het raam om zo ver mogelijk van me weg te zijn.

'Ik ga je iets vertellen, oké? Maar ik wil dat je me eerst iets belooft.'

'En dat is?'

'Beloof me dat je niet zult proberen me te troosten,' zei ze.

'Ik kan je niet volgen.'

'Ik ken je. Als je hebt gehoord wat ik je te vertellen heb, wil je me troosten. Dan wil je me in je armen nemen en me vasthouden en lieve woordjes tegen me zeggen, want zo bén je gewoon. Doe dat niet. Wat je ook voelt, het zou de verkeerde reactie zijn.'

'Oké,' zei ik.

'Beloof het me.'

'Ik beloof het.'

Ze kroop nog verder weg in de hoek van de kamer. Hoezo ná haar verhaal... ik wilde haar nu al in mijn armen nemen.

'Je hóéft het me niet te vertellen,' zei ik.

'Jawel, dat moet ik wel. Ik weet alleen niet precies hoe.'

Ik zei niets.

'Ik leerde Rick kennen in mijn eerste jaar op Wesleyan. Ik kwam van Shady Hills, Indiana, en ik was het volmaakte cliché: de koningin van het bal die met de quarterback uitging, die het ver zou schoppen in het leven en die poeslief en zo naïef als de pest was. Ik was dat irritante, aantrekkelijke meisje dat veel te hard leerde, dat als de dood was dat ze een fout zou maken, dat altijd het eerste klaar was met haar proefwerk en dat haar aantekeningen bewaarde in zo'n witte plastic ringband... ken je die dingen nog?'

Zonder het te willen moest ik glimlachen. 'Ja.'

'Ik was ook het meisje van wie alle jongens wilden weten of er meer zat onder dat aantrekkelijke omhulsel, maar dat wilden ze natuurlijk alleen omdát ik aantrekkelijk was. Je weet hoe het zit.'

Dat wist ik. Men zou kunnen vinden dat dit nogal onbescheiden van haar klonk. Dat was niet zo. Ze was gewoon eerlijk. Net als Parijs was Terese niet blind voor haar uiterlijk, en deed ze ook nooit alsof.

'Dus heb ik mijn haar donker geverfd om me van het imago van het domme blondje te ontdoen en ben gaan studeren aan een kleine vrije universiteit in het noordoosten. Ik kwam daar aan, net als zo veel meisjes, met mijn kuisheidsgordel veilig op slot, en alleen mijn quarterback van de middelbare school had de sleutel. Hij en ik zouden de uitzondering zijn... zouden onze relatie op afstand volhouden.'

Ik herinnerde me dat soort meisjes van toen ik op Duke zat.

'Hoe lang denk je dat ik het heb volgehouden?' vroeg ze me.

'Twee maanden?'

'Nog geen maand. Want ik leerde Rick kennen. Rick overviel me als een wervelwind. Zo intelligent en vol humor, en sexy op een manier die ik nog niet kende. Hij was de rebel van de campus, compleet met het krullende haar, de doordringende blauwe ogen en de stoppelbaard die prikte als ik hem zoende...'

Ze viel even stil.

'Ik kan het niet geloven dat hij dood is. Ik weet dat het klef klinkt, maar Rick was echt een bijzonder mens. Zo oprecht en goed. Hij geloofde in rechtvaardigheid en menselijkheid. En nu heeft iemand hem vermoord. Iemand heeft doelbewust een eind aan zijn leven gemaakt.'

Ik zei niets.

'Ik dwaal af,' zei ze.

'We hebben geen haast.'

'Ja, dat hebben we wel. Ik wil dit nú afhandelen. Want als ik dat niet doe, stort ik in en krijg je het nooit meer te horen. Berleand weet al deze dingen waarschijnlijk al lang. Daarom heeft hij me laten gaan. Dus ik zal je de verkorte versie geven. Rick en ik studeerden af, we trouwden en gingen allebei als tv-verslaggever werken. Uiteindelijk kwamen we bij CNN terecht, ik voor de camera, hij achter de schermen. Dat deel heb ik je al verteld. Op een zeker moment begonnen we naar een gezin te verlangen. Tenminste, ík vooral. Rick, geloof ik, was er minder van overtuigd... of misschien voelde hij aan wat ons op dat punt te wachten stond.'

Terese liep weer naar het raam, schoof rustig het gordijn opzij en keek naar buiten. Ik deed één stapje in haar richting. Ik weet niet waarom. Het was een gebaar dat ik om de een of andere reden moest maken.

'We hadden een vruchtbaarheidsprobleem. Dat komt vaker voor, is me verteld. Talloze echtparen hebben ermee te kampen. Maar als je er zelf mee te maken hebt, lijkt het wel alsof elke vrouw die je tegenkomt in verwachting is. Onvruchtbaarheid is ook zo'n probleem dat groter wordt naarmate de tijd verstrijkt. Elke vrouw die ik zag was moeder en zielsgelukkig met haar kind, en schijnbaar zonder er enige moeite voor te doen. Ik begon onze vrienden te mijden. Ons huwelijk leed eronder. Seks draaide alleen nog om voortplanting. Je wordt er zo kortzichtig en zelfzuchtig van. Ik weet nog dat ik een nieuwsitem over tienermoeders in Harlem deed, meisjes van zestien die moeiteloos zwanger raakten, en ik haatte die meisjes omdat ik het zo onrechtvaardig vond. Waarom zij wel en ik niet?'

Ze stond met haar rug naar me toe. Ik ging op de rand van het bed zitten. Ik wilde haar gezicht zien, of in ieder geval een stukje ervan. Vanaf mijn nieuwe gezichtspunt zag ik haar schuin van achteren, als de maan in haar eerste kwartier.

'Ik weid weer te veel uit,' zei ze.

'Ik ben er nog.'

'Of misschien ook niet. Misschien moet ik het wel op deze manier vertellen.'

'Oké.'

'We gingen naar artsen. We probeerden alles. Dat was geen pretje. Ik werd vol gespoten met Pergonal en hormonen en god weet wat nog meer. Het kostte ons drie jaar, maar uiteindelijk gebeurde het... dat wat iedereen een medisch wonder noemt. Eerst was ik nog angstiger dan daarvoor. Elk pijntje, hoe miniem ook, en ik dacht dat ik een miskraam zou krijgen. Maar na een tijd begon ik het heerlijk te vinden om in verwachting te zijn. Klinkt niet erg feministisch, vind je wel? Ik had me altijd groen en geel geërgerd aan die vrouwen die maar door bleven zeuren over hoe ze genoten van hun zwangerschap, maar ik was zelf net zo erg. Zelfs de ongemakken vond ik geweldig. Ik gloeide van trots. Misselijk was ik niet. Het zou me niet nog een keer lukken om in verwachting te raken – het was een eenmalig medisch wonder – dus ik genoot er met volle teugen van. De tijd vloog voorbij en voordat ik het wist had ik een dochtertje van bijna zeven pond. We noemden haar Miriam, naar mijn overleden moeder.'

Ik voelde een kille tochtvlaag langs mijn hart gaan. Ik begon te begrijpen hoe dit verhaal zou eindigen.

'Ze zou nu zeventien zijn geweest,' zei Terese, en haar stem kwam ineens van heel ver weg.

Er zijn van die momenten in je leven dat alles binnen in je heel stil, roerloos en teer wordt. Zo voelden wij ons, in die kamer, Terese en ik, en verder niemand.

'Ik denk dat er in de afgelopen tien jaar geen dag voorbij is gegaan dat ik niet heb geprobeerd om me voor te stellen hoe ze er nu zou uitzien. Zeventien jaar. Bijna klaar met de middelbare school. De rebelse tienerjaren voorbij. De moeilijke puberteit net achter de rug. Ze zou er beeldschoon uitzien en we zouden vriendinnen zijn. Ze zou zich voorbereiden op haar studie aan een universiteit.'

De tranen stonden in mijn ogen. Ik schoof een stukje naar links. Tereses ogen leken droog. Ik wilde opstaan. Met een ruk draaide ze haar hoofd om. Nee, geen tranen. Iets wat veel erger was. Totale verslagenheid, zo totaal dat tranen goedkoop en ontoereikend leken. Ze stak haar hand naar me op alsof die een kruisbeeld was en ik de vampier die op afstand gehouden moest worden.

'Het was mijn schuld,' zei ze.

Ik wilde het ontkennen en schudde mijn hoofd, maar ze kneep haar ogen dicht alsof mijn gebaar haar verblindde. Ik dacht aan wat ik had beloofd, deed een stap achteruit en dwong mijn gezicht in een zo neutraal mogelijke uitdrukking.

'Ik zou die avond niet werken, maar op het allerlaatste moment hadden ze iemand nodig om het nieuws van acht uur te doen. Dus ik was thuis. We woonden in Londen. Rick zat in Istanbul. Maar het nieuws van acht uur 's avonds, op primetime… man, het is een eer als je daarvoor wordt gevraagd. Dat kon ik toch niet laten lopen? Zelfs al lag Miriam al in bed. Een carrièremens, nietwaar? Dus belde ik een goede vriendin – Miriams peetmoeder – en vroeg of ik Miriam een paar uur bij haar kwijt kon. Dat was geen probleem. Ik maakte Miriam wakker en zette haar achter in de auto. De tijd drong en ik moest zo gauw mogelijk bij de make-up zijn. Dus reed ik te hard. Het wegdek was nat. We waren er bijna, minder dan een halve kilometer van onze bestemming. Ze zeggen dat je je een ernstig auto-ongeluk niet herinnert, zeker niet wanneer je het bewustzijn verliest. Maar ik weet alles nog. Ik herinner me dat ik koplampen zag en een ruk naar links aan het stuur gaf. Misschien was het beter geweest als ik frontaal op de tegenligger was ingereden. Dan was ik dood geweest en zou zij het misschien overleefd hebben. Maar nee, we werden aan de zijkant geraakt. Aan haar kant. Ik herinner me zelfs het geluid dat ze maakte. Heel kort, alsof ze heel snel inademde. Het laatste geluid dat ze ooit zou voortbrengen. Ik lag twee weken in coma, maar omdat God een sadistisch gevoel voor humor heeft, heeft Hij mij in leven gelaten. Miriam was op slag dood.'

Niets.

Ik durfde me niet te verroeren. Het was doodstil in de kamer, alsof zelfs de muren en het meubilair de adem inhielden. Ik was het niet van plan, maar toch deed ik een stap naar haar toe. Dat vroeg ik me wel eens af als het om troosten ging, of dat niet vaak voor een deel een egoïstisch gebaar was en dat de troostende net zo veel, of misschien wel meer, behoefte had aan troost als de getrooste.

'Niet doen,' zei ze.

Ik bleef staan.

'Laat me nu alleen, alsjeblieft,' zei ze. 'Even maar, een uurtje, oké?'

Ik knikte, maar ze keek de andere kant op. 'Natuurlijk,' zei ik. 'Wat je maar wilt.'

Ze gaf geen antwoord, maar misschien vond ze dat niet nodig, want opnieuw had ze me heel duidelijk gemaakt wat ze wilde. Dus liep ik naar de deur en ging de kamer uit.

9

Half verdoofd liep ik Rue Dauphine weer uit. Aan het eind ging ik linksaf en kwam terecht bij een knooppunt van vijf straten, en een caféterras dat Le Buci heette. Meestal vind ik het leuk om mensen te kijken, maar nu kon ik me moeilijk concentreren. Ik dacht na over Tereses leven. Ik begreep het nu. Je leven weer oppakken om… ja, waarvoor eigenlijk?

Ik haalde mijn mobiele telefoon uit mijn zak en omdat ik wist dat het me wat afleiding zou bezorgen belde ik mijn kantoor. De telefoon ging twee keer over toen Big Cyndi opnam.

'MB Reps.'

De 'M' staat voor Myron. De 'B' staat voor Bolitar. 'Reps' komt van representatie, omdat we cliënten vertegenwoordigen. Ik had deze naam zelf verzonnen en toch was ik er altijd in geslaagd redelijk bescheiden te blijven over mijn kwaliteiten als marketingexpert. Toen we alleen sportmensen vertegenwoordigden, heette het bedrijf MB SportReps. Nu heet het MB Reps. Ik wacht wel even tot het applaus is geluwd.

'Hm,' zei ik. 'Moderne Madonna mét Brits accent?'

'Bingo.'

Big Cyndi kan met haar stem vrijwel iedereen en alle accenten imiteren. Ik zeg expres 'met haar stem', want als een vrouw ruim één meter drieënnegentig is en honderdvijftig kilo weegt, is het verdomd lastig om lijfelijk een overtuigende Goldie Hawn neer te zetten.

'Is Esperanza er?'

'Momentje, alsjeblieft.'

Esperanza Diaz, nog altijd beter bekend als professional worstelicoon Little Pocahontas, was mijn zakelijk partner. Esperanza nam op en vroeg: 'Kom je aan je trekken?'

'Nee.'

'Dan kun je maar beter een verdomd goede reden hebben om daar te zijn. Er stonden vandaag besprekingen voor je gepland.'

'Ja, sorry. Hoor eens, ik wil dat je alle informatie over ene Rick Collins voor me opzoekt.'

'Wie is dat?'

'Tereses ex.'

'Man, die romantische weekendjes van jou zijn behoorlijk kinky.'

Ik vertelde haar wat er was gebeurd. Esperanza bond in en ik wist waarom. Ze maakt zich vaak zorgen om me. Win is de rots in de branding. Esperanza is het hart. Toen ik uitgepraat was vroeg ze: 'Dus Terese wordt op dit moment niet als verdachte gezien?'

'Dat weet ik niet helemaal zeker.'

'Maar we hebben het dus over een moord en een ontvoering, of zoiets?'

'Ja, ik denk het.'

'Dan vraag ik me af waarom jij erbij betrokken moet worden. Dit heeft niet direct met haar te maken.'

'Natuurlijk heeft het met haar te maken.'

'Hoe dan?'

'Rick Collins heeft haar gebeld. Hij zei dat het heel dringend was, dat het alles zou veranderen, en nu is hij dood.'

'En wat ben je precies van plan daar te gaan doen? De moordenaar opsporen? Laat die Franse smeris dat maar doen. Zorg dat je aan je trekken komt of kom naar huis.'

'Ik ga alleen wat graafwerk doen. Kijken hoe het zit met die nieuwe vrouw en die dochter. Dat is alles, oké?'

'Als jij dat wilt. Vind je het erg als ik Win inlicht?'

'Nee.'

'Zorg dat je aan je trekken komt of kom naar huis,' zei ze weer. 'Klinkt goed, vind je niet?'

'Kan zo op een bumpersticker,' zei ik.

We beëindigden het gesprek. Maar wat nu? Esperanza had gelijk. Dit was mijn zaak niet. Als ik Terese op de een of andere manier kon helpen, oké, dan had het misschien nog wel zin om te blijven. Maar veel meer dan haar uit de problemen houden – ervoor zorgen dat ze niet hoefde op te draaien voor een moord die ze niet had gepleegd – zou ik voor haar niet kunnen doen. Maar Berleand leek me niet iemand die haar op een valse beschuldiging de bak in zou laten draaien.

Vanuit mijn ooghoek zag ik dat er iemand aan mijn tafeltje was komen zitten.

Ik draaide me om en zag een man met een kaal hoofd waarover een donker waas van stoppeltjes lag. Er zaten een paar littekens boven op zijn schedel. Hij had een licht getinte huid en donkere ogen, en toen hij naar me glimlachte zag ik een gouden tand die paste bij zijn dikke gouden halsketting in grootstedelijke blingblingstijl. Een knap gezicht, vermoedelijk, op een gevaarlijke manier, meer een boeventronie. Hij was gekleed in een strak wit T-shirt, een open grijs shirt met korte mouwen en een zwarte joggingbroek.

'Kijk onder de tafel,' zei hij tegen me.

'Ga je me je plasser laten zien?'

'Kijk... of sterf.'

Hij praatte niet met een Frans accent... het was iets wat vloeiender en meer verfijnd klonk. Brits, of Spaans misschien, bijna aristocratisch. Ik kantelde mijn stoel achterover en keek. Hij hield een pistool op me gericht.

Ik liet mijn handen op de tafelrand liggen en probeerde rustig adem te blijven halen. Ik keek op en zijn blik ontmoette de mijne. Ik nam snel de omgeving in me op. Op de hoek van de straat stond een man met een zonnebril, zonder zichtbare reden om daar te staan, die heel hard zijn best deed om te doen alsof hij níét naar ons keek.

'Luister naar me of ik schiet je dood.'

'In tegenstelling tot levend?'

'Wat?'

'Iemand doodschieten versus iemand levend schieten,' zei ik, en daarna: 'Laat maar zitten.'

‘Zie je dat groene busje op de hoek?’

Ik zag het... niet ver van de man die deed alsof hij niet naar ons keek. Een soort minibusje was het, met twee man voorin. Ik prentte het kentekennummer in mijn hoofd en bereidde mijn volgende stap voor.

‘Ja, ik zie het.’

‘Als je niet doodgeschoten wilt worden, doe je precies wat ik zeg. We staan op, lopen langzaam naar het busje en dan stap je achter in. Je doet geen rare dingen...’

En dat was het moment waarop ik de tafel optilde en in zijn gezicht smeet. Want ik wist nu: dit was een ontvoering. Als ik in dat busje stapte, was ik er geweest. Hebt u wel eens horen zeggen dat wanneer er iemand wordt vermist, de eerste achtenveertig uur cruciaal zijn? Wat ze er niet bij vertellen – misschien omdat het overduidelijk is – is dat met elke seconde die verstrijkt de kans afneemt dat het slachtoffer wordt teruggevonden.

Hier was hetzelfde van toepassing. Zodra ze me in dat busje hadden, waren mijn kansen verkeken. Die kelderden al als ik opstond en met hem meeliep. Hij verwachtte geen vroege reactie. Hij dacht dat ik naar hem luisterde. Ik vormde geen bedreiging voor hem. Hij was nog bezig met zijn ingestudeerde verhaal.

Dus koos ik voor de verrassingsaanval.

Hij keek ook die kant op, vluchtig, om te zien of het busje nog op zijn plek stond. Dat korte moment was alles wat ik nodig had. Mijn handen lagen nog op de tafelrand. Mijn beenspieren spanden zich. Ik explodeerde als de gewichtheffer die zijn halter omhoog rukt.

Hij kreeg de tafel recht in zijn gezicht. Op hetzelfde moment draaide ik me weg, voor het geval hij van schrik een schot zou lossen.

Dat gebeurde niet.

Ik maakte mijn draai af en stond opeens naast hem. Als het alleen om Stoppelkop had gedraaid, was het duidelijk geweest wat ik nu moest doen: hem uitschakelen. Hem bewusteloos slaan of schoppen, of hem op een andere manier zijn vechtlust ontnemen. Maar ik moest het opnemen tegen ten minste nog drie mannen. Ik hoopte dat ze zich zouden verspreiden, maar daar kon ik niet van uitgaan.

Maar goed ook dat ik dat niet deed. Want ze verspreidden zich niet.

Mijn ogen zochten naar het pistool. Zoals ik had verwacht, had hij het laten vallen toen hij de tafel in zijn gezicht kreeg. Ik wierp me met mijn volle gewicht op mijn belager, die nog steeds onder de tafel lag. Zijn achterhoofd sloeg met een holle klap tegen de stoeptegels.

Ik zag het pistool.

Mensen gilden en maakten zich uit de voeten. Ik rolde weg van de tafel, naar het pistool, raapte het op en rolde door. Ik kwam overeind, steunde op mijn ene knie en richtte het pistool op de knaap met de zonnebril die op de hoek had staan wachten.

Hij had ook een pistool.

'Laat vallen!' riep ik naar hem.

Hij richtte zijn pistool op mij. Ik aarzelde niet en schoot hem in zijn borst.

Zodra ik de trekker had overgehaald rolde ik naar de muur van het café. Het groene minibusje kwam op me af stormen. Er werd uit geschoten. Maar niet met een pistool.

Een salvo uit een machinegeweer boorde zich in de muur.

Meer mensen gilden.

O man, daar had ik niet op gerekend. Ik was ervan uitgegaan dat ze alleen op mij zouden schieten. Er waren voetgangers en terrasklanten, en ik had te maken met een stel compleet gestoorden die het blijkbaar geen probleem vonden als er omstanders geraakt werden.

Ik zag dat de eerste man, Stoppelkop, die onder de tafel had gelegen, zich weer begon te bewegen. Zonnebril was uitgeschakeld. Het bloed ruiste in mijn oren. Ik kon mijn eigen ademhaling horen.

Ik moest hier weg.

'Blijf liggen!' riep ik, en omdat je op momenten als deze de meest absurde dingen bedenkt, vroeg ik me af hoe dat in het Frans zou klinken en of ze het wel zouden verstaan, of dat het salvo uit een machinegeweer hen misschien al op dat idee had gebracht.

Ik maakte me zo klein mogelijk en rende weg van het minibusje, in de richting van de plek waar het had gestaan. Ik hoorde slippende autobanden. Nog een salvo. Ik rende de hoek om en liet mijn benen het werk doen. Ik was weer in Rue Dauphine. Het hotel was maar een meter of honderd verderop.

Wat nu?

Ik waagde een blik achterom. Het busje was gestopt en was aan het keren. Ik zocht naar een straat of steeg die ik in kon schieten.

Niets te zien. Of misschien…?

Aan de overkant was een smalle zijstraat. Ik vroeg me af of ik moest oversteken, want dan zou ik me te veel blootgeven. Het busje kwam met hoge snelheid mijn kant op rijden. Ik zag de loop van het machinegeweer uit het zijraampje steken.

Ik was hier ook onbeschermd.

Mijn benen kwamen weer in actie. Ik hield mijn hoofd gebogen, alsof ik daardoor een kleiner doelwit zou zijn. Er liepen mensen op straat. Sommigen hadden door wat er gaande was en maakten zich uit de voeten. Anderen niet, zodat ik tegen hen op botste en hen omver liep.

'Ga liggen!' riep ik, omdat ik toch iets moest roepen.

Weer een salvo uit het machinegeweer. Ik hoorde een van de kogels letterlijk over mijn hoofd fluiten en als een windvlaag door mijn haar gaan.

Op dat moment hoorde ik de sirenes.

Weer die akelige Franse sirenes, dat schrille, doordringende geluid waarvan ik nooit had vermoed dat ik blij zou zijn het te horen.

Het busje stopte. Ik rende de stoep op en ging met mijn rug tegen de muur staan. Het busje reed achteruit, terug naar de hoek van de straat. Ik bracht mijn hand met het pistool omhoog en overwoog een schot te lossen. Maar de afstand was te groot en bovendien liepen er te veel mensen op straat. Ik was al roekeloos genoeg geweest.

Het beviel me helemaal niet dat ik ze moest laten gaan, maar ik wilde voorkomen dat er in deze drukke straat nog een machinegeweersalvo zou worden afgevuurd.

De achterdeuren van het busje gingen open. Er stapte een man uit. Een eindje verderop was Stoppelkop opgestaan. Er zat bloed op zijn gezicht en ik vroeg me af of ik zijn neus had gebroken. Twee gebroken neuzen in twee dagen. Niet slecht, als je ervoor betaald zou krijgen.

Stoppelkop wankelde; hij had hulp nodig. Hij keek de straat in, maar ik stond te ver weg om door hem herkend te worden. Even overwoog ik naar hem te zwaaien. Toen hoorde ik de sirenes weer, dichterbij nu. Ik draaide me om en zag twee politiewagens op me af komen.

Er sprongen agenten uit, die hun wapen op me richtten. Dat verbaasde me en ik wilde uitleggen dat ik niet de slechterik was, maar toen begreep ik het. Ik had een pistool in mijn hand. Ik had iemand neergeschoten.

De agenten riepen iets waarvan ik aannam dat het een commando was om me niet te verroeren en mijn handen in de lucht te steken, dus deed ik dat maar. Ik liet het pistool vallen, hurkte neer en steunde op mijn ene knie op de stoep. De agenten kwamen op me af stormen.

Ik keek weer om naar het busje. Ik wilde de agenten gebaren dat ze erachteraan moesten gaan, maar ik wist hoe een onverwachte beweging geïnterpreteerd zou worden. Ze riepen commando's naar me, waar ik niets van begreep, dus verroerde ik me niet.

En op dat moment zag ik iets waardoor ik alsnog het pistool van de stoep wilde grissen.

De achterdeuren van het busje waren open. Stoppelkop liet zich in de laadruimte rollen. De andere man sprong er ook in en probeerde de deuren dicht te trekken terwijl het busje al in beweging kwam. Het draaide, en daardoor kon ik heel even, hooguit een halve seconde, achterin kijken.

De afstand was groot, wel zeventig of tachtig meter, dus misschien vergiste ik me. Misschien zag ik niet wat ik meende te zien.

Paniek sloeg toe. Zonder het te willen begon ik weer overeind te komen. Zo wanhopig was ik. Ik wilde naar het pistool duiken en proberen de banden van het busje lek te schieten. Maar de agenten wierpen zich boven op me. Ik weet niet met hoeveel ze waren. Vier of vijf. Ze lieten zich boven op me vallen en drukten me tegen de grond.

Ik probeerde me los wringen en voelde de punt van iets, waarschijnlijk het uiteinde van een gummiknuppel, in mijn nieren stoten. Ik gaf het nog niet op.

'Het groene busje!' riep ik.

Maar ze waren met te veel. Ik voelde dat mijn armen op mijn rug werden gedraaid.

'Alsjeblieft...' Ik hoorde de bijna waanzinnige angst in mijn stem en probeerde me te beheersen. '... jullie moeten het tegenhouden!'

Maar mijn woorden hadden geen effect. Het minibusje was verdwenen.

Ik deed mijn ogen dicht en dwong mijn gedachten terug naar die halve seconde van zo-even. Want wat ik achterin had gezien – of gezien dacht te hebben – net voordat de deuren dichtgingen en ze aan het zicht werd onttrokken, was een meisje met lang blond haar.

10

Twee uur later zat ik weer in mijn stinkende cel op Quai des Orfèvres 36.

De politie had me langdurig ondervraagd.

Ik had mijn verhaal simpel gehouden en diverse keren gevraagd of ze Berleand erbij wilden halen. Ik probeerde rustig te blijven toen ik zei dat ze naar Terese Collins in het hotel moesten gaan – ik was bang dat de mannen die het op mij hadden gemunt misschien ook achter haar aan zouden gaan – talloze keren het kentekennummer van het busje opdreunde en zei dat ik waarschijnlijk een slachtoffer van een ontvoering in de laadruimte had gezien.

Ze waren op straat al met hun verhoor begonnen, wat ik eerst vreemd vond maar algauw begon te begrijpen. Mijn handen waren achter mijn rug geboeid en de twee agenten die me bij mijn ellebogen vasthielden, weken geen seconde van mijn zijde. Ik moest laten zien wat er gebeurd was. Ze brachten me terug naar Café Le Buci op de hoek. De tafel lag nog steeds ondersteboven. Er zat een veeg bloed op. Ik legde uit wat ik had gedaan. Er waren geen getuigen die hadden gezien dat Stoppelkop een pistool op me had gericht, maar natuurlijk wel mensen die mijn tegenaanval hadden gezien. De man die ik had neergeschoten was met een ambulance afgevoerd, wat hopelijk betekende dat hij nog in leven was.

'Alsjeblieft,' zei ik voor de honderdste keer, 'inspecteur Berleand kan alles uitleggen.'

Als je moest afgaan op hun lichaamstaal, zou je kunnen denken dat de agenten geen woord geloofden van alles wat ik zei, en dat ze zich een beetje verveelden. Maar je kunt niet altijd op lichaamstaal vertrouwen, had ik in de loop der jaren geleerd. Politiemensen zijn altijd argwanend, want op die manier krijgen ze meer informatie van je los. Ze doen alsof ze je niet geloven, waardoor jij maar blijft praten, in een poging ze te overtuigen en alles uit te leggen, waardoor je dingen zegt die je misschien beter voor je kunt houden.

'Jullie moeten dat busje opsporen,' zei ik weer, en voor de zoveelste keer herhaalde ik het kentekennummer.

'Mijn vriendin logeert in het D'Aubusson.' Ik wees naar Rue Dauphine en gaf Tereses naam en kamernummer.

Maar op alles wat ik zei knikten ze en reageerden ze met vragen die niets te maken hadden met wat ik zojuist had gezegd. Ik gaf antwoord op al hun vragen en zij bleven me aankijken alsof elk woord dat uit mijn mond kwam een compleet verzinsel was.

Ten slotte was ik weer in deze cel gedumpt. Zo te zien was die niet schoongemaakt sinds mijn laatste bezoek. Of sinds de dood van Charles de Gaulle. Ik maakte me zorgen over Terese. Ik maakte me zelfs een beetje zorgen over mezelf. Ik had in het buitenland iemand neergeschoten. Dat was te bewijzen. Wat niet te bewijzen was – wat moeilijk zo niet onmogelijk was uit te leggen – was de reden voor mijn aandeel in het gebeuren.

Was het nodig geweest dat ik die man neerschoot?

Zonder twijfel. Hij richtte een pistool op me.

Maar zou hij ook hebben geschoten?

Je wacht niet af tot hij dat wel of niet doet. Dus had ik eerst geschoten. Hoe zouden ze daar hier in Frankrijk over denken?

Ik vroeg me af of er andere mensen gewond waren geraakt. Ik had meer dan één ambulance gezien. Stel dat er een onschuldige voorbijganger was gedood door een van de kogels uit het machinegeweer. Dan was dat mijn schuld. Stel dat ik gewoon met Stoppelkop was meegegaan. Dan was ik nu bij het blonde meisje geweest. Over bang gesproken. Wat moest dat meisje niet gedacht en gevoeld hebben toen ze daar achter in dat busje lag, hoogstwaarschijnlijk gewond, aangezien er bloed op de plaats delict van haar vader was gevonden?

Was ze getuige geweest van de moord op haar vader?

Ho even, laten we niet op de zaken vooruitlopen.

'Ik stel voor dat je de volgende keer met een gids op stap gaat. Er zijn te veel toeristen die Parijs op eigen houtje proberen te doen en in de problemen raken.'

Het was Berleand.

'Ik heb een blond meisje achter in dat busje gezien,' zei ik.

'Dat heb ik vernomen.'

'En Terese was in het hotel gebleven,' zei ik.

'Ze is vijf minuten na jou weggegaan.'

Ik stond achter de glazen deur en wachtte tot hij die van het slot zou draaien. Dat deed hij niet. Ik dacht na over wat hij net had gezegd. 'Laten jullie ons schaduwen?'

'Ik heb niet de mankracht om jullie allebei te laten volgen,' zei hij. 'Maar vertel me eens: wat vond je van haar verhaal over het auto-ongeluk?'

'Hoe...?' Ik begreep het. 'Jullie luisteren onze hotelkamer af?'

Berleand knikte. 'Je komt niet erg aan je trekken.'

'Erg leuk.'

'En sneu voor jou,' pareerde hij. 'Nou, wat vond je van haar verhaal?'

'Hoe bedoel je: wat vond ik ervan? Afschuwelijk, natuurlijk.'

'Dus je gelooft haar?'

'Natuurlijk geloof ik haar. Zoiets verzin je toch niet?'

Zijn gezichtsuitdrukking veranderde iets.

'Wou je me vertellen dat het niet waar is?'

'Nee, alles lijkt in grote lijnen te kloppen. Miriam Collins, zeven jaar oud, is omgekomen bij een auto-ongeluk op de A-40 bij Londen. Terese is ernstig gewond geraakt. Maar ik laat het volledige dossier overkomen om het nog eens grondig door te nemen.'

'Waarom? Dat was tien jaar geleden. Bovendien heeft het niks te maken met wat er nu aan de hand is.'

Hij gaf geen antwoord. Schoof alleen zijn bril hoger op zijn neus. Ik voelde me een beetje te kijk staan in deze plexiglas cel.

'Ik mag aannemen dat je collega's van de technische recherche je hebben verteld wat er is gebeurd,' zei ik.

'Ja.'

'Jullie moeten dat groene busje opsporen.'

'Dat hebben we al gedaan,' zei Berleand.

Ik ging dichter bij de plexiglas deur staan.

'Het was gehuurd,' zei Berleand. 'Ze hebben het op vliegveld Charles de Gaulle achtergelaten.'

'Gehuurd met een creditcard?'

'Ja, op een valse naam.'

'Dan moet je alle uitgaande vluchten tegenhouden.'

'Van het grootste vliegveld van Frankrijk?' Berleand fronste zijn wenkbrauwen. 'Heb je nog meer tips over hoe we ons werk moeten doen?'

'Ik zeg alleen dat...'

'Er is al meer dan twee uur verstreken. Als ze het land uit wilden vliegen, zijn ze al lang weg.'

Een andere politieman kwam de gang in, gaf Berleand een blaadje papier en liep weer weg. Berleand las wat erop stond.

'Wat is dat?' vroeg ik.

'Het menu voor het avondeten. We proberen een nieuwe cateringservice uit.'

Ik besteedde geen aandacht aan Berleands halfslachtige poging tot humor. 'Je weet dat dit geen toeval is,' zei ik. 'Ik heb een blond meisje achter in dat busje gezien.'

Hij stond nog steeds te lezen. 'Ja, dat zei je.'

'Het kan Collins' dochter geweest zijn,' zei ik.

'Dat betwijfel ik,' zei Berleand.

Ik wachtte.

'We hebben de echtgenote gevonden,' zei Berleand. 'Karen Tower. Met haar is alles in orde. Ze wist niet eens dat haar man in Parijs was.'

'Waar dacht zij dan dat hij was?'

'Ik heb de details nog niet allemaal. Ze woonden tegenwoordig in Londen. Scotland Yard heeft haar het slechte nieuws meegedeeld. Het schijnt dat ze huwelijksproblemen hadden.'

'En hoe zit het dan met de dochter?'

'Nou, dat is het opmerkelijke,' zei Berleand. 'Ze hebben namelijk geen dochter. Ze hebben een zoontje van vier. Die zit veilig thuis bij zijn moeder.'

Dat moest ik even verwerken. 'Maar de DNA-test heeft aangetoond dat het bloed afkomstig is van Rick Collins' dochter,' begon ik.

'Ja.'

'Zonder twijfel?'

'Zonder twijfel.'

'En de lange blonde haar lag ín het bloed?' vroeg ik.

'Ja.'

'Dus Rick Collins had een dochter met lang blond haar,' zei ik, meer tegen mezelf dan tegen hem. Ik had niet veel tijd nodig om tot een alternatief scenario te komen. Misschien was het omdat we in Frankrijk waren, het land – zei men – waar de maîtresse was uitgevonden. Zelfs de voormalige president had er een gehad, of niet soms?

'Een tweede gezin,' zei ik.

Natuurlijk waren het niet alleen de Fransen die er maîtresses op nahielden. Wij hadden die politicus in New York, die dronken in zijn auto was aangehouden toen hij naar zijn tweede gezin op weg was. Er waren zo veel mannen die kinderen bij maîtresses hadden. Als je daar Berleands veronderstelling aan toevoegde, dat Rick Collins en Karen Tower huwelijksproblemen hadden, klonk het allemaal best aannemelijk. Natuurlijk vertoonde deze theorie een paar gaten – waarom zou Rick Collins bijvoorbeeld zijn eerste vrouw Terese bellen om te zeggen dat het heel belangrijk was dat ze hem in Parijs kwam opzoeken – maar één ding tegelijk.

Ik begon Berleand mijn theorie uit te leggen, maar toen ik merkte dat hij er niets in zag, hield ik op.

'Zie ik iets over het hoofd?' vroeg ik.

Zijn mobiele telefoon ging over. Berleand antwoordde weer in het Frans, zodat de strekking van het gesprek me ontging. Als ik weer thuis was, moest ik toch eens een cursus Frans gaan volgen. Zodra hij het gesprek had beëindigd, draaide hij de deur van mijn cel van het slot en gebaarde dat ik eruit moest komen. Met grote, haastige passen liep hij de gang in.

'Berleand?'

'Kom mee. Ik moet je iets laten zien.'

We gingen de teamkamer van Groupe Berleand weer binnen. Lefebvre was er ook. Hij keek me aan alsof ik zojuist uit de endeldarm van zijn ergste vijand was gevallen. Hij was bezig een andere monitor op de computer aan te sluiten, een groot flatscreen dat misschien wel driekwart meter breed was.

'Wat is er aan de hand?' vroeg ik.

Berleand nam achter het bureau plaats. Lefebvre gaf hem de ruimte. Er waren nog twee rechercheurs in de teamkamer. Ze gingen naast Lefebvre bij de achterwand staan. Berleand keek naar de monitor en daarna naar het toetsenbord. Hij fronste zijn wenkbrauwen. Op het bureau stond een grote doos tissues. Hij trok er een uit en veegde het toetsenbord schoon.

Lefebvre zei iets in het Frans dat klonk als een verwijt.

Berleand wees naar het toetsenbord en snauwde iets terug. Hij veegde het eerst helemaal schoon en begon toen pas te typen.

'Het blonde meisje in het busje,' zei Berleand tegen mij. 'Hoe oud schatte je haar?'

'Geen idee.'

'Denk eens goed na.'

Ik deed mijn best, maar schudde mijn hoofd. 'Het enige wat ik zag, was dat lange blonde haar.'

'Kom naast me zitten,' zei hij.

Ik trok een stoel bij. Hij opende een e-mail en downloadde de bijlage.

'Straks krijgen we meer videobeelden binnen,' zei hij, 'maar dit stilstaande beeld is het duidelijkst.'

'Stilstaande beeld waarvan?'

'Van een van de beveiligingscamera op het parkeerterrein van De Gaulle.'

Er verscheen een kleurenfoto op de monitor. Ik had een korrelige zwart-witfoto verwacht, maar deze was heel duidelijk. Massa's auto's – het was ten slotte een parkeerterrein – maar ook mensen. Ik tuurde naar het scherm.

Berleand wees naar de rechterbovenhoek. 'Zijn dat ze?'

Helaas was de afstand zo groot dat het groepje alleen in de verte te zien was. Ik zag drie mannen. Een van de drie hield iets tegen zijn gezicht gedrukt, een witte doek, zo te zien om een bloedneus te stoppen. Stoppelkop.

Ik knikte.

Het blonde meisje was er ook, en nu begreep ik de vraag die Berleand me had gesteld. Vanuit dit standpunt – op de rug gezien – was heel moeilijk te zien hoe oud ze was. Maar zes of zeven, of zelfs tien of twaalf was ze zeker niet, tenzij ze extreem groot voor haar leeftijd was. Ze was volgroeid. Aan de kleding te zien ging het om een tiener, een jonge, bijna volwassen vrouw, hoewel je tegenwoordig niet echt op kleding kon afgaan.

Het blonde meisje liep tussen de twee ongedeerde mannen in. Stoppelkop liep naast hen, helemaal rechts.

'Ja, dat zijn ze,' zei ik, en meteen daarna: 'Hoe oud dachten we dat de dochter zou moeten zijn? Zes of zeven? Het komt door dat blonde haar, denk ik. Dat heeft me op het verkeerde been gezet. Ik heb het niet goed gezien.'

'Daar ben ik niet zo zeker van.'

Ik keek Berleand aan. Hij zette zijn bril af, legde hem naast het toetsenbord en wreef met beide handen over zijn gezicht. Hij blafte iets in het Frans over zijn schouder. De drie mannen, ook Lefebvre, liepen de kamer uit. We waren alleen.

'Wat is er verdomme aan de hand?' vroeg ik.

Hij liet zijn handen zakken en keek me aan. 'Ben je je bewust dat niemand op dat caféterras heeft gezien dat die man een pistool op jou richtte?'

'Natuurlijk hebben ze dat niet gezien. Hij deed dat onder de tafel.'

'De meeste mensen zouden hun handen in de lucht hebben gestoken en gehoorzaam zijn meegegaan. De meeste mensen zouden niet op het idee zijn gekomen om de man een tafel in zijn gezicht te smijten, hem zijn wapen af te nemen en zijn handlanger midden op straat neer te schieten.'

Ik wachtte tot hij meer zou zeggen. Toen hij dat niet deed, zei ik: 'Tja, wat zal ik ervan zeggen? Ik ben niet voor de poes.'

'De man die jij hebt neergeschoten... die was ongewapend.'

'Niet toen ik hem neerschoot. Zijn maten hebben het pistool vast opgeraapt toen ze ervandoor gingen. Dat weet je best, Berleand. Je weet heel goed dat ik dit niet heb verzonnen.'

We zwegen enige tijd. Berleand zat naar de monitor te staren.

'Waar wachten we op?'

'Tot de video binnenkomt,' zei hij.

'Video waarvan?'

'Het blonde meisje.'

'Waarom?'

Hij gaf geen antwoord. We wachtten nog vijf minuten. Ik bleef hem met vragen bestoken. Hij zei niets. Eindelijk liet zijn mailprogramma een *ding-dong* horen en kwam er een heel korte video van het parkeerterrein binnen. Berleand klikte op 'start' en leunde achterover.

We konden het blonde meisje nu duidelijker zien. Het ging inderdaad om een tiener, ongeveer zestien, zeventien jaar oud. Ze had lang blond haar. De camera bevond zich nog steeds te ver weg om haar gelaatstrekken goed in beeld te brengen, maar ze had iets wat me bekend voorkwam, de manier waarop ze liep, met geheven hoofd, de schouders naar achteren en de rug kaarsrecht...

'We hebben een voorlopige uitslag van de DNA-test van het bloedmonster en de blonde haar,' zei Berleand.

De temperatuur in het vertrek daalde een paar graden. Met moeite maakte ik mijn blik los van het scherm en keek hem aan.

'Het is niet alleen zíjn dochter,' zei Berleand, met een gebaar naar het blonde meisje op het scherm, 'maar ook die van Terese Collins.'

11

Het duurde even voordat ik iets kon zeggen.
'Je zei "voorlopige" uitslag.'

Berleand knikte. 'De definitieve zal een paar uur meer vergen.'

'Dus het kan een vergissing zijn.'

'Dat lijkt me onwaarschijnlijk.'

'Maar het is wel eens voorgekomen?'

'Ja. Ik heb een zaak gehad waarin we een man hebben gearresteerd op grond van een voorlopige uitslag. Later bleek dat zijn broer de dader was. En ik heb gehoord over een alimentatiezaak van een vrouw die haar vriendje aanklaagde omdat hij niet wilde betalen. Hij hield vol dat het kind niet van hem was. De voorlopige uitslag van de DNA-test gaf een match, maar toen het lab beter ging kijken, bleek de vader van het vriendje de vader te zijn.'

Daar moest ik even over nadenken.

'Heeft Terese Collins een zus?' vroeg Berleand.

'Dat weet ik niet.'

Berleand trok een gezicht.

'Wat is er?' vroeg ik.

'Het was wel een diepgaande relatie die jullie hadden, hè?'

Ik negeerde het verwijt. 'Wat gaan we nu doen?'

'We zouden graag willen dat je Terese Collins belt,' zei Berleand. 'Dan kunnen we haar nog wat vragen stellen.'

'Waarom bellen jullie haar zelf niet?'

'Dat hebben we gedaan. Ze neemt niet op.'

Hij gaf me mijn mobiele telefoon terug. Ik zette hem aan. Eén gemiste oproep. Ik klikte niet door om te zien van wie. En iets wat eruitzag als junkmail, met de openingstekst: *Toen Peggy Lee 'Is that all there is?' zong, had ze het toen over je slurfje? Je kleine Pie-pie snakt naar Viagra, verkrijgbaar op 86BR22.com.*

Berleand las mee over mijn schouder. 'Wat is dat?'

'Een van mijn vroegere vriendinnen heeft uit de school geklapt.'

'Die zelfvernedering van jullie,' zei Berleand, 'is ronduit charmant.'

Ik drukte op het knopje voor Tereses nummer. Het toestel ging een paar keer over en schakelde toen door naar haar voicemail. Ik sprak een boodschap in en verbrak de verbinding.

'En nu?'

'Weet je iets van het opsporen van mobiele telefoons?' vroeg Berleand.

'Ja.'

'Dan weet je waarschijnlijk ook dat zolang het toestel aanstaat, ook als er niet mee wordt gebeld, er met behulp van een driehoekspeiling kan worden bepaald waar het zich bevindt?'

'Ja.'

'Daarom vonden we het niet echt nodig om mevrouw Collins te schaduwen. We beschikken over die technologie. Maar ongeveer een uur geleden heeft ze haar telefoon uitgezet.'

'Misschien is de batterij leeg?' zei ik.

Berleand keek me fronsend aan.

'Of misschien wil ze even met rust worden gelaten. Je weet hoe moeilijk het voor haar geweest moet zijn om me over dat autoongeluk te vertellen.'

'En daarom zet ze haar toestel uit om niet gestoord te worden?'

'Ja, waarom niet?'

'In plaats van een gesprek gewoon te negeren,' drong hij aan, 'schakelt mevrouw Collins haar toestel helemaal uit?'

'Jij gelooft daar niet in?'

'Alsjeblieft, zeg. Wat we nog wel kunnen doen, is haar gesprekken nagaan, zowel inkomend als uitgaand. Ongeveer een uur geleden heeft mevrouw Collins haar enige inkomende gesprek van de hele dag gehad.'

'Van wie?'

'Weten we niet. Het nummer voerde ons naar een telefoon in Hongarije, vervolgens naar een of andere website en daarna waren we het spoor bijster. Het gesprek duurde twee minuten. Meteen daarna heeft ze haar toestel uitgeschakeld. Ze bevond zich op dat moment in het Rodin Museum. We hebben geen idee waar ze nu is.'

Ik zei niets.

'Heb jij daar misschien ideeën over?'

'Over Rodin? Ik vind *De Denker* erg mooi.'

'Die humor van jou doet me de das nog eens om, Myron. Werkelijk.'

'Blijven jullie me vasthouden?'

'Ik heb je paspoort. Je kunt gaan, maar blijf in je hotel, alsjeblieft.'

'Waar jullie kunnen meeluisteren,' zei ik.

'Je kunt het ook zo zien,' zei Berleand. 'Als je eindelijk eens aan je trekken komt, kan ik daar misschien iets van leren.'

Het ritueel van het vrijlaten duurde ongeveer twintig minuten. Ik liep over Quai des Orfèvres terug naar Pont Neuf. Ik vroeg me af hoeveel tijd ik had. Er bestond natuurlijk een kans dat Berleand me nu al liet schaduwen, maar dat leek me niet waarschijnlijk.

Vóór me, langs de stoeprand, stond een auto met kentekennummer 97-CS-33.

De code had niet simpeler kunnen zijn. Die in de junkmail was 86-BR-22 geweest. Ik hoefde bij alles alleen maar één op te tellen. Acht wordt negen. Een *B* wordt een *C*. Toen ik kwam aanlopen, dwarrelde er een blaadje papier uit het zijraampje aan de bestuurderskant. Er zat een muntstuk op geplakt, om te voorkomen dat het wegwaaide.

Ik zuchtte. Eerst die supersimpele code en nu dit. Zou James Bond zoiets accepteren?

Ik raapte het blaadje op.

Rue du Pont Neuf 1, vijfde verdieping. Gooi telefoon door raampje op achterbank auto.

Ik deed het. De auto reed weg, met mijn telefoon, die aanstond, erin. Zo, die mochten ze gaan volgen. Ik sloeg rechts af. Het was het Louis Vuitton-gebouw met het glazen koepeldak. Op de begane grond was een filiaal van Kenzo, dus ik voelde me hopeloos onhip toen ik binnenkwam. Ik stapte in de glazen lift en zag dat op de vijfde verdieping een restaurant was dat Le Kong heette.

Toen ik uit de lift stapte, werd ik opgewacht door een hostess in het zwart. Ze was ruim één meter tachtig, haar mantelpakje zat zo strak als een tourniquet en ze was zo mager als de gemiddelde lantaarnpaal. 'Meneer Bolitar?' vroeg ze.

'Ja.'

'Deze kant op, alstublieft.'

Ze ging me voor, een trap met fluorescerend groen verlichte treden op, naar de glazen koepel. In eerste instantie zou ik Le Kong ultrahip noemen, maar het ging verder dan dat... meer postmodern ultrahip. De inrichting was in futuristische geishastijl. Er hingen plasmaschermen met beeldschone oosterse vrouwen die naar je knipoogden als je erlangs liep. De stoelen waren van doorzichtig plexiglas, met alleen op de rugleuning afbeeldingen van mooie vrouwengezichten met vreemde kapsels. Die gezichten gloeiden je tegemoet, alsof ze van binnenuit werden verlicht. Het effect was een beetje griezelig.

Boven mijn hoofd, tegen het plafond, zat een reusachtige schildering van een Japanse geisha. Het bedienend personeel was hetzelfde gekleed als de hostess die me had opgehaald... in strak, trendy zwart. Maar wat alles bijeenhield en geloofwaardig maakte, was het werkelijk oogverblindende uitzicht op de Seine, bijna net zo mooi als dat vanaf het dak van het hoofdbureau van politie... en daar, aan een tafeltje voorin, met het allermooiste uitzicht van allemaal, zat Win.

'Ik heb *foie gras* voor je besteld,' zei hij.

'Er komt een dag dat iemand die oude truc van je doorheeft.'

'Tot nu toe is dat nog niet gebeurd.'

Ik ging tegenover hem zitten. 'Het komt me hier bekend voor.'

'Dit restaurant was te zien in een Franse film met François Cluzet en Kristin Scott Thomas,' zei Win. 'Ze zaten zelfs aan deze zelfde tafel.'

'Kristin Scott Thomas in een Franse film?'

'Ze heeft hier jaren gewoond en spreekt vloeiend Frans.'

Win weet dat soort dingen; ik heb geen idee hoe hij aan die informatie komt.

'Maar goed,' vervolgde Win. 'Misschien is het daarom dat dit restaurant een – om in het Frans te blijven – déjà vu bij je teweegbrengt.'

Ik schudde mijn hoofd. 'Ik kijk nooit naar Franse films.'

'Of,' zei Win met een diepe zucht, 'misschien heb je Sarah Jessica Parker hier zien eten in de laatste aflevering van *Sex and the City*.'

'Bingo,' zei ik.

De foie gras – ganzenleverpaté, voor niet-ingewijden – werd opgediend. Ik was uitgehongerd en viel meteen aan. Ik weet dat dierenactivisten me nu met plezier zullen vierendelen, maar ik kan er niets aan doen: ik ben gek op foie gras. Win had de rode wijn al ingeschonken. Ik nam een slokje. Ik ben geen kenner, maar de wijn smaakte alsof God persoonlijk de druiven had geperst.

'Dus ik mag aannemen dat je nu op de hoogte bent van Tereses geheim,' zei Win.

Ik knikte.

'Ik had je verteld dat het nogal heftig was.'

'Hoe had jij het uitgedokterd?'

'Dat was niet zo moeilijk,' zei Win.

'Laat ik de vraag anders stellen. Waaróm heb je het uitgedokterd?'

'Negen jaar geleden ben je er met haar vandoor gegaan,' zei Win.

'Nou en?'

'Je had mij niet eens verteld dat jullie weggingen.'

'Nogmaals: nou en?'

'Je lag in de kreukels en was kwetsbaar, dus heb ik haar achtergrond gecheckt.'

'Dat was niet nodig,' zei ik.

'Nee, misschien niet.'

We aten nog wat.

'Wanneer ben je hier aangekomen?' vroeg ik.

'Esperanza belde me nadat ze jou had gesproken. Ik heb mijn vliegtuig laten keren en ben deze kant op gekomen. Toen ik bij jullie hotel kwam, was je net gearresteerd. Ik heb een paar mensen gebeld.'

'Waar is Terese?'

Ik ging ervan uit dat Win degene was geweest die haar had gebeld om te zeggen dat ze zich uit de voeten moest maken.

'We zien haar heel binnenkort. Nou, praat me bij.'

Dat deed ik. Hij zei niets, zette zijn vingertoppen tegen elkaar en vormde een driehoek met zijn handen. Dat doet Win altijd. Als ik dat doe, ziet het er bespottelijk uit. Maar bij hem, met zijn gemanicuurde nagels, werkt het op de een of andere manier. Toen ik uitgepraat was, zei Win: 'Jeetje.'

'Je vat het mooi samen.'

'Wat weet je precies over dat auto-ongeluk?' vroeg hij.

'Alleen wat ik je nu net heb verteld.'

'Terese heeft het stoffelijk overschot nooit gezien,' zei Win. 'Dat vind ik nogal merkwaardig.'

'Ze heeft twee weken in coma gelegen. Je kunt niet eeuwig met de begrafenis wachten.'

'Maar toch...' Win stootte zijn vingertoppen tegen elkaar. 'Had haar inmiddels overleden ex niet gezegd dat wat hij haar te vertellen had álles zou veranderen?'

Daar had ik ook over nagedacht. En over de vreemde klank van zijn stem, de bijna panische angst.

'Er moet een andere verklaring zijn. Zoals ik al zei was de uitslag van de DNA-test voorlopig.'

'Je beseft natuurlijk wel dat de politie je heeft laten gaan in de hoop dat jij ze naar Terese zult leiden.'

'Ja, dat weet ik.'

'Maar dat gaat niet gebeuren,' zei Win.

'Dat weet ik ook.'

'Wat wil je nu gaan doen?' vroeg Win.

Die vraag verraste me. 'Ga je niet proberen me ervan te weerhouden dat ik haar help?'

'Zou het veel zin hebben?'

'Nee, waarschijnlijk niet.'

'Misschien wordt het wel leuk,' zei Win. 'En er is nog een belangrijke reden om deze queeste te vervolgen.'

'En die is?'

'Dat vertel ik je later. Nou, waar gaan we naartoe, Kemosabe?'

'Dat weet ik niet precies. Ik zou graag met de vrouw van Rick Collins willen praten. Ze woont in Londen, maar Berleand heeft mijn paspoort.'

Wins mobiele telefoon tjilpte. Hij hield hem tegen zijn oor en zei: 'Duidelijk spreken.'

Ik vind het zo erg wanneer hij dat zegt.

Hij beëindigde het gesprek. 'Dan wordt het Londen.'

'Ik vertel je net...'

Win stond op. 'In de kelder van dit gebouw is een tunnel. Die loopt naar het gebouw hiernaast, dat van Samaritaine. Daar wacht een auto voor de deur. Mijn vliegtuig staat op een klein vliegveld bij Versailles. Terese is daar al. Ik heb voor jullie allebei een identiteitsbewijs. Haast je, alsjeblieft.'

'Wat is er gebeurd?'

'Mijn andere belangrijke reden om deze queeste te vervolgen. De man die je een paar uur geleden hebt neergeschoten is zonet overleden. De politie wil je pakken voor moord. Het lijkt me verstandig dat we ze voor zijn en je naam zuiveren.'

12

Toen ik Terese vertelde over de uitslag van het DNA-onderzoek, had ik een andere reactie verwacht.

Terese en ik zaten in de lounge van Wins vliegtuig, een Boeing Business Jet die hij nog niet zo lang geleden van een rapper had gekocht. De stoelen waren reusachtig en hadden leren bekleding. Er was een breedbeeld-tv, een bank, hoogpolige vloerbedekking en houten lambriseringen. De jet had ook een eetgedeelte, en een apart slaapvertrek, achterin.

Voor het geval u het nog niet begreep: Win is steenrijk.

Hij heeft zijn geld op de ouderwetse manier verdiend: hij heeft het geërfd. Zijn familie is eigenaar van Lock-Horne Investments, nog steeds een van de lichtpuntjes van Wall Street, en Win had zijn miljarden belegd en er nog meer miljarden van gemaakt.

De 'vluchtstewardess' – ik zet dit tussen aanhalingstekens, want ik betwijfel of ze de calamiteitentraining ooit had gedaan – was beeldschoon, oosters, jong en, Win kennende, hoogstwaarschijnlijk heel meegaand. Op haar naamplaatje stond dat ze 'Mei' heette. Ze leek rechtstreeks afkomstig van een Pan Am-reclameposter uit de jaren zestig, met haar getailleerde mantelpakje, haar strakke blouse en haar dophoedje.

Toen we aan boord gingen, zei Win: 'Dat dophoedje doet het 'm.'

'Ja,' zei ik. 'De kers op de taart.'

'Ik heb tegen haar gezegd dat ze het voortdurend op moet houden.'

'Alsjeblieft, meer details hoef ik niet te horen,' zei ik.

Win grijnsde. 'Ze heet Mei.'
'Dat heb ik al op haar naamplaatje gelezen.'
'Zoals in: dit gaat niet over jou, Myron, maar over Mei. Of: o, ik ben zo graag alleen met Mei.'
Ik keek hem alleen maar aan.
'Mei en ik gaan nu naar achteren, dan kun jij met Terese praten.'
'Naar achteren? Bedoel je het slaapgedeelte?'
Win gaf me een klap op mijn rug. 'Bekommer je niet om ons, Myron. Ik bekommer me wel om Mei.'
'Hou alsjeblieft op.'
Ik ging na hem aan boord. Terese was er al. Toen ik haar vertelde dat ze hadden geprobeerd me te ontvoeren en dat ik daarna was beschoten, leek ze oprecht bezorgd. Maar toen ik begon over de DNA-test die zou uitwijzen dat zij de moeder van het blonde meisje was, waarbij ik de termen 'voorlopig' en 'niet-doorslaggevend' zo vaak gebruikte dat ik er zelf bijna onpasselijk van werd, verbaasde ze me.
Want ze reageerde nauwelijks.
'Wil je zeggen dat het bloedonderzoek aantoont dat ik de moeder van het meisje zou kunnen zijn?'
In feite toonde de voorlopige uitslag aan dat ze de moeder wás, maar misschien was dat op dit moment wel meer dan ze aankon. Dus zei ik alleen: 'Ja.'
Opnieuw leek de betekenis hiervan niet echt tot haar door te dringen. Terese bleef me aankijken alsof ze een hoorprobleem had. Ik zag een heel lichte, nauwelijks waarneembare trilling van haar oogleden. Maar dat was het zo'n beetje.
'Dat kan toch niet?'
Ik zei niets, haalde alleen mijn schouders op.
Je moet de kracht van de ontkenning nooit onderschatten. Terese schudde het van zich af, schakelde over naar de reporterstand en begon me met allerlei vragen te bestoken. Ik vertelde haar alles wat ik wist. Haar ademhaling versnelde iets en werd minder diep. Ze deed haar best er niet aan toe te geven, tenminste, dat maakte ik op uit het trillen van haar onderlip.
Maar er kwamen geen tranen.

Ik wilde me naar voren buigen en haar vastpakken, maar ik kon het niet. Ik weet niet precies waarom niet. Dus deed ik niets en wachtte af. We spraken het geen van beiden uit, alsof die woorden de ragfijne zeepbel van hoop uiteen zouden doen spatten. Maar ze was er wel degelijk, de spreekwoordelijke loodzware stilte in het vertrek. We wisten het allebei en deden alsof het niet zo was.

Soms leken Tereses vragen iets té gericht en sijpelde er iets van woede doorheen, toen ze zich hardop afvroeg wat Rick, haar exman, haar misschien had aangedaan, of dat hij haar misschien wel al haar hoop had ontnomen. Uiteindelijk leunde ze achterover, zette haar tanden in haar onderlip en knipperde met haar ogen.

'Waar gaan we nu naartoe?' vroeg ze.

'Naar Londen. Ik dacht dat we misschien met Ricks tweede vrouw konden gaan praten.'

'Karen.'

'Ken je haar?'

'Haar kennen? Ja, ik ken haar.' Ze keek me aan. 'Weet je nog dat ik je vertelde dat ik Miriam naar een vriendin ging brengen toen we dat auto-ongeluk kregen?'

'Ja.' En daarna: 'Was Karen Tower die vriendin?'

Ze knikte.

Het vliegtuig vloog nu op kruissnelheid. Dat liet de piloot ons tenminste weten. Ik had nog veel meer vragen, maar Terese had haar ogen dichtgedaan. Ik wachtte.

'Myron?'

'Ja?'

'We zeggen het niet. Nog niet. We denken het allebei, maar we spreken het niet uit, oké?'

'Oké.'

Ze deed haar ogen open en keek naar buiten. Ik begreep het. Zelfs voor oogcontact was dit moment te kwetsbaar. Alsof hij een seintje had gekregen deed Win de deur van het slaapvertrek open. Mei, de vluchtstewardess, had haar dophoedje op en al haar kleren aan. Ook Win was volledig gekleed. Hij gebaarde dat ik het slaapvertrek in moest komen.

'Ik vind dat dophoedje zo leuk,' zei hij.

'Dat zei je al.'

'Het staat Mei goed.'

Ik keek hem aan. Hij liet me binnen en deed de deur dicht. Het vertrek had behang met een tijgermotief en op het bed lag een zebrahuid. 'Is je oude Elvis-adoratie weer bovengekomen?'

'Die rapper heeft het zo laten inrichten. Ik begin er al aan te wennen.'

'Kan ik iets voor je doen?'

Win wees naar de tv. 'Ik heb jullie gesprek gevolgd.'

Ik keek naar het scherm en zag Terese in een van de stoelen zitten.

'Daarom wist ik dat het een goed moment was voor een korte onderbreking.' Hij trok een la open en haalde er iets uit. 'Hier.'

Een mobiele telefoon, een BlackBerry.

'Je eigen nummer werkt nog... al je gesprekken komen gewoon binnen, alleen ben je nu ontraceerbaar. Als ze toch proberen je te traceren, komen ze ergens in het zuidwesten van Hongarije terecht. Trouwens, inspecteur Berleand heeft een boodschap voor je ingesproken.'

'Is het veilig om hem terug te bellen?'

Win keek me fronsend aan. 'Is "ontraceerbaar" een te moeilijk woord voor je?'

Berleand antwoordde meteen. 'Mijn collega's willen je achter de tralies hebben.'

'Ik ben nog wel zo'n charmante man.'

'Dat heb ik hun ook gezegd, maar ze zijn er niet van overtuigd dat dat genoeg is om onder beschuldiging van moord uit te komen.'

'Maar het is zo'n zeldzame eigenschap.' En daarna: 'Ik heb het je gezegd, Berleand. Het was zelfverdediging.'

'Dat heb je inderdaad gezegd. En wij hebben rechtbanken en advocaten en rechercheurs die uiteindelijk wellicht tot dezelfde conclusie zullen komen.'

'Daar heb ik nu geen tijd voor.'

'Dus je wilt me niet vertellen waar je bent?'

'Nee.'

'Ik heb Le Kong altijd net iets te toeristisch gevonden,' zei hij. 'Volgende keer neem ik je mee naar een bistrootje in Saint Michel, waar ze alleen foie gras serveren. Je zult het fantastisch vinden.'

'De volgende keer,' zei ik.

'Bevind je je nog in mijn jurisdictie?'

'Nee.'

'Jammer. Mag ik je om een gunst vragen?'

'Natuurlijk,' zei ik.

'Is je nieuwe telefoon geschikt om foto's te bekijken?'

Ik keek naar Win. Hij knikte. Ik gaf het door aan Berleand.

'Dan is er op dit moment een foto naar je onderweg. Kijk alsjeblieft of je de man herkent die erop staat.'

Ik gaf de telefoon aan Win. Hij drukte een paar knopjes in en vond de foto. Ik keek er aandachtig naar, maar eigenlijk zag ik het meteen.

'Waarschijnlijk is hij het,' zei ik.

'De man die je de tafel in zijn gezicht hebt gesmeten?'

'Ja.'

'Weet je het zeker?'

'Ik zei "waarschijnlijk".'

'Je moet zeker van je zaak zijn.'

Ik keek nog eens goed. 'Ik ga ervan uit dat dit een oude foto is. De man door wie ik vandaag werd bedreigd is minstens tien jaar ouder dan die op deze foto. Er zijn een paar dingen veranderd: het geschoren hoofd, de neus is anders… maar voor het overige ben ik er redelijk zeker van.'

Stilte.

'Berleand?'

'Ik zou heel graag willen dat je terugkwam naar Parijs.'

De manier waarop hij het zei beviel me allerminst.

'Sorry, dat kan ik niet doen.'

Weer een stilte.

'Wie is die gast?' vroeg ik.

'Dit is iets wat je niet alleen aankunt,' zei hij.

Ik keek naar Win. 'Ik heb hulp.'

'Dat zal niet voldoende zijn.'

'En jij zult niet de eerste zijn die ons onderschat.'

'Ik weet wie er bij je is. Ik weet van zijn geld en zijn reputatie. Het is niet voldoende. Misschien zijn jullie goed in het opsporen van mensen, of het helpen van sportmensen die problemen met de wet hebben. Maar jullie hebben niet genoeg in huis om iets als dit aan te kunnen.'

'Als ik niet zo'n stoere bink was,' zei ik, 'zou je me nu bang maken.'

'En als jij niet zo'n geschift warhoofd was, zou je naar me luisteren. Wees voorzichtig, Myron. Hou contact.'

Hij verbrak de verbinding. Ik keerde me naar Win. 'Misschien kunnen we de foto doorsturen naar de Verenigde Staten, naar iemand die ons kan vertellen wie dit is.'

'Ik heb een connectie bij Interpol,' zei Win.

Maar hij keek me niet aan terwijl hij het zei. Hij keek over mijn schouder heen. Ik draaide me om en volgde zijn blik. Hij keek naar de tv-monitor aan de wand.

Terese zat op de bank, maar haar pantser was gevallen. Ze zat voorovergebogen te snikken. Ik probeerde te horen wat ze zei, maar haar verdriet maakte het onverstaanbaar. Win pakte de afstandsbediening en zette het geluid harder. Terese herhaalde elke keer dezelfde woorden en toen ze van de bank op de vloer gleed, meende ik te verstaan wat ze zei.

'Alstublieft,' smeekte ze een of andere hogere macht. 'Laat haar alstublieft nog in leven zijn.'

13

Het was laat in de avond toen we in het Claridge's Hotel in het centrum van Londen arriveerden. Win had het Davies-penthouse voor ons besproken. We hadden de beschikking over een ruime zitkamer en drie reusachtige slaapkamers, alle drie met een groot hemelbed en een eigen badkamer vol marmer en een douchekop zo groot als een putdeksel. We gooiden de openslaande deuren open en liepen het terras op. Dat bood een prachtig uitzicht op de daken van Londen, maar eerlijk gezegd had ik mijn portie prachtige uitzichten wel gehad. Terese stond erbij alsof ze over een uur geëxecuteerd zou worden. Haar gemoedstoestand schoot heen en weer van verslagen naar emotioneel en weer terug. Ze was kapot, dat was duidelijk, maar er was ook hoop. Ik denk dat dat laatste haar het meest beangstigde.

'Kun je niet beter binnenkomen?' vroeg ik.

'Ik kom zo. Eén minuutje.'

Ik ben niet echt een expert in lichaamstaal, maar ze zag eruit alsof al haar spieren verkrampt waren en vol knopen zaten van de spanning die haar zelfbeschermende houding erop uitoefende. Ik liep door de openslaande deuren naar binnen. Haar slaapkamer was uitgevoerd in zonnebloemgeel met blauw. Ik keek naar het grote hemelbed en misschien was het verkeerd, maar het liefst had ik haar opgetild, naar dat prachtige bed gedragen en urenlang met haar de liefde bedreven.

Goed dan, niet 'misschien'. Het was gewoon verkeerd. Maar toch...

Als ik dat soort dingen hardop zeg, noemt Win me een tut.

Ik stond naar haar blote schouder te staren en dacht terug aan de dag nadat we van dat eiland waren vertrokken, toen ze naar New Jersey was gekomen om me te helpen, toen ik haar voor het eerst, voor de allereerste keer sinds ik haar had leren kennen, echt had zien glimlachen en dacht dat ik misschien verliefd op haar zou kunnen worden. Tot dan toe was ik relaties aangegaan als... tja, als een tut, met vooral de toekomst in gedachten. Maar die keer had het me gewoon overvallen, had ze naar me geglimlacht en hadden we 's avonds op een andere manier met elkaar gevreeën, met meer tederheid. En na afloop had ik die blote schouder gekust en had ze zachtjes gehuild, ook voor de eerste keer. Voor het eerst had ze samen met mij gelachen en gehuild.

Een paar dagen later was ze verdwenen en niet meer teruggekomen.

Terese draaide zich om en keek me aan alsof ze voelde wat ik dacht. Daarna trokken we ons terug in de salon met het gebeeldhouwde plafond en de glanzende parketvloer. Het vuur in de open haard knetterde. Win, Terese en ik namen plaats in de comfortabele zithoek en begonnen op een nuchtere manier ons plan van aanpak te bespreken.

Terese vatte meteen de koe bij de horens. 'We moeten een manier bedenken om het graf van mijn dochtertje te openen en het stoffelijk overschot op te graven... als dat er tenminste is.'

Ze zei het zomaar. Zonder tranen, zonder aarzeling.

'We moeten een advocaat in de arm nemen,' zei ik.

'Een raadsheer,' corrigeerde Win me. 'We zijn hier in Londen. We hebben hier geen advocaten, Myron. Wij noemen dat raadslieden.'

Ik keek hem alleen maar aan, bedwong mezelf hem te vragen: en wat dacht je van 'betweterige blotebillenkop'? Hebben ze die hier wel?

'Ik zal mijn mensen er morgenochtend meteen op zetten.'

Lock-Horne Investments had een kantoor in Londen, in Curzon Street.

'We moeten ook het auto-ongeluk opnieuw onder de loep nemen,' zei ik. 'Kijken of we het politiedossier te pakken kunnen krijgen en praten met de mensen die het onderzoek hebben gedaan, dat soort dingen.'

Iedereen was het daarmee eens. Zo zette het gesprek zich voort, alsof we een werkbespreking hielden om te plannen hoe we een nieuw product op de markt zouden brengen, in plaats van dat we ons bezighielden met de vraag of Tereses dochter, die was 'omgekomen' bij een auto-ongeluk, misschien nog in leven zou zijn. Pure waanzin, wanneer je erover nadacht. Win belde een paar mensen. We kwamen te weten dat Karen Tower, Rick Collins' tweede vrouw, nog in hetzelfde huis in Londen woonde. Terese en ik zouden er morgenochtend naartoe gaan om met haar te praten.

Na een tijdje nam Terese twee valiumtabletten, ging naar haar kamer en sloot de deur achter zich. Win deed een van de kasten open. Ik was doodmoe, van de jetlag en de dag die ik achter de rug had. Het was nauwelijks te geloven dat ik vanochtend in Parijs was aangekomen. Maar toch wilde ik nog niet naar bed. Ik vind het prettig om zo samen met Win te zitten. Hij had een bel cognac voor zichzelf ingeschonken. Zelf was ik meer een liefhebber van een chocodrankje dat Yoo-hoo heet, maar vanavond hield ik het bij Evian. We lieten wat hapjes brengen door roomservice.

Ik kon genieten van dit soort normale momenten.

Mei stak haar hoofd om de hoek van de deur en keek naar Win. Hij keek op en zijn lippen vormden het woord 'nee'. Haar mooie gezicht verdween weer.

'Het is nog geen Meitijd,' zei Win.

Ik schudde mijn hoofd.

'Wat is precies jouw probleem met Mei?'

'Mei de stewardess, bedoel je?'

'Vluchthostess,' zei Win, weer op die corrigerende toon. 'Net als met raadsheer.'

'Ze ziet er erg jong uit.'

'Ze is bijna twintig.' Win glimlachte. 'Ik vind het altijd zo leuk als jij het afkeurt.'

'Het is niet aan mij om daarover te oordelen,' zei ik.

'Mooi zo, want ik wil er iets over zeggen.'

'Waarover?'

'Over jou en mevrouw Collins in het vliegtuig. Jij, mijn goede vriend, ziet seks als een daad die een emotionele component vereist. Ik niet. Voor jou is de daad zelf, hoe buitengewoon aangenaam ook op het fysieke vlak, niet voldoende. Maar ik bekijk het vanuit een ander perspectief.'

'Meestal een met meer camerastandpunten,' zei ik.

'Erg leuk. Maar laat me even doorgaan. Voor mij is de daad van "liefde bedrijven", om jouw terminologie te gebruiken – want zelf ben ik volmaakt tevreden met "wippen", "bonken" of "rampetampen" – zowel heerlijk als voldoende. Het betekent alles voor me. Sterker nog, ik ben er zelfs van overtuigd dat de daad op de beste manier – de meest pure, als je dat liever hoort – plaatsvindt wanneer die geheel op zichzelf staat, met andere woorden: zonder emotionele bagage die de betrokkenen met zich moeten meezeulen. Begrijp je wat ik bedoel?'

'Uhuh,' zei ik.

'Het is een keuze die je maakt. Dat is alles. Jij ziet het op de ene manier, ik op een andere. Het een is niet superieur aan het ander.'

Ik keek hem aan. 'Is dat wat je wilde zeggen?'

'In het vliegtuig zag ik jou met Terese praten.'

'Ja, dat zei je al.'

'En jij wilde haar in je armen nemen, waar of niet? Nadat je haar het schokkende nieuws had verteld. Je wilde haar tegen je aan drukken en haar troosten. De emotionele component waar we het net over hadden.'

'Ik kan je niet volgen.'

'Toen jullie samen op dat eiland waren, was de seks fantastisch en puur lichamelijk. Jullie kenden elkaar amper. En toch, in die korte tijd op dat eiland, heeft die lichamelijke seks je tot rust gebracht, getroost en uiteindelijk genezen. Maar hier, nu de emotionele component weer om de hoek komt kijken en je die gevoelens wilt laten samengaan met iets lichamelijks zoals een omhelzing, kun je dat niet.'

Win hield zijn hoofd schuin en glimlachte. 'Waarom niet?'

Hij had gelijk. Waarom had ik haar niet in mijn armen genomen? En wat belangrijker was, waarom had ik het op dat moment niet gekund?

'Omdat het haar gekwetst zou hebben,' zei ik.

Win keek van me weg alsof dat alles zei. Dat was niet zo. Ik weet dat er mensen zijn die denken dat Win zijn ongevoeligheid jegens vrouwen gebruikt om zichzelf te beschermen, maar ik heb dat nooit echt geloofd. Mijn antwoord deugde gewoon niet.

Hij keek op zijn horloge. 'Nog één glaasje,' zei Win. 'En dan ga ik naar hiernaast, want – o, deze zul je echt prachtig vinden – Mei zo geil.'

Ik schudde mijn hoofd. De hoteltelefoon begon te rinkelen. Win nam op, praatte even en hing weer op.

'Hoe moe ben je?' vroeg hij aan me.

'Hoezo? Wat is er?'

'De rechercheur die Tereses auto-ongeluk heeft onderzocht is een gepensioneerde politieman die Nigel Manderson heet. Ik hoor net van een van mijn mensen dat hij zich op dit moment zit vol te gieten in een pub achter Coldharbour Lane, als je hem met een bezoek wilt vereren.'

'Kom op, we gaan,' zei ik.

14

Coldharbour Lane was in Zuid-Londen, ongeveer anderhalve kilometer lang, en vormde de verbinding tussen Camberwell en Brixton. De limousine zette ons af bij een nogal luidruchtige tent die de Sun & Doves heette, aan de Camberwellkant. Het pand had een derde verdieping die maar tot de helft doorliep, alsof de bouwer er ineens genoeg van had gehad en had gedacht: ah, shit, meer ruimte hebben we eigenlijk niet nodig.

We moesten een stukje teruglopen en dan afslaan, een steegje in. We kwamen langs een spuitshop en een reformwinkel, die allebei nog open waren.

'Dit deel van de stad staat bekend om zijn straatbendes en drugsdealers,' zei Win, alsof hij me een toeristische rondleiding gaf. 'Daarom heeft Coldharbour Lane de bijnaam – moet je horen – Crackharbour Lane.'

'Bekend om zijn bendes en dealers,' zei ik. 'En om zijn originele bijnamen.'

'Wat verwacht je anders van tuig en dealers?'

Het was donker en goor in het steegje, het perfecte decor voor Billy Sikes en Fagin uit *Oliver Twist*. We kwamen bij een grauwe pub die The Careless Whisper heette. Ik moest meteen denken aan die oude George Michael/Wham-hit met de inmiddels beroemde tekst over de gay Don Juan met zijn gebroken hart, die nooit meer zou kunnen dansen omdat 'schuldige voeten geen gevoel voor ritme hadden'. De diepgang van de jaren tachtig. Ik ging ervan uit dat de naam niets met het liedje en hoogstwaarschijnlijk alles met indiscretie te maken had.

Maar ik had het mis.

We duwden de deur open en het was alsof we een andere tijd binnenstapten. 'Our House' van Madness schalde naar buiten en we werden voorbijgelopen door twee stellen die elkaar stevig omarmden, meer om overeind te blijven dan uit genegenheid. De geur van gebraden worstjes kwam ons tegemoet. De vloer was plakkerig. Het was rumoerig en druk, en als er in dit land een antirookwet gold, was die duidelijk nog niet tot dit steegje doorgedrongen. Weinig wetten waren dat, vermoedde ik.

Dit heette dus *new wave*, wat eigenlijk alweer *old wave* was, maar men was er trots op. Een grootbeeld tv aan de muur toonde een kregelige Judd Nelson in *The Breakfast Club*. De serveersters manoeuvreerden zich door de kolkende massa gekleed in zwarte jurkjes, met felle rode lipstick, achterovergekamd haar en heel bleke, bijna wit geschminkte gezichten. Ze hadden dienbladen in de vorm van gitaren, die aan een band om hun nek hingen. Ze moesten de modellen van Robert Palmers *Addicted to Love*-video voorstellen, tenminste, dat was de bedoeling, want ze waren wat ouder en minder aantrekkelijk. Alsof er een remake van de video was gemaakt met de cast van *The Golden Girls*.

Madness was klaar met zijn verhaal over hun huis midden in de straat, en Bananarama deelde ons mede dat zij onze Venus was, het vuur van ons verlangen.

Win gaf me een zachte por met zijn elleboog. 'Het woord "Venus".'

'Wat?' riep ik terug.

'Toen ik jong was,' zei Win, 'dacht ik altijd dat ze "I'm your penis" zongen. Ik begreep het al niet.'

'Bedankt voor deze onthulling.'

De inrichting en de muziek mochten dan jaren tachtig zijn, het was nog steeds een arbeiderspub waar norse mannen en vrouwen die te veel van het leven hadden gezien naartoe kwamen na een dag hard werken, en waag het eens te zeggen dat ze het niet hadden verdiend. Het had geen enkele zin om te doen alsof je hier thuishoorde. Ik had dan wel een spijkerbroek aan, maar ik was nog steeds een buitenstaander. Win, echter, viel op als een hond in een kattenpension.

Stamgasten – van wie sommigen in jasjes met schoudervullingen, met dunne leren stropdasjes, en gel in hun haar – wierpen dodelijke blikken in Wins richting. Zo ging het altijd. We weten hoe het werkt met vooroordelen en stereotypes, en dat Win niet iemand was die erg zijn best deed om zich aan zijn omgeving aan te passen. Met andere woorden: zodra mensen hem zagen, hadden ze de pest aan hem. We worden beoordeeld op ons uiterlijk; dat is niets nieuws. Mensen keken naar Win en zagen onverdiende privileges. Ze wilden hem pijn doen. Zo was het zijn hele leven geweest. Zelfs ik kende niet het hele verhaal – Wins 'oorsprong', om in termen van superhelden te blijven – maar hij was in zijn jonge jaren één keer te vaak in elkaar geslagen. Hij had toen besloten dat het de laatste keer was geweest. Hij wilde nooit meer bang zijn. Dus had hij zijn geld en zijn natuurlijke aanleg gebruikt en jarenlang getraind om zijn gevechtstechnieken te vervolmaken. Tegen de tijd dat ik hem op de middelbare school leerde kennen, was hij al zo dodelijk als een ratelslang.

Win werkte zich door de menigte en beantwoordde de dodelijke blikken met een glimlach en een hoofdknikje. De pub was oud en verlopen en bijna alles zag er onecht uit, waardoor het juist weer iets authentieks kreeg. De vrouwen waren groot, met zware boezems en kapsels als vogelnesten. Veel van hen waren gekleed in zo'n *Flashdance*-sweatshirt met één blote schouder. Een van deze vrouwen kreeg Win in de gaten. Ze miste diverse tanden. Er zaten lintjes in haar haar geknoopt, die niets aan het kapsel toevoegden, à la Madonna in haar *Starlight*-periode, en haar make-up zag eruit alsof die was aangebracht met een paintballpistool in een donkere kast.

'Nou, nou,' zei ze tegen Win. 'Ben jij geen knapperd?'

'Ja,' zei Win, 'ik wel.'

De barkeeper knikte toen hij ons zag. Hij had een T-shirt aan waarop FRANKIE SAYS RELAX stond.

'Twee biertjes,' zei ik.

Win schudde zijn hoofd. 'Hij bedoelt twee *pints of lager*.'

Weer die Britse terminologie.

Ik vroeg naar Nigel Manderson. De barkeeper gaf geen krimp. Ik had al geweten dat het geen zin had. Dus draaide ik me om en riep: 'Wie van jullie is Nigel Manderson?'

Een man met een barok wit shirt met golvende rushes en vierkante schouders stak zijn glas op. Hij zag eruit alsof hij zo uit een Spandau Ballet-video was weggelopen. 'Cheers, maat.'

Hij zat aan de andere kant van de bar. Manderson had zijn handen om zijn glas gevouwen, beschermde het als een pasgeboren vogeltje dat uit het nest was gevallen. Zijn ogen – gelukkig had hij geen zonnebril op – waren bloeddoorlopen. Zijn neus zat vol gesprongen adertjes, alsof er een spin op had gezeten en iemand die had platgeslagen.

'Leuke tent,' zei ik.

'Gaaf hè, waar of niet? Een kleine, ongeslepen diamant die me aan betere tijden herinnert. Nou, en wie mag jij verdomme wel zijn?'

Ik stelde mezelf voor en vroeg of hij zich een dodelijk auto-ongeluk van tien jaar geleden herinnerde. Ik noemde de naam van Terese Collins. Hij onderbrak me voordat ik was uitgesproken.

'Weet ik niks van,' zei hij.

'Ze was een bekende tv-persoonlijkheid. Haar dochtertje is bij het ongeluk omgekomen. Ze was zeven jaar oud.'

'Zegt me nog steeds niks.'

'Heb je veel zaken gehad waarin meisjes van zeven zijn omgekomen?'

Hij draaide zich om op zijn barkruk en keek me aan. 'Wou je me voor leugenaar uitmaken?'

Ik wist dat zijn accent echt was, van hier, maar toch klonk hij een beetje als Dick van Dyke in *Mary Poppins*. Het zou me niet hebben verbaasd als hij me 'guv'nor' had genoemd.

Ik vertelde hem over de kruising waar de aanrijding had plaatsgevonden en het merk van de auto. Ik hoorde een doordringend *wah-wah-wah* naast me en keek naar links. Iemand stond 'Space Invaders' op een speelkast te doen.

'Ik ben met pensioen,' zei hij.

Ik bleef hem heel geduldig bestoken met alle feiten die me bekend waren. Het tv-scherm was achter hem en ik moet bekennen dat *The Breakfast Club*, een film waar ik gek op ben, me een beetje afleidde. Waarom ik die film zo goed vind is me nog steeds een raadsel. Alleen al de casting is een lachertje. Een sterworstelaar op de middelbare school? Wat dachten jullie van de spierloze Emilio Estevez? De schrik van de school? Daar nemen we Judd Nelson voor. Ik bedoel, Judd Nelson? Om de vergelijking met *The Golden Girls* door te trekken, deed het me denken aan een remake van een Marilyn Monroe-film met Bea Arthur in de hoofdrol. En toch werkt het allemaal: Nelson en Estevez en de hele film. Ik vind hem prachtig en ken alle dialogen uit mijn hoofd.

Na een tijdje zei Nigel Manderson: 'Misschien herinner ik me íéts.'

Erg overtuigend klonk het niet. Hij dronk zijn glas leeg en bestelde er nog een. Zijn blik bleef op de barkeeper gericht terwijl die het volschonk en hij griste het van de plakkerige bar zodra het werd neergezet.

Ik keek naar Win. Zoals altijd was er van zijn gezicht niets af te lezen.

De vrouw met de Paintball make-up – haar leeftijd was moeilijk te raden: vijftig met een gemakkelijk leven of vijfentwintig met een zwaar leven, maar ik neigde naar het laatste – zei tegen Win: 'Ik woon hier in de buurt.'

Win keek haar aan met de superieure blik waardoor mensen de pest aan hem hebben. 'In dit steegje wellicht?'

'Nee,' zei ze, met een harde, schorre lach. Die Win was me er een. 'Ik heb een souterrainflat.'

'Klinkt goddelijk,' zei Win, met een stem die rijkelijk was gelardeerd met sarcasme.

'O, het is niks bijzonders,' zei Paintball, die Wins sarcasme niet opmerkte. 'Maar er staat een bed.'

Ze trok haar roze met paarse beenwarmers op en knipoogde naar Win. 'Een bed,' herhaalde ze. Voor het geval hij de hint niet begreep.

'Heel praktisch.'
'Wil je het zien?'
'Mevrouw…' Win keek haar recht aan. '… ik zou mijn zaad nog liever door een katheter laten verwijderen.'
Ze knipoogde weer. 'Is dat een chique manier om "ja" te zeggen?'
Ik vroeg aan Manderson: 'Wat kun je me over het ongeluk vertellen?'
'Wie ben je verdomme eigenlijk?'
'Een vriend van de bestuurder van die auto.'
'Daar geloof ik geen barst van.'
'Waarom zeg je dat?'
Hij nam nog een grote slok. Bananarama was klaar en werd afgelost door Duran Duran met de klassieke ballade 'Save a Prayer'. Een zucht van vervoering ging door de pub. Iemand draaide de lichten lager toen de klanten hun aansteker in de lucht staken en met hun arm zwaaiden alsof ze bij een liveconcert waren.
Ook Manderson hield zijn aansteker omhoog. 'En dat moet ik dan maar geloven… dat ze jou heeft gestuurd?'
Goed punt.
'En zelfs als dat zo is, wat dan nog? Dat ongeluk is… hoe lang was het geleden, zei je?'
Dat had ik al twee keer gezegd. En hij had het twee keer verstaan. 'Tien jaar.'
'Wat wil ze daar nu dan nog van weten?'
Ik wilde hem mijn volgende vraag stellen, maar hij legde zijn wijsvinger op zijn lippen om me de mond te snoeren. De lichten werden nog verder gedoofd. Iedereen zong dat we niet nu moesten bidden, maar dat we dat om de een of andere reden pas de ochtend erna moesten doen. De ochtend na wat? Ze stonden allemaal te zwaaien en te deinen, van de drank en van hun gezang, met hun aanstekers nog steeds in de lucht, wat, bedacht ik, met al die wilde kapsels, een aanzienlijk brandgevaar opleverde. De meeste stamgasten, ook Nigel Manderson, hadden tranen in hun ogen.
Op deze manier kwamen we niet verder. Ik besloot hem een

beetje te provoceren. 'Het ongeluk heeft niet plaatsgevonden zoals het in jouw rapport staat.'

Hij keurde me nauwelijks een blik waardig. 'Dus nu beweer je dat ik me heb vergist?'

'Nee, ik beweer dat je hebt gelogen, dat je de waarheid hebt verzwegen.'

Dat had meer effect. Hij liet zijn aansteker zakken. De anderen ook. Hij keek om zich heen en knikte naar zijn maten alsof hij steun zocht. Het kon me niet meer schelen. Ik bleef hem recht aankijken. Win stond de mogelijke tegenstand al in te schatten. Hij was gewapend, wist ik. Hij had me geen wapen laten zien en ik wist dat er in het Verenigd Koninkrijk moeilijk aan te komen was, maar Win had minstens één vuurwapen bij zich.

Ik verwachtte niet dat we het nodig zouden hebben.

'Sodemieter op,' zei Manderson.

'Als je ergens over hebt gelogen, zal ik te weten komen wat dat is.'

'Na tien jaar? Ik wens je veel succes. Trouwens, ik heb niks te maken gehad met het politierapport. Dat was allemaal al geregeld toen ik daar aankwam.'

'Wat bedoel je daarmee?'

'Dat ik niet als eerste ter plekke was, maatje.'

'Wie dan wel?'

Hij schudde zijn hoofd. 'Je zei dat je voor mevrouw Collins werkt?'

Opeens wist hij weer hoe ze heette en dat ze op dat moment getrouwd was. 'Ja.'

'Nou, dan zou zij het moeten weten. Of misschien kun je het vragen aan haar vriendin, die ons heeft gebeld.'

Ik liet dat even bezinken. Toen vroeg ik: 'Hoe heette die vriendin?'

'Ik mag doodvallen als ik het weet. Hoor eens, wil je zo graag tegen windmolens vechten? Ik heb alleen het rapport ondertekend. Het interesseert me allemaal niet meer. Ik moet leven van een karig pensioentje. Ze kunnen me niks meer maken. Ja, ik herinner me de zaak, oké? Ik ben naar de plaats delict gegaan. Haar vriendin, een rijke griet, ik weet niet meer hoe ze heet, maar zij heeft het bij de hoge heren gemeld. Een van mijn meerderen was al ter plekke, een stuk ongedierte genaamd Reginald Stubbs. Maar je hoeft geen moeite te doen om hem te bellen, want hij is drie jaar geleden opgevreten door de kanker, godzijdank. Ze reden het lijk van het meisje weg op een brancard. De moeder werd met een rotvaart naar het ziekenhuis gebracht. Dat is alles wat ik weet.'

'Heb je het meisje gezien?' vroeg ik.

Hij keek op van zijn glas. 'Wat?'

'Je zei dat het lijk van het meisje werd weggereden. Maar heb je het lijk zelf gezien?'

'Jezus man, het zat in een lijkenzak,' zei hij. 'Maar te oordelen naar de hoeveelheid bloed ter plekke, viel er niet veel meer te zien, ook al had ik erin kúnnen kijken.'

15

De volgende ochtend gingen Terese en ik naar het huis van Karen Tower terwijl Win en zijn 'raadslieden' aan de slag gingen met de juridische aspecten van het opvragen van het politierapport en – man, ik durfde er niet eens over na te denken – het opgraven van Miriams lijk.

We namen een zwarte Londense taxi, die vergeleken met de taxidiensten in de rest van de wereld een van de genoegens des levens bleek te zijn. Terese zag er verrassend uitgeslapen en alert uit. Ik vertelde haar over mijn gesprek met Nigel Manderson in de pub.

'Denk je dat het Karen Tower was die de politie heeft gebeld?' vroeg ze.

'Wie kan het anders zijn geweest?'

Ze knikte, maar zei verder niets. We reden een paar minuten in stilte door, totdat Terese zich naar voren boog en zei: 'Zet ons op de volgende hoek maar af.'

De chauffeur deed wat hem was gevraagd. Ze liep een stukje weg. Ik was wel eens eerder in Londen geweest en het was niet zo dat ik de hele stad op mijn duimpje kende, maar dit was volgens mij niet de straat waar Karen Tower woonde. Terese bleef op de hoek staan. De zon scheen al fel. Ze hield haar hand schuin boven haar ogen. Ik wachtte af.

'Dit is de plek waar het gebeurde,' zei Terese.

Het kruispunt had niet onopvallender kunnen zijn.

'Ik ben hier nooit meer terug geweest.'

Ik kon ook geen reden bedenken waarom ze dat wel zou doen, maar ik hield mijn mond dicht.

'Ik kwam van die kant. Met veel te hoge snelheid. Een vrachtwagen was uitgeweken naar mijn rijbaan. Daar.' Ze wees. 'Ik probeerde hem te ontwijken, maar...'

Ik keek om me heen alsof er tien jaar na dato nog aanwijzingen van het voorval zouden zijn, vreemde remsporen of zoiets. Er was niets te zien. Terese liep de straat in. Ik haastte me achter haar aan.

'Karens huis... of het huis van Rick en Karen, moet ik eigenlijk zeggen, vermoed ik... is daar, aan de linkerkant, na die rotonde,' zei ze.

'Hoe wil je het aanpakken?'

'Hoe bedoel je?'

'Wil je dat ik alleen naar binnen ga?' vroeg ik.

'Waarom?'

'Misschien kan ik meer informatie uit haar krijgen dan jij.'

Terese schudde haar hoofd. 'Vergeet het maar. Blijf gewoon bij me in de buurt, oké?'

'Natuurlijk.'

Er waren al enkele tientallen mensen in het huis op Royal Crescent. Rouwende mensen. Ik had er niet echt rekening mee gehouden, maar natuurlijk was dat zo. Rick Collins was tenslotte dood. De mensen kwamen langs om de weduwe hun medeleven te betuigen en haar te troosten. Terese aarzelde even bij de treden voor de voordeur, maar toen pakte ze stevig mijn hand vast.

We gingen naar binnen en ik voelde Terese verstijven. Ik volgde haar blik en zag een hond, een bearded collie – dat weet ik toevallig omdat Esperanza er ook zo een heeft – op een kleedje in de hoek liggen. De hond zag er oud en afgeleefd uit en bewoog zich niet. Terese liet mijn hand los en hurkte neer om de hond te aaien.

'Dag meisje,' zei ze zacht. 'Ik ben het.'

De hond begon te kwispelen alsof het een enorme inspanning kostte. Het lijf zelf bewoog niet. Er kwamen tranen in Tereses ogen.

'Dit is Casey,' zei ze tegen mij. 'We hadden haar voor Miriam genomen toen ze vijf was.'

Het lukte de hond haar kop op te tillen. Ze likte Tereses hand. Terese bleef op haar hurken naast haar zitten. Caseys ogen waren melkwit van de staar. De oude hond trok haar poten onder haar lijf en probeerde op te staan. Terese duwde haar zachtjes terug en krabde haar achter de oren. De hond deed haar best haar kop op te tillen, alsof ze Terese in de ogen wilde kijken. Terese schoof een stukje naar voren om het haar gemakkelijker te maken. Het was een teder moment en ik voelde me een indringer.

'Casey sliep altijd onder Miriams bed. Dan zakte ze door haar poten, kroop er helemaal onder en draaide zich om totdat alleen haar kop onder het bed vandaan stak. Alsof ze daar op wacht lag.'

Terese aaide de hond en begon te huilen. Ik deed een stap achteruit, ging in de deuropening staan, zodat de anderen haar niet zagen en gaf hun de tijd. Het duurde een paar minuten voordat Terese zichzelf de baas was. Toen het zover was, pakte ze mijn hand weer vast.

We gingen de woonkamer binnen. Er stond een rij van ongeveer vijftien mensen om de weduwe te condoleren.

Het gefluister en de starende blikken begonnen zodra we over de drempel waren. Ik had er niet echt over nagedacht, maar natuurlijk was het bijzonder: de ex-vrouw die bijna tien jaar weg was geweest en nu ineens in het huis van de huidige echtgenote opdook. Dat zou de tongen wel losmaken, leek me zo.

De mensen weken uiteen en een vrouw, stemmig in het zwart gekleed – de weduwe, nam ik aan – kwam naar voren. Ze was tenger en mooi, en met haar grote groene ogen had ze iets van een pop. Een vleugje Tuesday Weld, om Steely Dan te citeren. Ik wist niet wat ik moest verwachten, maar het leek alsof haar ogen oplichtten toen ze Terese zag. En Tereses ogen ook. De twee vrouwen glimlachten gelaten naar elkaar, de soort glimlach van twee mensen die het fijn vonden elkaar te zien, maar die dat liever onder andere omstandigheden zouden hebben gedaan.

Karen spreidde haar armen. De twee omhelsden elkaar, hielden elkaar stevig vast en bleven zo enige tijd staan. Even vroeg ik me af wat voor soort vriendschap het was die deze twee vrouwen voor elkaar voelden, en ik kwam tot de conclusie dat die oprecht en puur moest zijn.

Toen ze elkaar hadden losgelaten maakte Karen een knikkende hoofdbeweging naar de deur. De twee vrouwen zetten zich in beweging. Terese reikte achter zich en pakte mijn hand vast, dus ik moest ook mee. We kwamen terecht in wat de Britten de 'drawing room' noemden. Karen deed de dubbele deuren achter zich dicht. De twee vrouwen gingen op de bank zitten alsof ze dat al duizend keer eerder hadden gedaan en ieder exact haar plek wist. Van een opgelaten sfeer was geen sprake.

Terese keek op naar mij. 'Dit is Myron,' zei ze.

Ik stak mijn hand uit. Karen Tower pakte hem vast met haar poppenhandje. 'Gecondoleerd met je verlies,' zei ik.

'Dank je.' Karen keerde zich naar Terese. 'Is hij je...?'

'Het ligt nogal gecompliceerd,' zei Terese.

Karen knikte.

Ik wees met mijn duim over mijn schouder. 'Zal ik niet liever in de andere kamer op jullie wachten?'

'Nee,' zei Terese.

Dus bleef ik staan. Niemand wist hoe we nu verder moesten, maar ík was niet van plan om het voortouw te nemen. Ik bleef zo stoïcijns als ik maar kon.

Karen sprak als eerste. 'Waar heb je uitgehangen, Terese?'

'Overal en nergens.'

'Ik heb je gemist.'

'Ik jou ook.'

Stilte.

'Ik wilde met je in contact komen,' zei Karen. 'Om het uit te leggen. Over Rick en mij.'

'Het zou geen verschil hebben gemaakt,' zei Terese.

'Dat zei Rick ook. Het gebeurde heel geleidelijk. Jij was er niet. We begonnen elkaar op te zoeken, gewoon, als vrienden. Het heeft lang geduurd voordat het meer werd.'

'Je hoeft het niet uit te leggen,' zei Terese.

'Nee, misschien niet.'

Haar stem klonk niet verontschuldigend, niet alsof ze om vergeving of begrip vroeg. Ze leken er beiden zo over te denken.

Terese zei: 'Ik had jullie een betere afloop toegewenst. Jullie allebei.'

'We hebben een zoontje, Matthew,' zei ze. 'Hij is vier.'

'Dat heb ik gehoord.'

'Hoe ben je te weten gekomen dat hij was vermoord?'

'Ik was in Parijs,' zei Terese.

Dat bracht een reactie bij Karen teweeg. Ze knipperde met haar ogen en schoof een stukje bij haar vandaan. 'Heb je daar al die tijd uitgehangen?'

'Nee.'

'Dan begrijp ik het niet.'

'Rick belde me,' zei Terese.

'Wanneer?'

Terese vertelde haar over het panische telefoontje van Rick. Karens gezicht, dat al iets van een dodenmasker had, werd nog een fractie bleker.

'Rick zei dat je naar Parijs moest komen?' zei Karen.

'Ja.'

'Wat wilde hij van je?'

'Ik hoopte dat jij dat zou weten,' zei Terese.

Karen schudde haar hoofd. 'We hebben de laatste tijd niet veel met elkaar gepraat. Ons huwelijk zat behoorlijk in het slop. Rick was erg in zichzelf gekeerd. Ik hoopte eigenlijk dat het kwam doordat hij met een of ander groot verhaal bezig was. Weet je nog hoe hij dan was?'

Terese knikte. 'Hoe lang was hij al zo?'

'Een maand of drie, vier... sinds zijn vader is gestorven.'

Terese schrok. 'Sam?'

'Ik dacht dat je dat wist.'

'Nee,' zei Terese.

'Afgelopen winter, ja. Hij heeft een overdosis pillen genomen.'

'Heeft Sam zelfmoord gepleegd?'

'Hij was ziek, ongeneeslijk. Hij heeft het voor ons verzwegen, of in ieder geval voor de meesten. Rick wist niet hoe slecht hij eraan toe was. Ik neem aan dat het hem te veel was geworden en dat hij had besloten niet langer op het onvermijdelijke te wachten. Rick was zwaar aangeslagen, maar kort daarna had hij zich op een of ander nieuw onderzoek geworpen. Soms was hij wekenlang van huis. Als ik hem ernaar vroeg, werd hij boos, of hij bleef juist heel aardig, maar hij wilde niet vertellen wat het was. Of hij loog erover.'

Terese moest zich nog herstellen van het nieuws.

'Sam was zo'n lieve man,' zei ze.

'Ik heb nooit de kans gekregen hem echt te leren kennen,' zei Karen. 'We zijn maar een paar keer bij hem op bezoek geweest, en hij was al te ziek om hiernaartoe te komen.'

Terese slikte en probeerde de draad van het verhaal weer op te pakken. 'Dus Sam maakt een eind aan zijn leven en Rick stort zich op zijn werk.'

'Ja, daar kwam het ongeveer op neer.'

'En hij wilde je niet vertellen waar hij onderzoek naar deed?'

'Nee.'

'Heb je het aan Mario gevraagd?'

'Die wilde het ook niet zeggen.'

Ik vroeg niet wie Mario was. Ik nam aan dat Terese me dat later wel zou vertellen.

Terese was weer op het spoor en ging door. 'Dus je had geen idee waar Rick mee bezig was?'

Karen bleef haar vriendin even aankijken. 'Hoe goed had jij je verstopt, Terese?'

'Heel goed.'

'Misschien was dat het waar hij mee bezig was. Dat hij op zoek was naar jou.'

'Daar zou hij geen maanden voor nodig hebben gehad.'

'Weet je dat zeker?'

'Trouwens, waarom zou hij dat doen, als het zo was?'

'Ik wil niet de jaloerse echtgenote uithangen,' zei Karen, 'maar als je vader een eind aan zijn leven maakt, kan het zijn dat je je gaat afvragen of je in je eigen leven wel de juiste keuzes hebt gemaakt.'

Terese trok een gezicht. 'Denk je dat hij...?'

Karen haalde haar schouders op.

'Weinig kans,' zei Terese. 'En zelfs als het zo was, dat hij – hoe zeg je dat? – weer toenadering tot me zocht, waarom zou hij dan tegen me zeggen dat het om een noodsituatie ging?'

Karen dacht erover na. 'Waar was je toen hij je belde?'

'Op een afgelegen plek in het noordwesten van Angola.'

'En toen hij zei dat het dringend was, heb je alles waar je mee bezig was in de steek gelaten en ben je meteen naar Parijs gegaan?'

'Ja.'

Karen hield haar handen op alsof dat alles verklaarde.

'Hij heeft niet gelogen om mij naar Parijs te krijgen, Karen.'

Karen leek daar niet van overtuigd. Toen we binnenkwamen had ze er bedroefd uitgezien. Nu maakte ze een verslagen indruk. Terese keek om naar mij. Ik knikte.

Het was tijd om het gesprek iets aan te scherpen.

Terese zei: 'We moeten je wat vragen over het ongeluk.'

Die woorden troffen Karen als een zweepslag. Haar ogen werden groter en ze leek even te duizelen, alsof ze niet meer scherp zag. Ik had me afgevraagd of 'ongeluk' wel het juiste woord was, of ze begreep wat Terese ermee bedoelde. Het was duidelijk dat dat zo was.

'Wat is daarmee?'

'Je was erbij. Toen het gebeurd was, bedoel ik.'

Karen zei niets.

'Toch?'

'Ja.'

Terese leek een beetje te schrikken van dat antwoord. 'Dat heb je me nooit verteld.'

'Waarom had ik dat moeten vertellen? Of anders gezegd: wannéér had ik dat moeten doen? We hebben nooit over die avond gesproken. Niet één keer. Jij kwam uit je coma. Ik kon toch moeilijk zeggen: "Hoi, hoe voel je je? Ik was erbij."'

'Vertel me wat je je ervan herinnert.'

'Waarom? Wat voor verschil maakt dat nu nog?'

'Vertel het me.'

'Ik hou van je, Terese. Dat zal ik altijd blijven doen.'

Er was iets veranderd. Ik kon het zien aan haar lichaamstaal. Een net zichtbare aanspanning van de rugspieren. De beste vriendin was terrein aan het verliezen en moest plaatsmaken voor de rivale.

'Ik hou ook van jou.'

'Ik geloof niet dat er – ook nu nog – een dag voorbijgaat dat ik niet aan je denk. Maar je bent weggegaan. Je had je redenen en je verdriet en ik begreep het. Maar je wás weggegaan. Ik ben een nieuw leven met deze man begonnen. We hadden heus wel eens problemen, maar Rick betekende alles voor me. Begrijp je dat?'

'Natuurlijk.'

'Ik hield van hem. Hij was de vader van mijn kind. Matthew is pas vier. En nu heeft iemand zijn vader vermoord.'

Terese wachtte op wat er komen ging.

'Daarom we zijn nu in de rouw. Ik probeer overeind te blijven. Ik probeer mijn leven op de rails te houden en mijn kind te beschermen. Dus het spijt me. Ik ga nu niet praten over een auto-ongeluk van tien jaar geleden. Niet vandaag.'

Ze stond op. Het klonk allemaal heel redelijk, maar toch zat er iets in haar stem wat een merkwaardige holle bijklank had.

'Ik probeer hetzelfde te doen,' zei Terese.

'Wat?'

'Ik probeer mijn kind te beschermen.'

Karen keek weer alsof ze een zweepslag kreeg. 'Waar heb je het over?'

'Wat is er met Miriam gebeurd?' vroeg Terese.

Karen bleef Terese aanstaren. Toen keek ze naar mij, alsof ik hopelijk nog een sprankje gezond verstand in me had. Ik gaf geen krimp.

'Heb je haar die avond gezien?'

Maar Karen Tower gaf geen antwoord. Ze liep naar de dubbele deuren, deed ze open en ging op in de groep rouwende gasten.

16

Toen Karen de kamer uit was, liep ik snel naar het bureau.

'Wat ga je doen?'

'Even rondneuzen,' zei ik.

Het bureau was van glanzend mahoniehout en op het werkblad lag een vergulde briefopener waarvan je het heft als vergrootglas kon gebruiken. Opengesneden enveloppen stonden rechtop in een antieke standaard. Ik vond het niet leuk om dit te doen, maar erg schuldig voelde ik me ook niet. Ik haalde mijn BlackBerry uit mijn zak. Win had gezegd dat er een heel goede camera in zat. Ik haalde de brieven uit de enveloppen en maakte er snel foto's van.

Ik vond maandafrekeningen van een creditcard. Ik had geen tijd om alles door te nemen, maar dat hoefde ook niet; het enige wat ik nodig had was het nummer. Ik vond telefoonrekeningen, die me interesseerden, en energierekeningen, die me koud lieten. Ik trok de laden open en nam de inhoud door.

'Wat zoek je eigenlijk?' vroeg Terese.

'Een envelop met de tekst: BELANGRIJKE AANWIJZING.'

Ik hoopte natuurlijk op een wonder. Iets over Miriam. Foto's misschien. Maar ik kwam niet verder dan rekeningen, creditcardgegevens en telefoonnummers. Die zouden ons enige informatie kunnen opleveren. Ik had gehoopt een agenda te vinden, maar die zag ik nergens.

Ik vond wel een paar foto's, met mensen van wie ik aannam dat het Rick, Karen en hun zoontje Matthew waren.

'Is dit Rick?' vroeg ik.

Terese knikte.

Ik wist niet wat ik van hem moest denken. Hij had een forse neus, kille blauwe ogen en vuilblond haar dat het midden hield tussen verzorgd en weerbarstig. Mannen kunnen er niets aan doen... wanneer ze de ex van hun vriendin zien, wordt die meedogenloos beoordeeld. Ik merkte dat ik dat deed en dwong mezelf ermee op te houden. Ik legde de foto's terug waar ik ze had gevonden en ging door met zoeken. Verder geen foto's. Geen blonde dochter die hij jarenlang verborgen had gehouden. Geen oude foto's van Terese.

Ik keek op en zag de laptop op de mahoniehouten secretaire staan.

'Hoeveel tijd denk je dat we hebben?' vroeg ik.

'Ik hou de wacht bij de deur.'

Ik klapte de MacBook open. Binnen een paar seconden was hij opgestart. Ik klikte op het iCal-icoontje onderaan. Zijn dagplanner werd geopend. Geen enkele notitie van de afgelopen maand. Aan de rechterkant, in 'Te doen', stond maar één notitie.

OPAL

HHK

4714

Ik had geen idee wat het te betekenen kon hebben, maar de prioriteit was hoog, zag ik.

'Wat heb je gevonden?' vroeg Terese.

Ik las haar de letters en cijfers voor en vroeg of zij enig idee had waar die voor konden staan. Dat had ze niet. Tijd was hier de beslissende factor. Ik overwoog de hele inhoud van iCal naar Esperanza te mailen, maar dat zou opgemerkt kunnen worden. Meteen daarna dacht ik: nou en? Zo nodig had Win diverse anonieme e-mailadressen. Ik kopieerde alle gegevens van de dagplanner en het adresboek en mailde alles naar Esperanza. Daarna ging ik naar 'verzonden items' en wiste de transactie, zodat niemand kon zien wat ik had gedaan.

Was ik niet reuze slim?

Eigenlijk moest ik me schamen, zoals ik hier bezig was rond te neuzen in de bezittingen van een man die onlangs was vermoord, terwijl zijn vrouw en zoontje in de kamer hiernaast werden gecondoleerd met hun verlies. Wat een held op sokken. Misschien kon ik op weg naar buiten die goeie ouwe Casey ook nog een schop geven.

'Wie is die Mario waar jullie het over hadden?' vroeg ik.

'Mario Contuzzi,' zei Terese. 'Ricks beste vriend en assistent-producer. Ze werkten altijd samen.'

Ik zocht zijn naam op in het adresboek. Bingo. Ik sloeg zijn telefoonnummers – mobiel en privé – op in mijn BlackBerry.

Opnieuw buitengewoon slim.

'Weet je waar Wilsham Street is?' vroeg ik.

'Op loopafstand van hier. Woont Mario daar nog steeds?'

Ik knikte en belde zijn privénummer. Een man met een Amerikaans accent nam op en zei: 'Hallo?' Ik verbrak de verbinding.

'Hij is thuis,' zei ik.

Ik hoop dat de amateurspeurders onder u aantekeningen maken.

'We moeten gaan.'

Snel opende ik iPhoto. Foto's genoeg, maar niets wat opviel. Ik kon niet alles naar de VS mailen. Dat zou een eeuwigheid duren. De foto's waren heel gewoon, en dus hartverscheurend. Karen zag er gelukkig uit naast haar man. Ook Rick zag er gelukkig uit. Stralend van trots hielden ze hun zoontje in hun armen. iPhoto bood de mogelijkheid om een serie aan te klikken, die vervolgens in een soort draaiende carrousel werd vertoond. Op die manier bekeek ik 'Matthew is geboren!', 'Zijn eerste verjaardag' en nog een paar series. Opnieuw hartverscheurend normaal.

Ik stopte bij een vrij recente foto in de serie 'Papa's voetbalfinales'. Rick en Matthew hadden allebei een shirt van Manchester United aan. Rick glimlachte breed en hield zijn zoon stevig tegen zich aan gedrukt. Het zweet droop van zijn gezicht. Je kon zien dat hij buiten adem en opgewonden was. Matthew, van vier, was in keeperstenue, met die grote, felgekleurde handschoenen en met donkere streepjes onder zijn ogen. Hij probeerde stoer te kijken en ik bedacht dat dit jongetje nu verder moest leven zonder die glimlachende vader, waardoor ik moest denken aan Jack, die het ook zonder vader moest doen, en aan mijn eigen vader, van wie ik zo zielsveel hield en die ik voor geen goud zou willen missen, en daarna sloot ik snel de laptop af.

Zonder afscheid te nemen slopen we naar de voordeur. Toen ik nog een laatste keer omkeek, zag ik de kleine Matthew onderuitgezakt in een stoel in de hoek zitten. Hij had een donker kostuumpje aan.

Jongetjes van vier horen geen donker kostuumpje te dragen. Jongetjes van vier dragen een keeperstenue en staan naast hun vader.

Mario Contuzzi deed de deur van zijn flat open zonder te vragen wie er was. Hij was mager en pezig en deed me denken aan een Duitse herder. De ogen in zijn smalle gezicht schoten meteen in Tereses richting.

'Je hebt wel lef dat je hier langskomt.'

'Ook leuk om jou weer te zien, Mario.'

'Ik werd net gebeld door een vriend van Karen. Hij vertelde dat je daar onaangekondigd op de stoep stond. Is dat zo?'

'Ja.'

'Hoe kun je dat nou doen?' Mario's blik schoot in mijn richting. 'En dan ook nog in gezelschap van deze kwezel hier?'

'Ken ik jou?' vroeg ik.

Mario droeg zo'n bril met schildpadmontuur, waarvan ik altijd vind dat ze net iets te prominent zijn. Hij was gekleed in een nette broek en een wit overhemd waarvan de helft van de knoopjes nog niet dicht was. 'Ik heb hier nu geen tijd voor. Ga alsjeblieft weg.'

'We moeten praten,' zei Terese.

'Daar is het te laat voor.'

'Wat mag dat dan wel betekenen?'

Hij spreidde zijn armen. 'Je bent weggegaan, Terese, weet je nog? Daar had je misschien je redenen voor. Prima. Dat was jouw keuze. Maar je bent weggegaan, en nu hij dood is, heb je eindelijk tijd voor een praatje? Vergeet het maar. Ik heb je niks meer te zeggen.'

'Dat was lang geleden,' zei ze.

'Dat is precies wat ik bedoel. En Rick zat maar te wachten tot je terugkwam. Wist je dat? Twee jaar heeft hij op je gewacht. Jij was in de war en depressief – dat begrepen we allemaal – maar dat weerhield je er niet van om te gaan liggen rollebollen met meneer Basketbal hier.'

Hij wees naar me met zijn duim. Ik was meneer Basketbal.

'Wist Rick daarvan?' vroeg Terese.

'Natuurlijk wist hij dat. We dachten dat je in de war en kwetsbaar was. Dus hielden we een oogje op je. Ik denk dat Rick hoopte dat je zou terugkomen. Maar in plaats daarvan smeerde je 'm naar een of ander eilandje voor een seksorgie met Dribbelkop hier.'

Hij hield zijn duim weer voor mijn gezicht. Nu was ik weer Dribbelkop.

'Hebben jullie me geschaduwd?' vroeg Terese.

'We hebben een oogje op je gehouden, ja.'

'Hoe lang?'

Hij gaf geen antwoord. Het was blijkbaar opeens tijd om de mouwen van zijn overhemd af te rollen.

'Hoe lang, Mario?'

'We hebben al die tijd geweten waar je was. Het was niet zo dat we er nog over praatten, en je bent de afgelopen zes jaar in dat vluchtelingenkamp geweest, dus we hebben het niet voortdurend bijgehouden. Maar we wísten het. Daarom verbaast het me dat je hier voor de deur staat met Bozo de Sportclown. We dachten dat je deze idioot al jaren geleden had gedumpt.'

Hij zwaaide zijn duim weer heen en weer voor mijn gezicht.

'Mario?' zei ik.

Hij keek me aan.

'Nog één keer die duim en hij zit straks halverwege je endeldarm.'

'Een dreigement van de grote man van de campus,' zei hij, en er kwam een grijns op zijn magere gezicht. 'Alsof ik weer op de middelbare school zit.'

Ik stond op het punt hem een lesje te leren, maar ik geloofde niet dat we daar veel mee zouden opschieten. 'We hebben een paar vragen voor je,' zei ik.

'En er wordt van mij verwacht dat ik die beantwoord? Je begrijpt het nog steeds niet, hè? Ze was getrouwd met mijn beste vriend en dan gaat ze met jou een paar weken lang op dat eilandje liggen wippen. Hoe denk je dat Rick zich voelde toen hij dat hoorde?'

'Verdrietig?' zei ik.

Dat bracht hem bij zinnen. Hij wendde zich weer tot Terese. 'Hoor eens, ik wil je niet met verwijten om de oren slaan, maar je had hier niet naartoe moeten komen. Rick en Karen hadden iets goeds samen. Iets waarvoor jij lang geleden bent weggelopen.'

Ik keek naar Terese. Ze moest haar uiterste best doen om niet in te storten.

'Nam hij het me kwalijk?' vroeg ze.

'Wat?'

Ze zei niets.

Mario's schouders zakten, tezamen, nam ik aan, met zijn boosheid. Zijn stem werd vriendelijker. 'Nee, Terese, dat deed hij niet. Hij heeft je nooit ook maar iets kwalijk genomen, oké? Ik wel, moet ik je bekennen, omdat je hem hebt laten barsten. En inderdaad... dat gaat mij niks aan. Maar híj heeft je nooit iets kwalijk genomen, geen seconde.'

Terese zei niets.

'Ik moet me gaan aankleden,' zei Mario. 'Ik zou Karen helpen met de aanloop. De aanloop. Alsof we verdomme gaan verspringen. Wat een stompzinnig woord.'

Terese maakte nog steeds een aangeslagen indruk, dus nam ik het over. 'Heb je enig idee wie hem vermoord kan hebben?'

'Wat? Ben je tegenwoordig een soort smeris, Bolitar?'

'We waren in Parijs toen hij werd vermoord,' zei ik.

Hij keek Terese weer aan. 'Heb je Rick gezien?'

'Daar heb ik niet de kans voor gekregen.'

'Maar hij heeft je wel gebeld?'

'Ja.'

'Shit.' Mario deed zijn ogen dicht. Hij had ons nog steeds niet binnen gevraagd, maar toen ik aanstalten maakte om langs hem heen te lopen, ging hij achteruit. Ik had een vrijgezellenhuishouden verwacht – ik weet niet precies waarom – maar er lag speelgoed op de vloer en in de hoek stond een box. En op het aanrecht stonden een paar lege babyflesjes.

'Ik ben met Ginny getrouwd,' zei hij tegen Terese. 'Ken je haar nog?'

'Natuurlijk. Fijn om te horen dat je gelukkig bent, Mario.'

Hij bond verder in, werd rustiger. 'We hebben drie kinderen. We zijn al jaren van plan een groter huis te kopen, maar het bevalt ons hier. Bovendien zijn koophuizen bespottelijk duur hier in Londen.'

We stonden in de kamer en zeiden niets.

'Dus Rick heeft je gebeld,' zei Mario tegen Terese.

'Ja.'

Hij schudde zijn hoofd.

Ik verbrak de stilte. 'Kun je iemand bedenken die Rick zou willen vermoorden?'

'Rick was een van de beste onderzoeksjournalisten van de wereld. Hij heeft in de loop der jaren heel wat mensen tegen zich in het harnas gejaagd.'

'Iemand in het bijzonder?'

'Niet echt, nee. Maar ik begrijp nog steeds niet wat dat met jullie te maken zou kunnen hebben.'

Ik wilde het uitleggen, maar ik wist dat we daar de tijd niet voor hadden. 'Zou je ons nog even gewoon willen vertrouwen?'

'Vertrouwen? Jullie? Dat meen je toch niet, hè?'

Terese zei: 'Alsjeblieft, Mario. Het is belangrijk.'

'Omdat jij het zegt?'

'Je kent me,' zei ze. 'Je weet dat ik niet zo zou aandringen als het niet belangrijk was.'

Daar dacht hij even over na.

'Mario?'

'Goed dan. Wat wil je weten?'

'Waar werkte Rick aan?' vroeg ze.

Hij wendde zijn blik af en zette zijn tanden in zijn onderlip. 'Een paar maanden geleden is hij begonnen met een onderzoek naar een groepering die zichzelf "Red de Engelen" noemt.'

'Wat was daarmee aan de hand?'

'Eerlijk gezegd weet ik dat niet precies. Ze waren begonnen als een kerkelijke beweging met het klassieke "recht op leven"-thema, en ze waren tegen abortusklinieken, gepland ouderschap, stamcelonderzoek en al dat soort zaken. Maar ze hebben zich afgescheiden van de oorspronkelijke beweging. Rick wilde alles over die lui te weten komen. Het werd algauw een obsessie voor hem.'

'Wat heeft hij gevonden?'

'Niet veel, voor zover ik weet. De financiële structuur was nogal merkwaardig. We konden er niet achter komen waar het geld vandaan kwam. Kort gezegd waren ze tegen abortus en stamcelonderzoek en vóór adoptie. Eerlijk gezegd vond ik dat ze als groepering een redelijk solide indruk maakten. Ik wil me niet bemoeien met de discussie over bescherm het leven versus de vrije keuze, maar volgens mij zijn beide partijen het erover eens dat adoptie een gerechtvaardigd alternatief is. Die kant leken zij ook op te gaan. In plaats van abortusklinieken onder vuur nemen, hield Red de Engelen zich vooral bezig met ongewenste zwangerschap en de adoptie van kinderen die daaruit voortkomen.'

'En daar was Rick in geïnteresseerd?'

'Ja.'

'Waarom?'

'Dat weet ik niet.'

'Hoe kwam hij ertoe die beweging te gaan onderzoeken?'

'Ook dat weet ik niet helemaal zeker.' Zijn stem leek langzaam weg te sterven.

'Maar je hebt er wel een idee over?'

'Het is begonnen nadat hij naar huis was geweest toen zijn vader was overleden.' Mario keek Terese aan. 'Heb je het gehoord van Sam?'

'Karen heeft het me verteld.'

'Zelfmoord,' zei hij.

'Was hij echt zo ziek?'

Mario knikte. 'Huntington.'

Terese schrok. 'Had Sam de ziekte van Huntington?'

'Ongelooflijk, vind je niet? Hij heeft het verborgen gehouden, denk ik, maar toen het te erg werd... tja, toen wilde hij het niet langer afwachten en heeft hij er zelf een eind aan gemaakt.'

'Maar... hoe... ik heb het nooit geweten.'

'Rick ook niet. Zelfs Sam wist het niet, pas tegen het eind kwam hij erachter.'

'Hoe is dat mogelijk?'

'Weet je iets over de ziekte van Huntington?' vroeg Mario.

Ze knikte. 'Ik heb er ooit een item over gedaan. Een puur erfelijke ziekte. Een van je ouders moet het hebben. Als dat zo is, heb je vijftig procent kans dat jij het ook krijgt.'

'Precies. De theorie is dat Sams vader – Ricks grootvader – het had, maar die is omgekomen in Normandië, voordat de ziekte zich had kunnen openbaren. Dus Sam wist nergens van.'

'Heeft Rick zich laten testen?' vroeg Terese.

'Dat weet ik niet. Hij heeft zelfs Karen niet alles verteld... alleen dat zijn vader had ontdekt dat hij ongeneeslijk ziek was. Hoe dan ook, hij is toen een tijdje in de VS gebleven. Om de zaken van zijn vader af te wikkelen en de nalatenschap te regelen, denk ik. Het was op dat moment dat hij op de Red de Engelen-beweging is gestuit.'

'Hoe?'

'Geen idee.'

'Je zei dat ze tegen stamcelonderzoek zijn. Had het op de een of andere manier met de ziekte van zijn vader te maken?'

'Dat zou kunnen, maar Rick had mij gevraagd vooral de financiën van de beweging uit te pluizen. Volg de geldstroom. Het oude liedje. Rick wilde alles over de beweging weten, over de mensen die aan de top stonden... totdat hij me kwam vertellen dat ik ermee moest stoppen.'

'Gaf hij het op?'

'Nee. Hij wilde alleen dat *ík* ermee ophield. Hij niet. Alleen ik.'

'Weet je waarom?'

'Nee, eigenlijk niet. Hij kwam bij me langs, wilde al mijn dossiers en aantekeningen hebben, en toen zei hij iets heel raars.' Mario keek eerst Terese en toen mij aan. 'Hij zei: "Jij moet voorzichtig zijn; jij hebt een gezin."'

We wachtten.

'Dus ik zei het voor de hand liggende: "Jij ook." Maar hij was vastbesloten. En ik zag aan hem dat hij doodsbang was. Terese, je weet hoe hij was. Rick was voor niets en niemand bang.'

Ze knikte. 'Zo klonk hij ook toen hij mij belde.'

'Dus heb ik geprobeerd het uit hem te krijgen, hem gevraagd wat er aan de hand was. Hij wilde het niet zeggen. Hij vertrok overhaast en ik heb niks meer van hem gehoord. Nooit meer. Totdat ik werd gebeld met het nieuws dat hij was vermoord.'

'Enig idee waar die dossiers nu zijn?'

'Hij bewaarde meestal kopieën van alles op kantoor.'

'Het zou ons veel helpen als we die mochten zien.'

Mario keek haar aan en zei niets.

'Alsjeblieft, Mario. Je weet dat ik het niet zou vragen als het niet belangrijk was.'

Hij was er nog steeds niet blij mee, maar toch ging hij om. 'Goed dan, ik zal morgenochtend kijken of ik iets kan vinden, oké?'

Ik keek naar Terese. Ik wist niet goed of we de druk nog verder moesten opvoeren. Dit was de man die Rick Collins beter had gekend dan wie ook. Ik liet het aan haar over.

'Heeft Rick het de laatste tijd nog wel eens over Miriam gehad?' vroeg ze.

Mario keek op. Hij nam de tijd en ik verwachtte een uitgebreid antwoord. Maar het enige wat hij zei was: 'Nee.'

We wachtten totdat hij meer zou zeggen. Dat deed hij niet.

'Ik denk,' zei Terese, 'dat er een kans is dat Miriam nog leeft.'

Als Mario Contuzzi daar iets van wist, moest de man een psychopaat zijn. Ik beweer niet dat mensen niet in staat zijn tot liegen, misleiden en doen alsof. Daarvoor heb ik de groten van deze aarde te vaak aan het werk gezien. De groten van deze aarde liegen zo goed omdat ze zichzelf wijsmaken dat hun leugens de pure waarheid zijn, of omdat ze doodordinaire psychopaten zijn. Als Mario vermoedde dat Miriam nog leefde, zou hij tot een van deze twee kampen behoren.

Hij trok een gezicht alsof hij het verkeerd had verstaan. Zijn stem had een boze ondertoon toen hij zei: 'Waar heb je het in godsnaam over?'

Maar het hardop uitspreken had al haar energie gevergd. Ik sprong bij. Ik deed mijn best enigszins nuchter te klinken toen ik hem vertelde over de bloedmonsters en de blonde haar. Ik vertelde niet dat ik haar op de videobeelden had gezien. Dit was zónder die dingen al moeilijk genoeg te geloven. De beste manier om het te brengen was met wetenschappelijk bewijs – de DNA-test – en niet met mijn intuïtie over haar manier van lopen op een korrelige beveiligingsvideo.

Lange tijd zei hij niets.

Toen: 'Die bloedtest moet het fout hebben.'

Terese en ik zeiden niets.

'Of wacht eens, denken ze dat jíj Rick hebt vermoord?'

'Ze hebben inderdaad gedacht dat Terese er de hand in heeft gehad, ja.'

'En jij, Bolitar?'

'Ik was in New Jersey toen hij werd vermoord.'

'Dus ze denken dat Terese het heeft gedaan, is dat het?'

'Ja.'

'En jullie weten hoe smerissen zijn. Die spelen graag spelletjes om je uit je tent te lokken. Hoe kunnen ze je beter uit je tent lokken dan door tegen je te zeggen dat je lang geleden omgekomen dochter nog in leven is?'

Nu trok ik een ongelovig gezicht. 'Wat schieten ze daarmee op als ze haar de moord in de schoenen willen schuiven?'

'Hoe moet ik dat nou weten? Maar, ik bedoel, kom op, Terese. Ik weet dat je dolgraag wilt dat ze nog in leven is. Shit, dat wil ik ook. Maar dat kan toch niet mogelijk zijn?'

'"Wanneer men al het onmogelijke elimineert, moet dat wat resteert, hoe onwaarschijnlijk ook, de waarheid zijn",' zei ik.

'Sir Arthur Conan Doyle,' zei Mario.
'Jep.'
'Ben je bereid zover te gaan, Bolitar?'
'Ik ga zover als nodig is.'

17

Toen we de straat uit waren gelopen zei Terese: 'Ik wil naar het graf van Miriam.'

We hielden weer zo'n nette taxi aan en reden in stilte. We kwamen bij de omheinde begraafplaats en stopten bij de poort. Begraafplaatsen hebben altijd een hek met een poort. Wat moest er eigenlijk worden beschermd?

'Zal ik hier op je wachten?' vroeg ik.

'Ja, graag.'

Dus bleef ik voor de poort staan alsof ik bang was om deze gewijde grond te betreden, wat, nam ik aan, misschien ook wel zo was. Ik keek Terese na, om veiligheidsredenen, maar toen ze neerhurkte draaide ik me om en liep een eindje bij de poort vandaan. Ik dacht aan wat er door haar hoofd moest gaan, en welke beelden ze voor zich zag. Dat, kan ik u verzekeren, was heel onverstandig, dus belde ik Esperanza in New York.

Haar telefoon ging zes keer over voordat ze opnam.

'Er is een tijdsverschil, stommeling.'

Ik keek op mijn horloge. Het was vijf uur 's morgens in New York. 'Oeps, sorry,' zei ik.

'Wat is er nu weer?'

Ik besloot groots te openen en vertelde Esperanza over de DNA-test en het blonde meisje.

'Is het haar dochter?'

'Daar lijkt het op.'

'Dat,' zei Esperanza, 'is knap heftig.'

'Dat is het zeker.'

'Wat moet ik voor je doen?'

'Ik heb een stel foto's genomen – afrekeningen van creditcards, telefoonrekeningen, dat soort dingen – en naar je gemaild,' zei ik. 'O, en ik kwam nog iets raars in zijn dagplanner tegen, iets over "opal" of "opaal" of zoiets.'

'Bedoel je die edelsteen?'

'Ik heb geen idee. Misschien is het een code.'

'Ik ben vreselijk slecht in codes.'

'Ik ook, maar misschien brengt het ons op een idee. Hoe dan ook, laten we proberen te achterhalen waar Rick Collins mee bezig was. O ja, en zijn vader heeft zelfmoord gepleegd.' Ik gaf haar de naam en het adres. 'Misschien moeten we daar ook naar kijken.'

'Naar een zelfmoord?'

'Ja.'

'Om te zoeken naar wat?'

'Weet ik veel, of er iets verdacht aan is.'

Er viel een stilte. Ik liep een stukje terug.

'Esperanza?'

'Ik mag haar wel.'

'Wie?'

'Margaret Thatcher, nou goed? Over wie hebben we het? Terese, domkop. En je kent me. Ik vind jouw vriendinnen altijd vreselijk.'

Ik dacht daarover na. 'Je mag Ali toch ook?' vroeg ik.

'Ja. Ali is een goed mens.'

'Hoor ik daar een "maar"?'

'Maar ze is niks voor jou.'

'Waarom niet?'

'Dat ongrijpbare,' zei ze. 'Jullie hebben dat niet.'

'Hoe bedoel je dat?'

'Wat heeft jou tot een goed sportman gemaakt?' vroeg Esperanza. 'Niet een goed sportman, maar ik heb het over een toptalent, profniveau, het crème de la crème van de Amerikaanse competitie.'

'Techniek, aanleg en hard werken.'

'Talloze sportmensen hebben die dingen. Maar wat jou bijzonder maakte – wat de echt groten onderscheidt van de bijna groten – is dat ongrijpbare.'

'En Ali en ik...'

'Jullie hebben dat niet.'

Ik hoorde een kind huilen op de achtergrond. Esperanza's zoontje, Hector, was achttien maanden oud.

'Hij slaapt zelden een hele nacht door,' zei Esperanza. 'Dus je kunt je voorstellen hoe blij ik ben met je telefoontje.'

'Sorry.'

'Ik ga straks aan de slag. Pas goed op jezelf. Wens Terese sterkte van me. We komen er wel uit.'

Ze hing op. Ik staarde naar mijn toestel. Gewoonlijk vinden Win en Esperanza het vreselijk wanneer ik me in dit soort zaken meng. Maar opeens was al die weerstand verdwenen. Ik vroeg me af waarom.

Aan de overkant liep een man met een zonnebril, hoge zwarte Chuck Taylors en een groen T-shirt voorbij zonder aandacht aan me te schenken. Mijn speurderszintuigen begonnen meteen te jeuken. Hij had heel kort donker haar. Hij had de licht getinte huidskleur die ik vaak ten onrechte associeer met een Latijns-Amerikaanse, Arabische, Griekse of zelfs Italiaanse afkomst.

Hij liep de hoek om en verdween uit beeld. Ik wachtte om te zien of hij terugkwam. Dat gebeurde niet. Ik keek in het rond om te zien of er iemand anders ten tonele was verschenen. Er kwamen diverse mensen voorbij, maar geen van hen zette mijn speurderszintuigen in werking.

Op dat moment kwam Terese aanlopen. Haar ogen waren droog.

'Moeten we weer een taxi aanhouden?' vroeg ze.

'Ben je bekend hier?'

'Ja.'

'Is er een metrostation in de buurt?'

Ik kon Win bijna horen zeggen: In Londen, Myron, noemen we dat *the underground*, ofwel de ondergrondse.

Ze knikte. We liepen twee zijstraten voorbij. Ze kende de weg.

'Ik weet wel dat dit de stompzinnigste vraag sinds mensenheugenis is,' begon ik, 'maar is alles oké met je?'

Terese knikte. Toen vroeg ze: 'Geloof jij in bovennatuurlijke dingen?'

'Zoals?'

'Geesten, spoken, buitenzintuiglijke waarnemingen, dat soort dingen?'

'Nee. Hoezo? Jij wel?'

Ze gaf niet direct antwoord. 'Het is pas de tweede keer dat ik naar Miriams graf ben geweest,' zei ze.

Ik stak mijn creditcard in de kaartjesautomaat en liet Terese op de juiste knoppen drukken.

'Ik vind het daar zo erg. Niet omdat het me verdrietig maakt. Maar omdat ik niks voel. Je zou toch denken dat al dat verdriet, alle tranen die er zijn vergoten... ben jij wel eens bij een graf blijven staan terwijl je daaraan dacht? Hoeveel mensen er hebben gehuild. Hoeveel mensen voor de allerlaatste keer afscheid hebben genomen van hun dierbaren. Je zou toch denken dat... ik weet het niet... dat al dat menselijk lijden een soort wolk van onzichtbare deeltjes zou moeten vormen, een of andere negatieve kosmische ervaring. Een lichte tinteling in je botten misschien, of een koude rilling achter in je nek.'

'Maar jij hebt dat niet gevoeld,' zei ik.

'Nee, de vorige keer ook niet. Het hele idee van de doden begraven en er een steen op zetten om de plek te markeren... soms denk ik dat het gewoon ruimteverspilling is, dat het iets is uit een andere tijd, van toen de mensen nog bijgelovig waren.'

'Maar toch wilde je vandaag naar haar graf toe,' zei ik.

'Niet om bij haar dood stil te staan.'

'Waarom dan?'

'Ik weet dat het belachelijk klinkt.'

'Laat het toch maar horen.'

'Ik wilde ernaartoe om te zien of er in de afgelopen tien jaar iets is veranderd. Om te controleren of ik deze keer wel iets zou voelen.'

'Zo belachelijk klinkt dat niet.'

'Niet "voelen" op de gewone manier. Ik zeg het niet goed. Ik dacht dat naar haar graf gaan ons misschien verder zou kunnen helpen.'

'Op welke manier?'

Terese bleef doorlopen. 'Dat is het juist. Ik dacht...' Ze bleef staan en slikte.

'Wat dacht je?' vroeg ik.

Ze knipperde met haar ogen vanwege de zon. 'Ik geloof ook niet in bovennatuurlijke zaken. Maar weet je waar ik wel in geloof?'

Ik schudde mijn hoofd.

'Ik geloof in de ouderlijke band. Ik weet niet hoe ik het anders moet uitdrukken. Ik ben haar moeder. Dat is de sterkste band die de mens bekend is, waar of niet? De liefde van een moeder voor haar kind overstijgt alles. Daarom zou ik íéts moeten voelen, op de een of andere manier. Ik moet in staat zijn bij dat graf te gaan staan en te wéten of mijn eigen kind nog in leven is of niet. Begrijp je wat ik bedoel?'

Mijn eerste reactie bestond uit belerende onzin als 'Wat gevoelloos van je!' of 'Je moet het jezelf niet kwalijk nemen', maar ik wist me te beheersen voordat ik zoiets doms uitkraamde. Ik heb een zoon, of ik ben in ieder geval zijn biologische vader. Hij is volwassen en zit in het leger – hij heeft bijgetekend –, deze keer in Kabul. Ik maak me voortdurend zorgen om hem en hoewel ik niet geloof dat het mogelijk is, blijf ik denken dat ik het zou weten wanneer hem iets ergs overkwam. Dat ik het zal voelen, desnoods als een kille tochtvlaag in mijn borstkas, of op welke andere onzinnige manier ook.

Ik zei: 'Ik begrijp wat je bedoelt.'

We stonden op een roltrap waaraan geen eind leek te komen. Ik wierp een blik achterom. Geen spoor van Zonnebril Man.

'Wat gaan we nu doen?' vroeg Terese.

'Terug naar het hotel. Jij gaat aan de slag met wat we bij Karen hebben gevonden. Denk na over die "opal"-code, kijk of die ons misschien iets nieuws oplevert. Als Esperanza iets vindt, mailt ze het meteen aan ons. Er moet Rick nog niet zo lang geleden iets overkomen zijn... iets wat hem ertoe heeft gebracht weer contact met jou te zoeken. Het beste wat we nu kunnen doen is uitzoeken wie hem heeft vermoord, waarom, en waar hij de laatste paar maanden aan heeft gewerkt. Dus wat je moet doen is zijn spullen doornemen en kijken of je iets bijzonders tegenkomt.'

'Wat vond jij van ons gesprek met Karen?' vroeg Terese me.

'Jullie waren close, nietwaar?'

'Ja, heel goede vriendinnen.'

'Dan zal ik het voorzichtig formuleren. Ik geloof niet dat Karen ons alles heeft verteld. Jij?'

'Tot vandaag zou ik hebben gezegd dat ik haar mijn leven zou toevertrouwen,' zei Terese. 'Maar je hebt gelijk: ze hield iets achter.'

'Enig idee wat?'

'Nee.'

'Misschien moeten we een stukje teruggaan en iets anders proberen. Vertel me alles wat je je herinnert over het ongeluk.'

'Denk je dat ík iets achterhoud?'

'Natuurlijk niet. Maar nu je al deze nieuwe informatie hebt gehoord, vraag ik me af of er misschien iets is wat jij die avond anders hebt beleefd.'

'Nee, niks.' Ze keek uit het raampje van de ondergrondse, maar daar was alleen de langs flitsende tunnel te zien. 'Ik heb de afgelopen tien jaar mijn uiterste best gedaan die avond te vergeten.'

'Ik begrijp het.'

'Nee, je begrijpt het niet. Elke dag, tien jaar lang, heb ik de beel den van die avond in mijn hoofd afgespeeld.'

Ik zei niets.

'Wat er is gebeurd, heb ik uit alle mogelijke hoeken bekeken. Ik heb me talloze dingen afgevraagd: stel dat ik niet zo hard had gereden, dat ik een andere route had genomen, dat ik haar thuis had gelaten, dat ik niet zo verdomde ambitieus was geweest... alles. Er ís verder niks wat ik me zou kunnen herinneren.'

We stapten uit de ondergrondse en liepen naar de uitgang.

Toen we de lobby van het hotel binnenkwamen, trilde mijn telefoon. Een sms van Win.

BRENG TERESE NAAR HET PENTHOUSE. KOM DAN NAAR KAMER 118. ALLEEN.

Twee seconden later nóg een sms van Win.

A.J.B. BESPAAR ME JE EVENTUELE BIJDEHANTE HOMOFOBE GRAPPEN IN REACTIE OP DE TERM 'ALLEEN'.

Win was de enige persoon die ik kende die in zijn sms'jes minstens zo welbespraakt was als wanneer je gewoon met hem praatte. Ik bracht Terese naar het penthouse. We hadden een laptop met internetverbinding. Ik liet haar het apparaat zien. 'Misschien kun je beginnen met die Red de Engelen-beweging.'

'Wat ga jij doen?' vroeg ze.

'Naar beneden. Win wil me spreken.'

'Mag ik mee?'

'Hij zei dat ik alleen moest komen.'

'Ik weet niet of ik dat zo'n prettig idee vind,' zei Terese.

'Ik ook niet, maar ik heb gemerkt dat het meestal beter is om gewoon te doen wat hij zegt.'

'Hoe gestoord is hij?'

'Win is bij zijn volle verstand. Hij is alleen erg rationeel. Hij ziet de dingen puur in zwart-wit.' Toen voegde ik eraan toe: 'Hij is meer iemand van "het doel heiligt de middelen".'

'Die middelen van hem kunnen nogal extreem zijn,' zei ze.

'Ja.'

'Dat herinner ik me van toen ik je hielp die donor te vinden.'

Ik zei niets.

'Win probeert toch niet mijn gevoelens te ontzien, hè?'

'Win en gevoelens van vrouwen ontzien...' zei ik, en ik deed met mijn handen een weegschaal na. 'Nee, ik denk niet dat je daar bang voor hoeft te zijn.'

'Je kunt beter gaan.'

'Jep.'

'Vertel je me naderhand wat het was?'

'Hoogstwaarschijnlijk niet. Als Win je ergens buiten houdt, doet hij dat voor je bestwil. Daar zul je op moeten vertrouwen, denk ik.'

Ze knikte en stond op. 'Ik ga me opfrissen en daarna op internet neuzen.'

'Oké.'

Ze liep naar haar slaapkamer. Ik was bijna bij de deur naar de gang.

'Myron?'

Ik draaide me om. Ze stond naar me toe gekeerd. Ze was beeldschoon, zowel kwetsbaar als sterk, en ze stond daar alsof ze ieder moment een dreun kon krijgen en ik ertussen wilde springen om haar te beschermen.

'Wat is er?' vroeg ik.

'Ik hou van je,' zei Terese.

Ze zei het echt. Terwijl ze me recht aankeek, beeldschoon en kwetsbaar en sterk. In mijn borstkas sprong iets op en het maakte een salto. Ik stond daar als aan de grond genageld, niet bij machte ook maar een woord uit te brengen.

'Ik weet dat het nu eigenlijk niet het moment is en ik wil niet dat het iets verandert aan waar we nu mee bezig zijn. Maar hoe dit ook afloopt, of Miriam nog in leven is of dat iemand een doodzieke grap met me heeft uitgehaald, ik wil dat je het weet: ik hou van je. En als dit voorbij is, hoe het ook uitpakt, zou ik niks liever willen dan dat je ons, jou en mij, nog een kans geeft.'

Ik deed mijn mond open en weer dicht en toen weer open. 'Maar ik heb iemand, min of meer.'

'Dat weet ik. Dat maakt de timing nog beroerder. Maar het geeft niet. Als je van haar houdt, trek ik me terug. Zo niet, dan ben ik er voor je, wanneer je maar wilt.'

Terese wachtte niet op een reactie. Ze draaide zich om, deed de deur van de slaapkamer open en ging naar binnen.

18

Als in een roes liep ik naar de lift.

Hoe had Snow Patrol het ook alweer gezegd, in dat liedje van een paar jaar geleden? Die drie woorden, ze zeggen zo veel, maar niet genoeg.

Kletspraat. Ze zeiden wel degelijk genoeg.

Ik dacht aan Ali in Arizona. Ik dacht aan Terese, die me net had verteld dat ze van me hield. Terese had waarschijnlijk gelijk: de beste manier om ermee om te gaan was door het niets te laten veranderen aan waar we nu mee bezig waren. Maar het was gezegd. En het had me in de tang.

De gordijnen van kamer 118 waren dicht.

Ik zocht met mijn hand naar de lichtschakelaar maar trok hem weer terug. Win zat in een pluchen fauteuil. Ik hoorde het zachte gerinkel van ijsblokjes in zijn glas, wat daar verder ook in zat. Sterkedrank leek nooit invloed op hem te hebben, maar ik vond het wel erg vroeg.

Ik ging tegenover hem zitten. We waren al zo lang bevriend. We hadden elkaar leren kennen op Duke University, toen we net van de middelbare school kwamen. Ik herinner me dat ik zijn foto zag in het jaarboek van de eerstejaars, op de dag dat ik op de campus aankwam. Zijn naam en gegevens stonden ernaast: Windsor Horne Lockwood III, afkomstig van een of andere chic klinkende privéschool in de Main Line in Philadelphia. De jongeman met het perfecte haar en de hooghartige gezichtsuitdrukking. Mijn vader en ik hadden net al mijn spullen vier trappen omhooggesjouwd. Typisch mijn vader. Hij had me zelf van New Jersey naar North Carolina gereden, had erop gestaan dat hij alle zware dingen boven bracht en had niet één keer geklaagd. We zaten even uit te rusten en ik bladerde in het boek van de eerstejaars toen ik Wins foto zag. Ik liet het boek aan mijn vader zien en zei: 'Hé pa, moet je die knaap zien. Ik durf te wedden dat we die de komende vier jaar niet vaak zullen zien.'

Ik had het mis.

In de jaren daarna heb ik lange tijd geloofd dat Win onkwetsbaar was. Hij had heel wat mensen gedood, maar niemand die het niet had verdiend, en ja, ik weet hoe arrogant het is om zoiets te zeggen. Maar de jaren laten niemand ongemoeid. Wat excentriek en spannend lijkt wanneer je tussen de twintig en dertig bent, heeft de neiging enigszins zielig te worden wanneer je de veertig bent gepasseerd.

'Het gaat moeilijk worden om toestemming te krijgen om het lijk op te graven,' begon Win. 'We hebben geen steekhoudend motief.'

'En de DNA-test dan?'

'De Franse autoriteiten willen de uitslag niet vrijgeven. Ik heb ook de meer directe route geprobeerd… omkoping.'

'Zonder resultaat?'

'Tot nu toe. Het komt wel, maar het gaat een tijdje duren, en ik heb de indruk dat we niet veel tijd hebben.'

Ik dacht erover na. 'Heb je een plan?'

'Ja, dat heb ik.'

'Ik luister.'

'We kopen de grafdelvers om. We doen het zelf, vannacht, aan het oog onttrokken door het duister. Het enige wat we nodig hebben is één monster. Dat sturen we naar ons lab, laten het vergelijken met dat van Terese…' Hij hield zijn glas op. '… en klaar is Kees.'

'Griezelig,' zei ik.

'En reuze praktisch.'

'Denk je dat het echt nodig is?'

'Hoe bedoel je?'

'We weten al min of meer wat de uitkomst zal zijn.'

'Leg uit.'

'Ik heb Berleands stem gehoord toen hij het zei. Hij zei wel dat de uitslag voorlopig en niet doorslaggevend was, maar we weten allebei beter. En ik heb het meisje op die beveiligingsvideo gezien. Oké, niet haar gezicht, en van veraf. Maar ze had haar moeders manier van lopen, als je begrijpt wat ik bedoel.'

'Had ze ook haar moeders derrière?' vroeg Win. 'Dát zou pas doorslaggevend bewijs zijn.'

Ik keek hem alleen maar aan.

Hij slaakte een zucht. 'De manier waarop iemand zich beweegt vertelt ons vaak meer dan gelaatstrekken of een overeenkomst in lengte,' zei hij. 'Als dat is wat je bedoelt.'

'Ja.'

'Jij en je zoon hebben dat ook,' zei Win. 'Als hij zit, wipt hij net zo met zijn ene been als jij. Hij heeft jouw manier van bewegen, zoals hij de bal dat laatste tikje geeft in een sprongschot, en zijn scores.'

Ik geloof niet dat ik Win ooit eerder over mijn zoon heb horen praten.

'Toch moeten we het doen,' zei ik, met Sherlock Holmes' stelling over het elimineren van het onmogelijke in gedachte. 'Want er blijft een kans, hoe klein ook, dat er een of andere vergissing in Berleands DNA-test is geslopen. We móéten het zeker weten.'

'Mee eens.'

Ik vond het een gruwelijk idee om een graf te openen, helemaal als het om het graf van een kind ging. Maar Terese had het zelf voorgesteld, dus zei ik tegen Win dat hij zijn gang kon gaan.

'Wilde je me daarom onder vier ogen spreken?' vroeg ik.

'Nee.'

Win nam een laatste slok, stond op en schonk zijn glas bij. Hij nam niet de moeite mij iets aan te bieden. Hij wist dat ik slecht tegen drank kon. Ondanks mijn één meter negentig en bijna honderdtien kilo heb ik wat drank betreft het incasseringsvermogen van een zestienjarig meisje dat stiekem haar eerste mixje drinkt.

'Je hebt de video van het blonde meisje op het vliegveld gezien,' zei hij.

'Ja.'

'En dat ze met de man was die jou wilde ontvoeren. Die van de foto.'

'Dat weten we allang.'

'Ja.'

'Wat is daar dan mee?'

Win pakte zijn mobiele telefoon, drukte op een knop en hield het toestel tegen zijn oor. 'Kun je komen, alsjeblieft?'

De deur van de aangrenzende kamer ging open. Een rijzige vrouw in een donkerblauw zakenpakje kwam binnen. Ze had ravenzwart haar en forse schouders. Ze keek verbaasd, bracht haar hand naar haar ogen en vroeg: 'Waarom is het hier zo donker?'

Ze had een Brits accent. Win kennende nam ik als vanzelf aan dat de vrouw... tja, in de Mei-categorie viel, als u begrijpt wat ik bedoel. Maar dat bleek niet het geval. Ze liep de kamer door en nam plaats in de vrije fauteuil.

'Dit,' zei Win, 'is Lucy Probert. Ze werkt voor Interpol hier in Londen.'

Ik zei iets onbenulligs, zoiets als 'prettig kennis met je te maken'. Ze knikte en bleef me aankijken alsof mijn gezicht haar deed denken aan een modern schilderij dat ze niet goed begreep.

'Vertel het hem,' zei Win.

'Win heeft de foto naar me doorgestuurd, die van de man die jij hebt mishandeld.'

'Ik heb hem niet mishandeld,' zei ik. 'Hij bedreigde me met een pistool.'

Lucy Probert wuifde het weg alsof het een onbetekenend detail was. 'Mijn divisie bij Interpol houdt zich bezig met internationale kindersmokkel. Je denkt misschien dat we in een verziekte wereld leven, maar geloof me, de wereld is een stuk zieker dan jij je kunt voorstellen. De misdaden waar ik me mee bezighoud... nou, wat mensen niet allemaal verzinnen om de meest kwetsbaren onder ons aan te doen, daar heb je geen idee van. In onze strijd tegen dit grote onrecht is je vriend Win een bondgenoot van onschatbare waarde geweest.'

Ik keek naar genoemde vriend en zoals altijd verraadde zijn gezicht niets. Lange tijd was Win een soort – ik kan er geen ander woord voor verzinnen – burgerwacht geweest. Dan ging hij 's avonds laat op pad en begaf hij zich in de gevaarlijkste buurten van New York of Philadelphia in de hoop dat hij overvallen zou worden, om tuig dat op een ogenschijnlijk gemakkelijke prooi uit was een lesje te leren. Of hij las iets in de krant over een sadist die door een vormfout vrijuit ging, of een lafaard die zijn vrouw net zo lang had mishandeld tot ze geen aangifte meer durfde te doen. Die personen ging hij dan een – wat wij noemden – avondlijk bezoekje brengen. Of er was een zaak van een pedofiel die een jong meisje had ontvoerd, wat de politie wist, maar die kon de man niet tot een bekentenis krijgen, dus waren ze gedwongen de man vrij te laten. Ook hem bracht Win een avondlijk bezoekje. Hij kreeg hem aan het praten. Het meisje werd gevonden, maar was niet meer in leven. Niemand weet waar de pedofiel is gebleven.

Ik dacht dat Win daarmee was opgehouden, of dat hij het in ieder geval minder vaak deed, maar ik besefte nu dat dat niet het geval was. Win was vaker naar het buitenland gegaan. Hij was een 'bondgenoot van onschatbare waarde' in de strijd tegen kindersmokkel geweest.

'Dus toen Win me om een gunst vroeg,' vervolgde Lucy, 'heb ik natuurlijk meteen "ja" gezegd. Trouwens, zo groot was die gunst niet... de foto die inspecteur Berleand jullie had gestuurd even door het computersysteem halen om de identiteit van de man vast te stellen, meer niet. Een routineklusje, waar of niet?'

'Juist.'

'Maar dat was het dus niet. We hebben bij Interpol talloze manieren om mensen van foto's te identificeren. Een daarvan is de gezichtsherkenningssoftware, bijvoorbeeld.'

'Mevrouw Probert?'

'Ja?'

'Ik heb geen behoefte aan een complete computercursus.'

'Mooi zo, want dat ben ik ook niet van plan te geven; bovendien heb ik daar geen tijd voor. Waar het om gaat is dat een dergelijk verzoek bij Interpol als routine wordt gezien. Ik heb de foto in de computer gescand voordat ik naar huis ging, zodat de computer de hele nacht de tijd zou hebben om tot een identificatie te komen. Zeg ik het zo simpel genoeg?'

Ik knikte en ik besefte dat het fout was geweest om haar te onderbreken. Ze was merkbaar geïrriteerd en dat was niet nodig geweest.

'Dus toen ik vanochtend op mijn werk kwam, ging ik ervan uit dat ik een naam naar jullie kon mailen. Maar dat was dus niet zo. In plaats daarvan zat ik opeens op alle mogelijke manieren – hoe zeg ik dat netjes? – tot aan mijn kruin in de shit. Iemand had mijn bureau doorzocht. Het wachtwoord van mijn computer was gekraakt en die was ook doorzocht. Vraag me niet hoe ik dat weet… ik weet het gewoon.'

Ze hield op met praten, bukte zich en zocht in haar tas. Ze haalde er een sigaret uit en stak die tussen haar lippen. 'Jullie verdomde Amerikanen met je antirooklobby. Als een van jullie één woord zegt over dat er hier niet gerookt mag worden…'

Win en ik zeiden niets.

Ze stak de sigaret op, inhaleerde en blies een rookwolk uit.

'Kortom, die foto is geclassificeerd als vertrouwelijk of topgeheim of welke naam je er maar aan wilt geven.'

'Weet je waarom?'

'Waarom hij zo geclassificeerd is?'

'Ja.'

'Nee, dat weet ik niet. Ik zit redelijk hoog in de voedselketen van Interpol. Als ik er niet van mag weten, moet het buitengewoon gevoelig zijn. Jullie foto heeft de alarmbellen op topniveau doen rinkelen. Ik ben vanochtend ontboden bij Mickey Walker, de grote baas hier in Londen. Ik ben in geen twee jaar op zijn kantoor geweest! Hij liet me komen, ik moest gaan zitten en hij wilde weten waar ik die foto vandaan had, en waarom ik die op de computer had ingevoerd.'

'Wat heb je toen gezegd?'

Ze keek naar Win, en daardoor wist ik het antwoord al.

'Dat ik uit een betrouwbare bron de tip had gehad dat de man op de foto mogelijk betrokken was bij kindersmokkel.'

'En toen vroeg hij de naam van die bron?'

'Ja, natuurlijk.'

'En die heb je hem verteld?'

'Daar zou ik op hebben gestaan,' zei Win.

'Ik had geen keus,' zei ze. 'Ze zouden er toch wel achter zijn gekomen. Als ze mijn e-mails en telefoontjes checken, is er een grote kans dat ze hier uitkomen.'

Ik keek naar Win. Weer geen reactie. Ze had het mis... het spoor zou niet naar Win hebben geleid, maar ik begreep de situatie waarin ze zich bevond. Ze was duidelijk op iets groots gestuit. Niet meewerken zou het einde van haar carrière betekenen, of iets wat nog erger was. Win had gelijk als hij erop stond dat zij hun onze namen gaf.

'En nu?'

'Nu willen ze me spreken,' zei Win.

'Weten ze waar je bent?'

'Nog niet, nee. Mijn raadsman heeft hun laten weten dat ik me binnen een uur vrijwillig zou melden. We staan hier onder een valse naam ingeschreven, maar als ze een beetje hun best doen, vinden ze ons heus wel.'

Lucy keek op haar horloge. 'Ik kan beter teruggaan.'

Ik moest ineens denken aan Zonnebril Man, die mijn speurderszintuigen had gewekt. 'Is het mogelijk dat een van jullie mensen mij schaduwt?'

'Dat betwijfel ik.'

'Er rust een zware verdenking op je,' zei ik. 'Hoe weet je dat ze je niet hiernaartoe zijn gevolgd?'

Ze keek naar Win. 'Is hij niet goed snik of gewoon een seksist?'

Win dacht even na. 'Een seksist.'

'Ik ben een agent van Interpol. Ik heb voorzorgsmaatregelen genomen.'

Maar ondanks die voorzorgsmaatregelen ben je vrijwel onmiddellijk betrapt. Ik hield die gedachte voor mezelf. Helemaal eerlijk was het niet. Ze had niet kunnen weten dat het hele systeem op tilt zou springen zodra ze die foto invoerde.

We stonden alle drie op. Ze gaf mij een hand en Win een kusje op zijn wang. Toen ze vertrokken was, gingen Win en ik weer zitten.

'Wat ga je tegen Interpol zeggen?' vroeg ik.

'Hebben we een reden om te liegen?'

'Voor zover ik kan inschatten niet.'

'Dan vertel ik hun de waarheid... of het grootste deel ervan. Mijn beste vriend – dat ben jij dus – is door deze man overvallen in Parijs. Ik wilde weten wie hij was. We dekken Lucy in door te zeggen dat ik tegen haar heb gelogen toen ik zei dat die man bij kindersmokkel betrokken was.'

'Wat wel een mogelijkheid is.'

'Dat is waar.'

'Vind je het goed als ik Terese hierover vertel?'

'Zolang je Lucy's naam erbuiten laat.'

Ik knikte. 'We moeten te weten zien te komen wie die knaap is.'

Ik liep met Win mee naar de imposante lobby van het Claridge. Er zat geen strijkje te spelen, maar het had gekund. De inrichting was modern Brits-aristocratisch, een mengeling van oud-Engelse chic en art deco. Het was een stijl die de toerist in spijkerbroek aansprak en tegelijkertijd hooghartig genoeg om je te kunnen voorstellen dat sommige meubels en de gebeeldhouwde plafonds collectief hun neus voor je ophaalden. Ik vond het wel mooi. Toen Win naar buiten was gelopen en ik me omdraaide om naar de lift te gaan, viel mijn blik op iets.

Hoge zwarte Chuck Taylor-gympies.

Ik liep een paar meter door, bleef staan en klopte op mijn zakken. Ik draaide me om met een onzekere uitdrukking op mijn gezicht, alsof ik zojuist had gemerkt dat ik iets was vergeten. Myron Bolitar, de *method actor*. Ik maakte van de gelegenheid gebruik om een achteloze blik op de man met de zwarte Chuck Taylors te werpen.

Geen zonnebril. Een blauw windjack nu. En een honkbalpet die hij bij de begraafplaats niet op had gehad. Maar ik wist het. Dit was mijn schaduw. En hij was goed. Mensen hebben de neiging zich heel weinig te herinneren. Neem iemand met een zonnebril en kort stekeltjeshaar. Zet hem een pet op en trek hem een jack aan, en niemand zal hem herkennen, tenzij je heel erg je best doet.

Het was me bijna ontgaan, maar nu wist ik het zeker: ik werd geschaduwd. Mijn vriend van de begraafplaats was terug.

Er bestonden diverse manieren om dit aan te pakken, maar ik was niet in de stemming om voor lokaas te spelen. Ik liep de smalle gang naar de vergaderzalen in. Het was zondag, dus er was niemand. Bij de garderobe bleef ik staan, leunde tegen de muur, sloeg mijn armen over elkaar en wachtte totdat mijn vriend de hoek om zou komen.

Toen hij dat deed – pas na vijf minuten – greep ik hem bij zijn jack en trok hem de garderobe in. 'Waarom volg je me?'

Hij keek me verbaasd aan.

'Is het mijn krachtige kin? Mijn hypnotiserende blauwe ogen? Mijn welgevormde kontje? Trouwens, vind je dat deze broek me dik maakt? Eerlijk zeggen.'

De man bleef me aanstaren, één seconde, misschien twee, en deed toen wat ik even daarvoor had gedaan: hij viel aan.

Met de muis van zijn hand haalde hij uit naar mijn gezicht. Ik weerde de slag af. Hij draaide en haalde uit met zijn elleboog. Snel. Sneller dan ik had ingeschat. De elleboog raakte me links op de kin. Ik draaide mijn hoofd weg om de impact te verminderen, maar toch voelde ik mijn tanden rammelen in mijn mond. Hij bleef aanvallen, plaatste nog een stoot op mijn gezicht, schopte me in mijn zij en gaf me een vuiststoot in de maagstreek. Die laatste was het hardst en raakte me net onder mijn ribbenkast. Die zou pijn gaan doen. Als u wel eens naar boksen op tv kijkt, al is het maar toevallig, hoort u de commentator altijd hetzelfde zeggen: slagen op het lichaam zijn een optelsom. Ze gaan steeds meer pijn doen, per ronde en per slag. Dat is voor een deel waar. Want slagen op het lichaam doen ook meteen pijn. Je slaat dubbel en laat je dekking zakken.

Ik zat in de problemen.

In mijn achterhoofd begon ik mezelf verwijten te maken... dom van me dat ik me ongewapend en zonder Win in deze confrontatie had gestort. Maar de rest van mijn hersenen waren al naar de overlevingsstand overgeschakeld. Zelfs tijdens de onschuldigste knokpartij – in een bar of tijdens een sportwedstrijd – komt je adrenalinestroom op gang, want het lichaam weet wat de geest misschien nog weigert te accepteren: het gaat hier om overleven. Er bestaat een kans dat je het loodje legt.

Ik liet me op de grond vallen en rolde weg. Er was niet veel ruimte in de garderobe. Deze knaap wist wat hij deed. Hij bleef aanvallen, trapte naar me terwijl ik op de grond lag, gaf me geen centimeter speelruimte. Ik kreeg een schop tegen mijn hoofd en zag sterretjes zoals je die in tekenfilms ziet. Ik overwoog zelfs om hulp te roepen, om wat dan ook te doen om hem tot staan te brengen.

Ik rolde nog een slag door en lette op zijn timing. Ik liet mijn maagstreek ongedekt in de hoop dat hij in de verleiding zou komen een trap op die plek te plaatsen. Hij tuinde erin. Zodra hij zijn knie boog rolde ik naar hem toe, trok mijn benen op en had mijn handen klaar. Zijn voet raakte mijn maag inderdaad, maar ik was erop voorbereid. Ik greep zijn voet met beide handen vast, drukte hem tegen me aan en rolde hard door. Nu kon hij twee dingen doen: zich op de grond laten vallen, of zijn enkel als een droog twijgje laten breken.

Hij bleef me bestoken terwijl hij viel, maar de meeste slagen en trappen misten kracht.

Nu lagen we allebei op de grond. Ik had pijn en was duizelig, maar ik had nu twee belangrijke voordelen. Ten eerste had ik zijn voet nog vast, hoewel ik dat niet lang meer zou volhouden. Ten tweede, nu we allebei op de grond lagen, werd grootte belangrijk... en ik bedoel dat niet op een seksuele manier. Ik had mijn beide handen nog steeds om zijn onderbeen geklemd terwijl hij me bleef slaan om zichzelf te bevrijden. Maar ik kroop juist dichter naar hem toe en drukte mijn hoofd tegen zijn borstkas. Als een tegenstander je probeert te slaan, hebben de meeste mensen de neiging om achteruit te gaan. Maar je moet juist het tegenovergestelde doen. Druk je tegen hem aan en hij kan geen kracht meer zetten. Dat was wat ik nu deed.

Hij probeerde me op mijn oren te stompen, maar daar had hij

beide handen voor nodig. Daardoor raakte hij uit balans. Ik bracht mijn hoofd hard en snel omhoog en raakte hem vol op zijn kin. Hij viel duizelend achteruit en ik dook boven op hem. Misschien hebt u wel eens gehoord dat de meeste vuistgevechten op de grond eindigen. Dat is waar, als de twee opponenten tenminste redelijk aan elkaar gewaagd zijn. Want in het geval van coach Bobby, bijvoorbeeld, die niet echt partij voor me was, kon ik hem gewoon slaan en afstand bewaren. Maar deze knaap was goed. Dus moesten we het op de grond uitvechten.

Het ging nu om stootkracht, techniek en grootte. Op twee van de drie punten was ik hem de baas... die van de stootkracht en de grootte. Ik was nog duizelig van zijn eerdere treffers, maar mijn kopstoot had de stand weer een beetje gelijkgetrokken. En ik had zijn been nog vast. Ik gaf er een harde, gemene draai aan. Hij rolde mee, en toen maakte hij zijn grote fout.

Hij keerde me zijn onbeschermde rug toe.

Ik liet zijn been los, dook boven op hem, klemde mijn benen om zijn middel en probeerde mijn rechterarm om zijn nek te haken. Hij wist wat hem te wachten stond. In paniek probeerde hij me van zich af te schudden en drukte zijn gezicht tegen de grond om te voorkomen dat ik mijn arm om zijn nek wrong. Ik sloeg hem met de muis van mijn hand hard op zijn achterhoofd. Dat verzwakte hem blijkbaar genoeg. Ik legde mijn linkerhand op zijn voorhoofd en trok zijn hoofd naar achteren. Hij verzette zich met al zijn kracht, maar zijn kin kwam ver genoeg van de vloer. Mijn rechterarm schoot in de opening en klemde zich om zijn keel. De houdgreep was een feit.

Ik had hem nu in bedwang. Het was alleen nog een kwestie van tijd.

En op dat moment hoorde ik een geluid, een stem, om precies te zijn, die iets riep in een vreemde taal. Ik overwoog mijn aanvaller los te laten om te zien wie het was, maar dat leek me geen goed idee. Dat was mijn fout. Een tweede man was de garderobe binnengekomen. Hij raakte me in mijn nek, zo te voelen met de rug van zijn hand, met wat we een klassieke karatetechniek noemen. Een algehele gevoelloosheid trok door me heen alsof ik mijn elleboog op de verkeerde manier had gestoten en mijn hele lichaam daarop reageerde. Mijn houdgreep verslapte.

Ik hoorde de man weer iets roepen, weer in die vreemde taal. Dat bracht me in verwarring. De eerste man worstelde zich los uit mijn greep. Happend naar adem rolde hij bij me vandaan. Ze waren nu met z'n tweeën. Ik keek op naar de tweede man en zag dat hij een pistool op me richtte.

Het was gebeurd met me.

'Verroer je niet,' zei de man met een onbekend accent tegen me.

Mijn hersenen zochten koortsachtig naar een uitweg, maar blijkbaar hadden ze al te veel te verduren gehad. De eerste man krabbelde overeind. Hij hapte nog steeds naar adem. We keken elkaar aan en toen zag ik iets merkwaardigs gebeuren. Het was geen haat die ik in zijn ogen zag. Misschien respect? Ik weet het niet.

Mijn blik ging naar de man met het pistool.

'Verroer je niet,' zei hij weer. 'En probeer ons niet te volgen.'

Toen renden ze allebei weg.

19

Ik strompelde naar de lift. Ik hoopte ongezien bij het penthouse te komen, maar de lift ging eerst omlaag en even later stond ik oog in oog met een Amerikaans gezin van zes personen. Ze keken me aan, zagen mijn gescheurde shirt en bebloede mond, stapten desondanks in en zeiden: 'Hallo!' Tijdens de reis naar boven zat het grote zusje haar broertje op zijn nek, vroeg de moeder of ze alsjeblieft wilden ophouden, sloeg de vader geen acht op de anderen en probeerden de twee kleintjes elkaar te knijpen wanneer hun ouders niet keken.

Toen ik het penthouse binnenkwam, schrok Terese zich wezenloos, maar dat duurde maar kort. Ze hielp me in een stoel en belde Win. Win regelde een arts. Die kwam snel en verklaarde dat ik niets had gebroken. Ik zou het wel overleven. De pijn in mijn hoofd werd hoogstwaarschijnlijk veroorzaakt door een hersenschudding. Ik moest rusten. De arts gaf me iets om in te nemen en algauw werd alles wazig. Het volgende wat ik me herinner, is dat ik voelde dat Win bij mijn bed stond. Ik deed eerst mijn ene oog open en daarna het andere. Het was donker in de kamer.

'Je bent niet goed bij je hoofd,' zei Win.

'Nee, echt, ik voel me al een stuk beter. Je hoeft je geen zorgen te maken.'

'Je had op mij moeten wachten.'

'Als het kalf verdronken is...' mompelde ik, en ik probeerde rechtop te gaan zitten. Mijn lijf wilde wel, maar mijn hoofd schreeuwde het uit van de pijn. Ik greep het met beide handen vast om te voorkomen dat het openbarstte.

'Ik ben wel iets te weten gekomen,' zei ik.

'Ik luister.'

De gordijnen waren open. Het was donker buiten. Ik keek op mijn horloge. Het was tien uur 's avonds en ik moest ineens aan iets denken. 'De begraafplaats,' zei ik.

'Wat is daarmee?'

'We zouden het lijk toch opgraven?'

'Wil je dat nog steeds?'

Ik knikte en ging me snel aankleden. Ik hoefde Terese niet gedag te zeggen. We hadden er al over gepraat en ze vond het niet nodig om erbij te zijn. Win liet ons door een limousine oppikken bij de hoofdingang van het hotel. We reden naar een afgelegen parkeerterrein en wisselden daar van auto.

'Hier,' zei Win.

Hij gaf me een klein model revolver, een NAA Black Widow. Ik keek ernaar en vroeg bijna verontwaardigd: 'Een punt tweeëntwintig?'

Gewoonlijk had Win een voorkeur voor zwaardere wapens. Bazooka's en raketwerpers, dat soort werk.

'Het Verenigd Koninkrijk heeft heel strenge wetten als het gaat om het dragen van vuurwapens.' Hij gaf me een nylon enkelholster. 'Dus hou hem uit het zicht.'

Ik knikte en gespte de holster om mijn enkel. Die deed me denken aan mijn steunmanchet van toen ik nog basketbal speelde.

Toen we op de begraafplaats aankwamen, had ik verwacht dat ik het enger zou vinden, maar dat viel reuze mee. Er stonden twee mannen in een gat in de grond en ze waren al bijna klaar. Beiden waren gekleed in een zeeblauwe velours overall die me deed denken aan de Miami-collectie van mijn tante Sophie. Het merendeel van het graafwerk was overdag al gedaan met een kleine gele bulldozer, die naast het graf stond alsof hij wilde zien of de rest van het werk wel naar behoren werd verricht. De twee in velours geklede heren hoefden alleen de aarde van de deksel te scheppen, die te openen en een monster uit de kist te nemen, een botje of iets anders. Daarna kon de kist weer dicht en de aarde er weer bovenop.

Goed dan, misschien vond ik het toch wel een beetje eng.

Het mistte en er daalde een druilerig motregentje op ons neer. Ik stond naast het graf en keek erin. Win deed hetzelfde. Het was donker, maar onze ogen hadden zich genoeg aan het duister aangepast om de contouren te kunnen onderscheiden. Toen de mannen zich bukten, waren ze bijna niet meer te zien.

'Je zei dat je iets te weten was gekomen.'

Ik knikte. 'Die twee mannen die me volgden. Ze spraken Hebreeuws en ze kenden Krav Maga.'

Krav Maga is een Israëlische gevechtskunst.

'En,' voegde Win eraan toe, 'ze waren goed.'

'Je begrijpt waar ik naartoe wil?'

'Goede volgers, goede vechters, gingen ervandoor zonder je te doden, spraken Hebreeuws...' Win knikte. 'Mossad.'

'Het zou de belangstelling van de politiediensten verklaren.'

Onder ons hoorden we een van de mannen vloeken.

'Problemen?' vroeg Win.

'Ze hebben verdomme een slot op die kist gezet,' zei de man. Hij knipte zijn zaklantaarn aan. Nu zagen we alleen de deksel van de kist nog. 'Waarom, in hemelsnaam? Zo'n zwaar slot heb ik niet eens op mijn huis zitten. We zijn verschillende sleutels aan het proberen.'

'Breek het open,' zei Win.

'Weet je het zeker?'

'Wie zal er ooit achter komen?'

De twee mannen begonnen te lachen, grimmig, op de manier die je van grafdelvers kon verwachten. 'Ja, dat is ook weer zo,' zei de ene.

Win keerde zich weer naar mij. 'Maar waarom zou Rick Collins iets met de Mossad van doen hebben?'

'Geen idee.'

'En waarom zou een auto-ongeluk van tien jaar geleden zo interessant zijn dat de Israëlische geheime dienst het nodig vindt zich ermee te bemoeien?'

'Nogmaals: geen idee.'

Win dacht erover na. 'Ik ga Zorra bellen. Misschien kan zij ons helpen.'

Zorra, een extreem gevaarlijke travestiet die ons in het verleden al eens had geholpen, had eind jaren tachtig bij de Mossad gewerkt.

'Goed plan.' Ik dacht erover na. 'Stel dat de man die ik die tafel in zijn gezicht heb gesmeten ook van de Mossad was. Dat zou een paar dingen verklaren.'

'Zoals het feit dat heel Interpol op tilt slaat als we hem proberen te identificeren,' zei Win.

Ik dacht verder na. 'Maar als híj van de Mossad was, was de man die ik heb neergeschoten dat ook.'

Daar dacht Win over na. 'We hebben nog te weinig informatie. Laten we Zorra bellen en kijken wat zij te weten kan komen.'

We hoorden beneden gebonk, gevolgd door gepiep en gekraak. Toen werd er geroepen: 'Hebbes!'

We keken omlaag. In het licht van de zaklantaarn zagen we twee paar handen die de deksel omhoog probeerden te trekken. De mannen kreunden van inspanning. De kist was van normale grootte. Dat verbaasde me. Ik had voor een meisje van zeven een kleinere kist verwacht. Aan de andere kant, misschien had ik dit wel stiekem gehoopt. Misschien was dit de reden dat ik het allemaal niet zo eng vond... dat ik niet echt geloofde dat we een skelet van een meisje van zeven zouden vinden.

Ik wilde er niet meer naar kijken en deed een stap achteruit. Ik was hier om toe te zien, om me ervan te overtuigen dat er werkelijk een monster uit het graf werd genomen. De hele zaak was al krankzinnig genoeg en alles zou definitief worden bepaald door de uitslag van deze test. Wanneer die negatief was, wilde ik niet dat iemand zou zeggen: 'Maar hoe weet je dat het monster in het juiste graf is genomen?' Of: 'Misschien hebben ze alleen maar gezegd dat ze haar zouden opgraven, maar het niet gedaan.' Ik wilde zo veel mogelijk risico's uitsluiten.

'Hij is open,' riep een van de grafdelvers naar boven.

Ik zag Win naar beneden kijken. Toen kwam er weer een stem omhoog uit het graf, heel zacht. 'Grote god.'

Daarna werd het stil.

'Wat is er?' vroeg ik.

'Een skelet,' zei Win terwijl hij nog steeds in het graf keek. 'Klein. Zo te zien van een kind.'

Niemand verroerde zich.

'Neem een monster,' zei Win.

Een van de grafdelvers vroeg: 'Wat voor een monster?'

'Een botje. En een stukje stof, als dat er nog is. Doe het in die plastic zakjes en sluit ze goed.'

Er lag hier een kind begraven. Ik denk dat ik dat toch niet had verwacht. Ik keek naar Win. 'Kan het zijn dat we er helemaal naast zitten?'

Win haalde zijn schouders op. 'DNA liegt niet.'

'Maar als dit niet het stoffelijk overschot van Miriam is, van wie is het dan wel?'

'Er zijn,' zei Win, 'nog andere mogelijkheden.'

'Zoals?'

'Ik heb een van mijn mensen wat speurwerk laten doen. Omstreeks de tijd van het auto-ongeluk is er in Brentwood een meisje verdwenen. Iedereen is ervan overtuigd dat de vader haar heeft vermoord, maar er is nooit een lijk gevonden. De vader loopt nog altijd vrij rond.'

Ik dacht aan wat Win eerder had gezegd. 'Je hebt gelijk. We lopen op de feiten vooruit.'

Win zei niets.

Ik keek nog eens in het graf. Een man met een vuil gezicht gaf me een plastic zakje. 'Alsjeblieft, vriend. Veel plezier ermee en tot ziens in de hel.'

Win en ik liepen terug naar de auto, met het tere botje van een kind dat we midden in de nacht in haar eeuwige slaap hadden gestoord.

20

Om half twee waren we terug in het Claridge. Win trok zich meteen terug voor wat Mei-tijd. Ik nam een lange, hete douche. Toen ik de deur van de minibar in de kamer opentrok, kwam er een glimlach op mijn gezicht. Die was volgeladen met blikjes Yoo-hoo. Die Win toch.

Ik trok er een open, dronk het leeg en wachtte op de suikerkick. Ik zette de tv aan en zapte een paar keer langs alle stations omdat echte mannen dat schijnen te doen. Amerikaanse programma's van vorig jaar. Tereses deur was dicht, maar ik betwijfelde of ze sliep. Ik bleef zitten en haalde een paar keer diep adem.

De klok wees twee uur aan. Acht uur 's avonds in New York. Vijf uur 's middags in Scottsdale, Arizona.

Ik keek naar mijn telefoon en dacht aan Ali en Erin en Jack in Arizona. Ik wist weinig van Arizona. Het was woestijngebied, toch? Wie wilde er nou in een woestijn wonen?

Ik toetste Ali's mobiele nummer in. Haar toestel ging drie keer over voordat ze antwoordde met een bezorgd 'Hallo?'

'Hoi,' zei ik.

'Je nummer verscheen niet op de display,' zei Ali.

'Ik heb een andere telefoon, maar nog hetzelfde nummer.'

Stilte.

Ali vroeg: 'Waar ben je?'

'In Londen.'

'In Engeland?'

'Jep.'

Ik hoorde een geluid op de achtergrond. Het kon Jack zijn. Ali zei: 'Wacht even, schat, ik ben aan de telefoon.' Het viel me op dat ze niet zei met wie ze aan de telefoon was. Gewoonlijk deed ze dat wel.

'Ik wist niet dat je in Europa was,' zei Ali.

'Ik werd gebeld door een kennis die in de problemen zat. Ze was...'

'Ze?'

Ik stopte. 'Ja.'

'Nou, je laat er geen gras over groeien.'

Ik wilde zeggen dat het zoiets niet was, maar ik deed het niet. 'Ik ken haar al tien jaar.'

'Aha. Dus een spontane trip naar Londen om een oude vriendin op te zoeken, is dat het?'

Stilte. Toen hoorde ik Jack weer, die vroeg wie er aan de telefoon was, en het geluid, afkomstig uit een of andere woestijn, dat via een groot deel van de Verenigde Staten en over de Atlantische Oceaan tot me kwam, gaf me een hol gevoel in mijn maag.

'Ik moet ophangen, Myron. Was er verder nog iets?'

Goeie vraag. Er was wel iets, maar daar was het nu niet het moment voor. 'Nee, ik denk het niet,' zei ik.

Zonder nog iets te zeggen verbrak ze de verbinding. Ik keek naar mijn toestel, voelde het gewicht in mijn hand en dacht: wacht eens... Ali had er een eind aan gemaakt, toch? Had ze me dat twee dagen geleden al niet aan het verstand gepeuterd? En wat had ik eigenlijk willen bereiken met dit stomme telefoontje?

Waarom had ik haar eigenlijk gebeld?

Omdat ik een hekel heb aan half werk? Omdat ik het juiste wilde doen, wat dat verdomme ook mocht betekenen?

De pijn van de vechtpartij begon weer op te spelen. Ik stond op, rekte me uit en schudde mijn spieren los. Ik keek naar Tereses deur. Die was dicht. Ik sloop ernaartoe, deed hem op een kier en gluurde naar binnen. Het licht was uit. Ik luisterde of ik haar ademhaling hoorde. Niets. Ik wilde de deur weer dichtdoen.

'Niet weggaan, alsjeblieft,' zei Terese.

Ik bleef staan en zei: 'Probeer maar wat te slapen.'

'Alsjeblieft.'

Ik ben altijd zo voorzichtig geweest wanneer het om hartszaken ging. Ik heb altijd het juiste willen doen. Ik deed nooit zomaar wat. Afgezien van die ene keer op dat eiland, heb ik altijd rekening gehouden met gevoelens en eventuele gevolgen.

'Niet weggaan,' zei ze weer.

En ik ging niet weg.

Toen we elkaar kusten, was er eerst die spanning en toen de bevrijding, een overlevering zoals ik die nooit eerder had meegemaakt, een overlevering zo totaal dat je geen woord zegt, je overgeeft en je hart voelt bonzen in je ribbenkast terwijl je knieën van rubber zijn, je tenen opkrullen van genot, je oren suizen van plezier en elke centimeter van je lichaam volkomen ontspannen is, om het geluk toe te laten.

Die nacht glimlachten we. En we huilden. Ik kuste die beeldschone blote schouder. En de volgende ochtend was ze weer weg.

Maar alleen weg uit bed.

Ik trof Terese in de salon, waar ze koffie zat te drinken. De gordijnen waren open. Om een tekstregel van een oud liedje te gebruiken: de ochtendzon op haar gezicht onthulde haar leeftijd... en de aanblik beviel me zeer. Ze had een badjas van het hotel aan, die een beetje openstond en een glimp toonde van de schat die zich eronder bevond. Ik geloof niet dat ik ooit iets heb gezien wat ik zo verdomde mooi vond.

Terese keek me aan en glimlachte.

'Hoi,' zei ik.

'Hou die gladde praatjes maar voor je. Je hebt me al in bed gekregen.'

'Verdorie, ik heb er de hele nacht op liggen broeden.'

'Nou, je kon toch al niet slapen. Koffie?'

Ze schonk een kop koffie voor me in. Heel voorzichtig ging ik naast haar zitten. Ik voelde de pijn van de vechtpartij nu pas echt. Ik kromp ineen en overwoog een paar van die pijnstillers te slikken die de arts voor me had achtergelaten. Maar nu nog niet. Het enige wat ik nu wilde was naast deze oogverblindend mooie vrouw zitten terwijl we in stilte onze koffie dronken.

'De zevende hemel,' zei ze na een tijdje.

'Ja.'

'Ik wou dat we hier voor altijd konden blijven.'

'Ik denk niet dat ik dat kan betalen.'

Ze glimlachte. Ze stak haar hand uit en pakte de mijne. 'Zal ik je eens iets vreselijks vertellen?'

'Nou?'

'Ergens zou ik dit hele gedoe willen vergeten en er met jou vandoor willen gaan.'

Ik begreep wat ze bedoelde.

'Ik heb jarenlang gedroomd van deze kans om alles recht te zetten. En nu ik die heel misschien heb, ben ik zonder het te willen bang dat ik eraan onderdoor zal gaan.'

Ze keek me aan.

'Nou, hoe vind je dat?'

'Ik zorg dat je er niet aan onderdoor gaat,' zei ik.

Haar glimlach was bedroefd. 'En jij denkt dat je dat kunt?'

Ze had gelijk, maar ik doe wel vaker domme uitspraken. 'Wat wil je dat ik doe?'

'Dat je uitzoekt wat er die avond echt is gebeurd.'

'Oké.'

'Je hóéft me niet te helpen,' zei ze.

'Jawel,' zei ik. 'Helemaal na wat je me gisteravond hebt verteld.'

'Dat is waar.'

'En wat gaan we nu doen?' vroeg ik.

'Ik heb Karen net gebeld. Ik heb tegen haar gezegd dat het tijd is om schoon schip te maken.'

'Hoe reageerde ze?'

'Ze ging akkoord. Over een uur zien we elkaar.'

'Zal ik meegaan?'

Ze schudde haar hoofd. 'Deze keer lijkt het me beter dat we het met z'n tweeën uitpraten.'

'Oké.'

We zaten daar, dronken onze koffie en hadden geen zin om meer te zeggen of iets te doen.

Het was Terese die de stilte verbrak. 'Een van ons zou nu moeten zeggen: "Over afgelopen nacht..."'

'Dat laat ik aan jou over.'

'Ik vond het helemaal fantastisch.'

Ik glimlachte. 'Zie je wel? Ik wist dat ik het aan jou moest overlaten.'

Ze stond op. Ik keek naar haar. Het enige wat ze aanhad was de zachte katoenen badjas van het hotel. Dames, hou jullie frivole kant maar, jullie Victoria's Secret, jullie Frederick's of Hollywood, jullie G-strings en thongs en zijden kousen en petticoats en babydolls. Geef mij maar een mooie vrouw in een katoenen badjas van een hotel, zeven dagen per week.

'Ik ga douchen,' zei ze.

'Is dat een uitnodiging?'

'Nee.'

'O.'

'We hebben geen tijd.'

'Ik kan het ook snel.'

'Dat weet ik. Maar dan lever je niet je beste werk.'

'Au. Die zit.'

Ze boog zich en kuste me zacht op de lippen. 'Dank je,' zei ze.

Ik wilde iets bijdehands terugzeggen – iets als: 'Vertel het door aan al je vriendinnen', of: 'Zucht, alweer een tevreden klant' – maar door de manier waarop ze het zei leek het me beter mijn mond te houden. Er zat iets in haar stem dat me ontroerde en dat me recht in mijn hart raakte. Ik gaf een zacht kneepje in haar hand, zei niets en keek haar na toen ze wegliep.

21

Win wierp één blik op me en zei: 'Je bent eindelijk aan je trekken gekomen.'

Ik wilde ertegen ingaan, maar wat had het voor zin? 'Ja.'

'Details graag,' zei hij.

'Een heer praat niet over dat soort zaken.'

Hij keek me verbijsterd aan. 'Maar je weet dat ik gek ben op details.'

'En jij weet dat ik die altijd voor mezelf hou.'

'Vroeger liet je me kijken. Toen we op de middelbare school zaten en jij met Emily ging, liet je me altijd door het raam kijken.'

'Ik liet je niet kijken. Je dééd het gewoon. En toen ik de jaloezieën had gerepareerd, maakte jij ze weer kapot. Je bent een smeerlap, weet je dat?'

'Er zijn mensen die me een geïnteresseerde vriend zouden noemen.'

'Ja, en de rest noemt je een smeerlap.'

Win haalde zijn schouders op. 'Iedereen heeft zijn fratsen.'

'Hoe ver zijn we?' vroeg ik.

'We komen allebei aan onze trekken.'

'Afgezien daarvan?'

'Ik heb nagedacht,' zei Win.

'Ik luister.'

'Misschien is er een eenvoudiger verklaring voor hoe het bloed van het dode meisje op de plaats delict is terechtgekomen. Neem nou die Red de Engelen-beweging. Een van de dingen waar ze zich mee bezighouden is stamcelonderzoek, toch?'

'In zekere zin, ja. Ze zijn ertegen, volgens mij.'

'En we weten dat er een kans bestaat dat Rick Collins had ontdekt dat hij de ziekte van Huntington had. Dat zijn vader het had was een feit.'

'Oké.'

'Mensen bewaren tegenwoordig het bloed uit de navelstreng van hun kinderen... dat vriezen ze in, om het eventueel later te gebruiken. Dat bloed zit vol stamcellen en de gedachte erachter is dat die – mocht het ooit nodig zijn – het leven van je kind of zelfs je eigen leven zouden kunnen redden. Toen Rick Collins had ontdekt dat hij de ziekte van Huntington had, heeft hij besloten dat bloed voor zichzelf te gebruiken.'

'Stamcellen kunnen de ziekte van Huntington niet genezen.'

'Nog niet, nee.'

'Hoe stel je je dat dan voor? Dat hij die navelstreng bij zich had toen hij werd vermoord en dat die is leeggebloed?'

Win haalde zijn schouders op. 'Vind je dat scenario onwaarschijnlijker dan dat waarin Miriam al die tijd in leven is geweest?'

'En die blonde haar dan?'

'Er zijn meer blonde meisjes op deze wereld. Het meisje dat jij hebt gezien kan best iemand anders zijn.'

Ik dacht erover na. 'Maar dat geeft ons nog geen antwoord op de vraag wie Rick Collins heeft vermoord.'

'Dat is waar.'

'Ik denk nog steeds dat waar dit ook om draait, het begonnen is met dat auto-ongeluk van tien jaar geleden. We weten dat Nigel Manderson erover loog.'

'Inderdaad,' zei Win.

'En dat Karen Tower iets verzwijgt.'

'En die Mario?'

'Wat is er met hem?'

'Verzwijgt hij ook iets?'

Ik dacht erover na. 'Dat zou kunnen. Ik heb straks een afspraak met hem; hij zou Ricks werkdossiers voor me opzoeken. Ik ga proberen hem nog wat verder uit te horen.'

'Dan hebben we ook nog de Israëli's – mogelijk de Mossad – die jou schaduwen. Ik heb Zorra gebeld. Ze gaat navraag doen bij haar bronnen.'

'Mooi zo.'

'En ten slotte hebben we jouw Parijse confrontatie en de foto die de alarmbellen in de hoogste top van Interpol doet rinkelen.'

'Hoe is je gesprek bij Interpol verlopen?'

'Ze hebben me vragen gesteld en ik heb hun mijn verhaal verteld.'

'Eén ding dat ik niet begrijp,' zei ik. 'Waarom hebben ze mij nog niet opgepakt?'

Win glimlachte. 'Dat weet je best.'

'Omdat ze me schaduwen.'

'Het juiste antwoord.'

'Heb je ze gezien?'

'Een zwarte auto rechts op de hoek.'

'En de Mossad schaduwt me hoogstwaarschijnlijk ook.'

'Je bent erg populair hier.'

'Omdat ik zo goed kan luisteren. Daar houden mensen van, iemand die goed kan luisteren.'

'Inderdaad.'

'Ik doe het ook goed op feestjes.'

'En je danst als een slangenmens. Wil je dat ik iets aan je achtervolgers doe?'

'Ik zou ze best een dagje willen missen.'

'Geen probleem.'

Je achtervolgers afschudden is redelijk simpel. In dit geval had Win een auto met getinte ruiten voor ons geregeld. We reden een ondergrondse parkeergarage met meer dan één uitgang in. De oorspronkelijke auto reed weer naar buiten. Binnen stonden twee andere auto's op ons te wachten. Win stapte in de ene, ik in de andere.

Terese was nu bij Karen. Ik was onderweg naar Mario Contuzzi.

Twintig minuten later belde ik aan bij Mario's flat. Geen reactie. Ik keek op mijn horloge. Ik was een minuut of vijf te vroeg. Ik dacht aan de zaak, aan de vraag waarom Interpol zich lam was geschrokken van die ene foto.

Wie wás die man die me in Parijs met een pistool had bedreigd?

Ik had al op allerlei indirecte en ludieke manieren geprobeerd achter zijn identiteit te komen. Misschien moest ik, nu ik een paar minuten over had, maar eens de directe manier proberen.

Ik belde Berleands privénummer.

Het toestel ging twee keer over en ik hoorde een stem die in het Frans iets tegen me zei.

'Ik zou inspecteur Berleand graag willen spreken.'

'Die is met vakantie. Kan ik u helpen?'

Met vakantie? Ik probeerde me Berleand voor te stellen in een korte broek en T-shirt op het strand van Cannes, maar op de een of andere manier wilde dat niet lukken. 'Ik moet hem echt zelf spreken.'

'Mag ik vragen wie u bent?'

Het had geen zin dat te verzwijgen. 'Myron Bolitar.'

'Het spijt me, maar hij is er niet.'

'Kun je contact met hem opnemen en hem vragen of hij Myron Bolitar belt? Alsjeblieft, het is dringend.'

'Blijft u aan de lijn.'

Ik bleef aan de lijn.

Na een minuut hoorde ik een andere stem, een norse stem die perfect, eh... Amerikaans sprak. 'Wat kan ik voor je doen?'

'Niks, denk ik. Ik wil inspecteur Berleand spreken.'

'Je kunt met mij praten, Bolitar.'

'Maar je klinkt niet als een bijzonder vriendelijk persoon,' zei ik.

'Dat ben ik ook niet. Heel slim hoe je aan ons schaduwteam bent ontsnapt, maar daar zijn we helemaal niet blij mee.'

'Wie ben jij?'

'Je mag me special agent Jones noemen.'

'Mag ik je ook súper special agent Jones noemen? Waar is inspecteur Berleand?'

'Inspecteur Berleand is op vakantie.'

'Sinds wanneer?'

'Sinds hij jou tegen de regels in die foto heeft gestuurd. Hij was het toch die jou die foto heeft gestuurd?'

Ik aarzelde. Toen zei ik: 'Nee.'

'Nee, dat zal wel niet. Waar ben je, Bolitar?'

In de flat van Mario Contuzzi begon de telefoon te rinkelen. Eén keer, twee keer, drie keer.

'Bolitar?'

Na zes keer overgaan werd het weer stil.

'We weten dat je in Londen bent. Waar hang je uit?'

Ik verbrak de verbinding en keek naar Mario's deur. De telefoon had echt gerinkeld, zoals een ouderwetse telefoon dat doet – niet de beltoon van een mobiel toestel – dus het ging hier om een vaste aansluiting. Hm. Ik legde mijn hand op de deur. Die voelde zwaar en degelijk aan. Ik drukte mijn oor tegen het koele oppervlak, toetste Mario's mobiele nummer in en zag het op de display verschijnen. Het duurde even voordat de verbinding tot stand was gebracht.

Toen ik het gedempte gepiep van Mario's mobiele telefoon door de deur heen hoorde – het gerinkel van de vaste lijn was hard; dit gepiep niet – begon ik het ergste te vrezen. Goed, misschien had het niets te betekenen, maar de meeste mensen verplaatsen zich tegenwoordig geen vijf meter, zelfs niet als ze naar de wc gaan, zonder hun onafscheidelijke mobiele telefoon. Je kunt dat overdreven vinden, maar de kans dat iemand die bij het tv-nieuws werkt naar kantoor gaat zonder zijn mobiele telefoon, is te verwaarlozen.

'Mario?' riep ik.

Ik begon op de deur te bonzen.

'Mario?'

Niet dat ik verwachtte dat hij zou antwoorden, natuurlijk niet. Ik drukte mijn oor weer tegen de deur, zonder precies te weten wat ik wilde horen. Een kreun? Een hulpkreet? Iets anders?

Geen enkel geluid.

Ik ging mijn mogelijkheden na. Dat waren er niet veel. Ik deed een stap achteruit, trok mijn been op en trapte tegen de deur. Die gaf geen krimp.

'Met staal versterkt, maat. Daar trap je niet doorheen.'

Ik draaide me in de richting van de stem. De man had een zwartleren vest aan, met niets eronder, en had daar helaas de lichaamsbouw niet voor. Die lichaamsbouw, waarvan hij veel te veel liet zien, was zowel mager als mollig. Hij had een ring door het tussenschot van zijn neus, zoals een stier. Het weinige haar dat hij nog had was opgekamd in een hanenkam die zijn kalende schedel moest camoufleren. Ik schatte hem begin vijftig. Hij zag eruit alsof hij in 1979 naar een homobar was gegaan en nu pas thuiskwam.

'Ken je de Contuzzi's?' vroeg ik.

De man glimlachte. Ik had een ivoren nachtmerrie verwacht, maar hoewel de rest van zijn lichaam in diverse stadia van verval verkeerde, had hij stralend witte tanden. 'Ah,' zei hij. 'Je bent Amerikaan.'

'Ja.'

'Een vriend van Mario, huh?'

Ik zag geen reden voor lange antwoorden. 'Ja.'

'Tja, wat zal ik zeggen, maat. Normaliter is het een braaf en rustig stel, maar je kent het spreekwoord... als de vrouw van huis is, danst de muis des huizes op tafel.'

'Wat bedoel je?'

'Hij had hier een meisje, hij, Mario. Zal wel tegen betaling geweest zijn, als je begrijpt wat ik bedoel. De muziek stond loeihard. En wat een klotemuziek was het. The Eagles. God, jullie Amerikanen moesten je rot schamen.'

'Vertel me over het meisje.'

'Waarom?'

Ik had hier geen tijd voor. Ik haalde mijn revolver uit de holster. Niet om op hem te richten, maar alleen om hem te laten zien. 'Ik ben van de Amerikaanse politie,' zei ik. 'Ik vermoed dat Mario in groot gevaar verkeert.'

Als mijn revolver of mijn verzoeken indruk maakten op deze Billy Idol-lookalike, liet hij dat niet merken. Hij haalde zijn knokige schouders op. 'Tja, wat zal ik zeggen? Jong, blond... ik heb haar niet goed kunnen zien. Ze kwam gisteravond, toen ik de deur uit ging.'

Jong en blond. Mijn hart begon te bonzen. 'Ik moet echt naar binnen.'

'Die deur trap jij niet in, maat. Pas maar op, straks breek je je voet nog.'

Ik richtte de revolver op het slot.

'Ho, wacht even. Denk je echt dat hij in gevaar verkeert?'

'Ja.'

Hij zuchtte. 'Er is een reservesleutel van de voordeur. Boven je, op het randje.'

Ik stak mijn hand omhoog en liet mijn vingertoppen over de smalle rand van de deurpost gaan. Inderdaad, een sleutel. Ik stak hem in het slot. Billy Idol kwam naast me staan. De stank van sigarettenrook walmde van hem af alsof hij de afgelopen avond als asbak was gebruikt. Ik opende de deur en ging naar binnen. Billy Idol volgde me op de voet. We deden twee stappen vooruit en bleven als versteend staan.

'O mijn god...'

Ik zei niets. Ik stond daar en keek, niet in staat me te verroeren. Het eerste wat ik zag waren Mario's voeten. Die waren met brede grijze tape aan de poten van de salontafel gebonden. De babybox en de pluchen speelgoedbeesten die ik gisteren had gezien, waren opzij geschopt. Ik vroeg me af of Mario daar in de laatste minuten van zijn leven naar had gekeken.

Zijn voeten waren bloot. Ernaast, op de grond, lag een elektrische boormachine. Er zaten kleine gaten, volmaakt rond en donkerrood van kleur, in zijn tenen en hielen. Gaten, wist ik, die met de boormachine waren gemaakt. Ik wachtte tot ik weer gevoel in mijn benen had en deed een stap vooruit. Hij had nog meer gaten in zijn lichaam. Hij was door beide knieschijven en in zijn ribbenkast geboord. Langzaam ging mijn blik naar zijn gezicht. Onder zijn neus zaten gaten, in zijn jukbeenderen en onderkaak, en een in zijn kin. Mario's magere gezicht keek me aan met ogen die niets meer zagen. Hij moest afschuwelijke pijnen hebben geleden.

'O mijn god...' fluisterde Billy Idol weer.

'Hoe laat heb je die harde muziek gehoord?'

'Huh?'

Ik had niet de kracht om het nog een keer te vragen, maar hij had me wel verstaan. 'Vijf uur 's morgens.'

Gemarteld. De muziek had zo hard gestaan om zijn geschreeuw te overstemmen. Ik wilde niets aanraken, maar ik kon zien dat het bloed er vers uitzag. Op de vloer lag het witte gruis van verpulverd bot. Ik keek weer naar de boor. Ik dacht aan het gierende geluid, aan het gegil van pijn toen de boor dwars door de huid en het vlees in het bot drong.

Meteen daarna dacht ik aan Terese, bij Karen, slechts een paar straten hiervandaan.

Ik rende terug naar de voordeur. 'Bel de politie!' riep ik achterom.

'Wacht. Waar ga jij naartoe?'

Geen tijd om antwoord te geven. Al rennende over de galerij stak ik de revolver in mijn zak en haalde mijn mobiele telefoon eruit. Ik toetste Tereses mobiele nummer in. Het toestel ging over. Eén keer, twee keer, drie keer. Mijn hart bonsde in mijn borstkas. Ik kwam bij de lift en sloeg een paar keer op de knop. Ik keek door het raam naar buiten terwijl Tereses telefoon voor de vierde keer overging, en op dat moment zag ik haar, op straat, opkijkend naar de flat.

Het blonde meisje dat ik achter in het busje had gezien.

Ze zag me, draaide zich om en rende weg. Ik had haar gezicht niet goed kunnen zien. Het kon dus ieder willekeurig blond meisje zijn. Alleen was dat niet zo. Het was hetzelfde meisje. Ik wist het zeker.

Wat was er verdomme aan de hand?

Het begon me te duizelen. Ik zocht naar de deur van het trappenhuis, maar op dat moment ging de deur van de lift open. Ik stapte in en drukte op de knop van de begane grond.

Tereses toestel schakelde door naar haar voicemail.

Dat had niet mogen gebeuren. Ze moest nu bij Karen zijn, hier vlakbij, binnen bereik van mijn telefoon. Zelfs als Karen en zij in een moeilijk gesprek zaten, zou ze antwoorden. Terese wist dat ik haar alleen zou bellen als het dringend was.

Verdomme, wat nu?

Ik dacht aan de elektrische boor. Ik dacht aan Terese. Ik dacht aan Mario's gezicht van zo-even. Ik dacht aan het blonde meisje. Al die beelden schoten door mijn hoofd toen de lift *ping* zei en de deur openging.

Hoe ver was ik van Karens huis?

Twee straten.

Ik rende de flat uit en drukte op de keuzeknop van Wins nummer. Hij antwoordde meteen, maar voordat hij 'duidelijk spreken' had kunnen zeggen zei ik: 'Ga naar Karens huis. Mario is dood en Terese neemt haar telefoon niet op.'

'Tien minuten,' zei Win.

Ik verbrak de verbinding en meteen begon mijn toestel weer te trillen. Al rennende hield ik het voor mijn gezicht om te zien wie er belde. Ik bleef abrupt staan.

Het was Terese.

Ik drukte op het groene knopje en hield het toestel tegen mijn oor. 'Terese?'

Geen antwoord.

'Terese?'

En toen hoorde ik het doordringende, jankende geluid van een elektrische boor.

De adrenalinegolf door mijn lijf benam me de adem. Ik kneep mijn ogen dicht, heel even maar. Ik had geen tijd te verliezen. Mijn benen tintelden, maar ik begon weer te rennen, nog harder dan daarvoor.

Het gejank van de boor hield op en ik hoorde een mannenstem.

'Vergelding is leuk, vind je niet?'

Het verfijnde Engelse accent, dezelfde dictie als toen hij in Parijs tegen me zei: 'Luister naar me of ik schiet je dood.'

De man die ik de tafel in zijn gezicht had gesmeten. De man van de foto.

De verbinding werd verbroken.

Ik haalde de revolver uit mijn zak en rende door, met de revolver in de ene hand en mijn telefoon in de andere. Angst kan rare dingen doen met de mens. Angst kan je in staat stellen de wonderbaarlijkste daden te verrichten – u kent de verhalen wel over mensen die een loodzware auto van hun geliefde af tillen, om maar een voorbeeld te noemen – maar angst kan je ook verlammen en rare dingen met je lichaam en geest doen, zodat je bijna geen adem meer krijgt. Hardlopen kan opeens heel moeilijk worden, alsof je, zoals in je angstdromen, door een halve meter sneeuw moet ploegen. Ik moest mezelf tot kalmte dwingen, ook al werd mijn hele borstkas in elkaar gedrukt door de angst.

In de verte zag ik Karens huis.

Het blonde meisje had net de voordeur bereikt.

Ze draaide zich om en toen ze me zag aankomen, ging ze het huis binnen. Het was overduidelijk dat dit een val was, maar ja, ik had geen keus, of wel soms? Het telefoontje met Tereses toestel en het geluid van de boor galmden na in mijn hoofd. Dat was de opzet geweest, wist ik. En wat had Win gezegd? Tien minuten. Nu nog zes of hooguit zeven.

Moest ik wachten? Kon ik dat opbrengen?

Ik maakte me klein en sloop langs de muren van de huizen. Ik drukte de knop van Wins nummer weer in. 'Vijf minuten,' zei Win. Ik verbrak de verbinding.

Het blonde meisje was nu in het huis. Ik wist niet wie daar nog meer waren en hoe de situatie was. Vijf minuten. Ik móést vijf minuten wachten. Het zouden de langste vijf minuten van mijn leven worden, maar ik kon het, ik moest wel, ik moest me beheersen, moest me verzetten tegen de algehele paniek. Ik kwam bij het huis, hurkte neer onder een van de ramen en luisterde. Geen enkel geluid. Geen gegil. Geen elektrische boor. Ik wist niet of ik me opgelucht moest voelen… of dat ik gewoon te laat was.

Ik bleef tegen de voorgevel van het huis zitten. Het raam bevond zich boven mijn hoofd. Ik probeerde me de indeling van het huis te herinneren. Dit moest het raam van de woonkamer zijn. Oké, en nu? Nu niks. Ik wachtte. De revolver voelde goed in mijn hand, het gewicht was geruststellend. Vuurwapens, van welk formaat ook, leggen gewicht in de schaal. Ik was geen fantastische schutter, maar wel een redelijk goede. Om fantastisch te worden moest je veel trainen. Maar ik wist dat ik op het midden van de borstkas moest richten en meestal hoe ik dichtbij genoeg moest komen om effectief te zijn.

Dus, wat nu?

Kalm blijven. Wacht op Win. Die is goed in dit soort dingen.

Vergelding is leuk, vind je niet?

Het verfijnde accent, de kalme manier van praten. Ik dacht weer aan Mario, aan al die gaten in zijn lijf en de onvoorstelbare pijn die hij geleden moest hebben terwijl dat verdomde verfijnde accent door mijn hoofd echode. Hoe lang zou het geduurd hebben? Hoe lang had Mario de helse pijnen moeten verdragen? Was hij blij geweest toen er een eind aan kwam, of had hij zich ertegen verzet?

In de verte hoorde ik sirenes. Waarschijnlijk de politie, op weg naar Mario's huis.

Ik droeg geen horloge meer, dus keek ik op mijn telefoon om te zien hoe laat het was. Als Win op tijd was – en meestal was hij dat – zou het nog drie minuten duren voordat hij hier was. Wat kon ik in de tussentijd doen?

Mijn revolver.

Ik vroeg me af of het blonde meisje die had gezien. Ik dacht het niet. Zoals Win had uitgelegd, zag je in het Verenigd Koninkrijk zelden vuurwapens. De mensen in het huis, wie dat ook waren, zouden waarschijnlijk denken dat ik ongewapend was. Hoezeer het me ook tegenstond, stak ik de revolver terug in de enkelholster.

Drie minuten.

Mijn mobiele telefoon ging over. Op de display zag ik dat het Tereses toestel weer was. Aarzelend zei ik hallo.

'We weten dat je buiten bent,' zei de stem met het verfijnde accent. 'Je hebt tien seconden om met je handen omhoog door de voordeur binnen te komen, anders schiet ik een van deze mooie dames door het hoofd. Eén, twee...'

'Ik kom eraan.'

'Drie, vier...'

Ik had geen keus. Ik sprong op en haastte me naar de voordeur.

‘Vijf, zes, zeven…’

‘Doe ze geen kwaad; ik ben er bijna.’

Doe ze geen kwaad. Ja ja… Wat kon ik anders zeggen?

Ik greep de deurknop vast. Die gaf mee. De deur ging open en ik deed een stap naar binnen.

De verfijnde stem zei: ‘Met je handen omhoog, zei ik.’

Ik stak mijn handen hoog in de lucht. De man van de foto stond aan de andere kant van de kamer. Hij had een strook witte pleister dwars over zijn gezicht. En twee blauwe ogen, zoals je die krijgt wanneer je neus is gebroken. Dat zou me een voldaan gevoel moeten geven, maar ten eerste had hij een pistool in zijn hand. En ten tweede zaten Terese en Karen op hun knieën voor hem op de grond, met hun handen achter de rug geboeid en hun gezicht naar mij toe gekeerd. Ze zagen er min of meer ongedeerd uit.

Ik keek naar links en naar rechts. Nog twee mannen, beiden met een pistool dat ze op mijn hoofd gericht hielden.

Geen spoor van het blonde meisje.

Ik bleef doodstil staan, met mijn handen in de lucht, en probeerde er zo ongevaarlijk mogelijk uit te zien. Win moest er nu bijna zijn. Nog één of twee minuten. Ik moest tijd rekken. Ik maakte oogcontact met de man met wie ik in Parijs had gevochten. Ik deed mijn uiterste best rustig en beheerst te praten.

‘Hoor eens, laten we erover praten, oké? Er is geen reden om…’

Hij zette de loop van zijn pistool tegen het achterhoofd van Karen Tower, glimlachte naar me en haalde de trekker over.

Een oorverdovende knal, een korte guts bloed, absolute stilte; een moment waarin het leek alsof de tijd stilstond en toen klapte Karens lichaam voorover op de grond als een marionet waarvan iemand de touwtjes had doorgeknipt. Terese gilde. Misschien slaakte ik ook een kreet.

Op dat moment richtte de man het pistool op Terese.

Omijngod-omijngod-omijngod…

‘Nee!’

Mijn instinct nam het over en kende maar één commando: red Terese. Ik dook, letterlijk, alsof ik in het zwembad was, naar voren.

De pistolen van de mannen aan weerszijden van me gingen af, maar ze hadden de gebruikelijke fout gemaakt dat ze die op mijn hoofd hadden gericht, dus hun kogels vlogen over me heen. Vanuit mijn ooghoek zag ik Terese wegrollen terwijl de loop van het pistool haar volgde.

Het moest sneller.

Ik probeerde diverse dingen tegelijk te doen: me zo klein mogelijk te maken, kogels te ontwijken, naar de andere kant van de kamer te stormen en de revolver uit de enkelholster te halen om die smerige schoft te vermoorden. De afstand werd kleiner. Zigzaggen zou het verstandigste zijn, maar daar had ik geen tijd voor. De stem in mijn hoofd had maar één opdracht: red Terese. Ik moest bij hem zijn voordat hij de trekker weer kon overhalen.

Ik slaakte een harde kreet, niet van angst of pijn maar om zijn aandacht te trekken, om hem ten minste in de verleiding te brengen zich naar mij te keren… hem af te leiden, al was het maar een halve seconde, van zijn voornemen om Terese dood te schieten.

Ik kwam dichterbij.

De tijd had zichzelf opgerekt. Er waren waarschijnlijk nog geen twee seconden verstreken sinds hij Karen had geëxecuteerd. Dat was alles. En nu, zonder tijd te hebben om na te denken of iets te verzinnen, was ik bijna bij hem.

Maar ik zou te laat zijn. Ik zag dat nu in. Ik stak mijn beide armen uit alsof ik op die manier de afstand kon overbruggen. Dat lukte niet. Ik was nog te ver van hem vandaan.

Hij haalde de trekker weer over.

Een harde knal echode door de kamer. Terese viel op de grond.

Mijn schreeuw werd een laag, dierlijk gebrul. Iemand stak zijn hand in mijn borstkas en kneep mijn hart fijn. Ik bleef hem naderen, ook al draaide de loop van zijn pistool mijn kant op. Mijn angst was verdwenen… ik handelde uit pure, instinctieve haat. De loop van het pistool draaide nog steeds mijn kant op, werd bijna op mij gericht, toen ik dieper ineenboog en mijn hoofd in zijn maagstreek boorde. Hij schoot nog wel, maar de kogel vloog hoog over me heen.

Ik wierp hem hard tegen de muur en schopte zijn voeten onder hem vandaan. Hij begon me met de kolf van het pistool op mijn rug te timmeren. In een andere situatie, in een andere tijd, zou dat misschien pijn hebben gedaan, maar nu voelde het als een paar muggensteken. Ik was de pijn voorbij, niet langer geïnteresseerd in zelfbehoud. We kwamen hard op de vloer terecht. Ik liet hem los, rolde van hem weg, probeerde een beetje afstand te creëren om de revolver uit de enkelholster te kunnen trekken.

Dat was een fout.

Ik was er zo op gebrand om de revolver te trekken en die klootzak voor zijn kop te schieten dat ik bijna was vergeten dat er nog twee gewapende tegenstanders in de kamer waren. De man die rechts van me had gestaan, kwam naar voren en richtte zijn pistool. Ik liet me achteruit vallen op het moment dat hij schoot, maar opnieuw was ik te laat.

De kogel trof me.

Hete, brandende pijn. Ik voelde het hete metaal werkelijk mijn lichaam binnendringen, wat me de adem benam en me plat op mijn rug wierp. De man richtte zijn pistool opnieuw, maar op dat moment klonk er een ander schot en werd er zo'n hap vlees uit de hals van de man gerukt dat hij bijna werd onthoofd. Ik keek langs zijn vallende lijk maar wist het al.

Win was gearriveerd.

De andere man, die links van me had gestaan, kreeg net de kans om opzij te kijken en te zien dat Win zijn kant op draaide en de trekker weer overhaalde. De kogel van een zwaar kaliber trof hem midden in zijn gezicht en zijn hoofd spatte uiteen. Ik keek naar Terese. Ze bewoog niet. De man van de foto – de man die op haar had geschoten – probeerde weg te komen, de andere kamer in. Ik hoorde meer pistoolvuur. Ik hoorde iemand roepen dat we ons niet moesten verroeren. Ik liet ze roepen. Op de een of andere manier lukte het me om naar de deuropening te kruipen. Het bloed gutste uit mijn lijf. Ik kon het niet met zekerheid zeggen, maar volgens mij was ik ergens in de buurt van mijn maag geraakt.

Ik kroop door de deuropening zonder te kijken of de kust veilig was. Op je doel af, dacht ik. Grijp die klootzak en maak hem dood. Hij was bijna uit het raam gekropen. Ik had veel pijn en wist misschien niet meer wat ik deed, maar ik dook naar voren, strekte mijn armen en kreeg zijn been te pakken. Hij probeerde me van zich af te trappen, maar ik gaf geen krimp. Ik trok hem achteruit totdat hij weer op de vloer viel.

We raakten in een worsteling, maar hij was geen partij voor mijn woede. Ik stak hem met mijn duim in zijn oog, wat hem danig verzwakte. Ik greep hem bij zijn keel, zette mijn duimen op zijn luchtpijp en begon te drukken. Hij probeerde zich los te worstelen, sloeg me in mijn gezicht en nek. Ik hield vast.

'Geen beweging! Loslaten!'

Stemmen in de verte. Opschudding. Ik wist niet eens zeker of het wel echte stemmen waren. Misschien was het de wind wel. Of ik was aan het hallucineren. Het accent klonk Amerikaans. Bekend zelfs.

Ik bleef zijn luchtpijp dichtdrukken.

'Ik zei: "Geen beweging!" Laat hem los! Nu!'

Ik was omsingeld. Zes, acht man, misschien wel meer. Waarvan de meesten een vuurwapen op me richtten.

Mijn blik kruiste die van de moordenaar. Er zat iets uitdagends en neerbuigends in zijn blik. Ik voelde mijn greep verslappen. Ik wist niet of het kwam door de bevelen die naar me werden geroepen of dat ik door de kogelwond aan het eind van mijn krachten was. Mijn handen gleden van zijn hals. De moordenaar hoestte en hapte naar adem, en toen probeerde hij gebruik te maken van mijn inzinking.

Hij bracht zijn pistool omhoog.

Precies zoals ik had gehoopt.

Ik had intussen de kleine revolver uit de enkelholster gehaald. Met mijn linkerhand greep ik zijn pols vast.

De bekende Amerikaanse stem riep: 'Niet doen!'

Maar ik luisterde niet; het kon me niet schelen als ze me hadden doodgeschoten. Met mijn linkerhand om zijn pols geklemd bracht ik de rechter met de revolver omhoog, drukte de loop onder zijn kin en vuurde. Er spatte iets op mijn gezicht wat nat, warm en kleverig was. Toen liet ik de revolver los en viel boven op het roerloze lichaam.

Ik werd overmeesterd door de mannen, die met velen waren, zo te voelen aan al die handen. Nu ik had gedaan wat ik moest doen, voelde ik mijn kracht en mijn wil om te leven wegebben. Ik liet toe dat ze me omdraaiden, mijn handen achter mijn rug boeiden en wat ze verder ook nog wilden. Het was niet langer nodig me te verzetten. Al mijn vechtlust was verdwenen. Ze legden me op mijn rug op de grond. Ik draaide mijn hoofd opzij en keek naar het roerloze lichaam van Terese. Ik ervoer een verdriet zo enorm dat ik het nooit voor mogelijk had gehouden.

Haar ogen waren dicht, en heel kort daarna de mijne ook.

Deel twee

22

Dorst.

Een keel als schuurpapier. Ogen die niet open willen. Of misschien zíjn ze wel open.

Absolute duisternis.

Motorgeronk. Ik voel dat er iemand over me heen gebogen staat.

'Terese...'

Ik denk dat ik het hardop zeg, maar zeker weten doe ik het niet.

Een volgend stukje herinnering: stemmen.

Ze lijken van heel ver te komen. Ik begrijp geen woord van wat er wordt gezegd. Geluiden, meer niet. Een boze stem. Die komt dichterbij. Harder. In mijn oor nu.

Mijn ogen gaan open. Ik zie wit.

De stem blijft steeds dezelfde woorden herhalen.

Klinkt als: 'Al-sabr wal-sayf.'

Ik begrijp het niet. Misschien praten ze onzin. Of een vreemde taal. Ik heb geen idee.

'Al-sabr wal-sayf.'

Iemand roept het in mijn oor. Mijn ogen gaan weer dicht. Ik wil dat het ophoudt.

'Al-sabr wal-sayf.'

De stem klinkt boos en dwingend. Ik geloof dat ik 'sorry' zeg.

'Hij begrijpt het niet,' zegt iemand.

Stilte.

Pijn in mijn zij.

'Terese...' zeg ik weer.

Geen antwoord.

Waar ben ik?

Ik hoor weer een stem, maar ik begrijp niet wat die zegt.

Ik voel me alleen, moederziel alleen. Ik lig op mijn rug. Ik geloof dat ik beef.

'Ik zal de situatie aan u uitleggen.'

Ik kan me nog steeds niet bewegen. Ik probeer mijn mond open te doen, maar het lukt niet. Open mijn ogen. Wazig. Het gevoel dat mijn hele hoofd in een dikke laag kleverige spinrag is gewikkeld. Ik probeer het spinrag eraf te schudden. Het blijft om mijn hoofd zitten.

'U hebt vroeger voor de overheid gewerkt, is het niet?'

Heeft de stem het tegen mij? Ik knik, maar verder verroer ik me niet.

'Dan weet u van het bestaan van dit soort plekken. Ze hebben altijd bestaan. U hebt er op z'n minst geruchten over gehoord.'

Ik had die geruchten nooit geloofd. Misschien na 11 september. Maar daarvoor niet. Ik geloof dat ik 'nee' zeg, maar misschien denk ik dat alleen maar.

'Niemand weet waar u bent. Niemand zal u hier vinden. We kunnen u vasthouden zo lang we willen. We kunnen u vermoorden als we daar zin in hebben. Of we kunnen u laten gaan.'

Vingers om mijn bovenarm. En vingers om mijn pols. Me verzetten is zinloos. Ik word in mijn arm geprikt. Ik kan me niet bewegen. Ik kan het niet tegenhouden. Ik herinner me dat ik zes was en dat mijn vader me meenam naar de kermis op Northfield Avenue. Draaimolens en andere attracties. Het 'Huis van de Waanzin'. Zo heette een van de attracties. Spiegels en reusachtige clownskoppen en een geluidsbandje met angstaanjagend gelach. Ik ging alleen naar binnen. Ik was tenslotte al een grote jongen. Ik verdwaalde, wist niet meer waar ik was en kon de uitgang niet vinden. Vlak voor me schoot zo'n grote clownskop omhoog. Ik begon te huilen. Toen ik me omdraaide, schoot er een andere clownskop omhoog, die vals naar me lachte.

Dit voelt net zo.

Ik huilde en liep panisch in het rond. Ik riep om mijn vader. Hij riep mijn naam terug, kwam naar binnen stormen, dwars door een van de kartonnen wanden, vond me en toen was alles weer goed.

Pa, denk ik. Pa komt me redden. Hij kan ieder moment komen binnenstormen.

Maar er komt niemand.

'Waar kent u Rick Collins van?'

Ik vertel de waarheid. Voor de zoveelste keer. Ik ben zo moe.

'En waar kent u Mohammad Matar van?'

'Ik weet niet wie dat is.'

'U hebt hem in Parijs geprobeerd te vermoorden. En in Londen hébt u hem vermoord, voordat we u konden overmeesteren. Door wie bent u gestuurd om hem te vermoorden?'

'Door niemand. Hij bedreigde me.'

Ik leg het uit. Daarna gebeurt er iets afschuwelijks met me, maar ik weet niet wat het is.

Ik loop. Mijn handen zijn op mijn rug geboeid. Ik kan niet veel zien, alleen een paar piepkleine puntjes licht. Op beide schouders ligt een hand. Ze worden ruw omlaag gedrukt.

Ik lig op mijn rug.

Benen samengebonden. Een riem strak over mijn borstkas. Mijn hele lijf vastgesnoerd op een hard oppervlak.

Kan helemaal niets bewegen.

Opeens zijn de puntjes licht er niet meer. Ik geloof dat ik schreeuw. Het kan zijn dat ik ondersteboven hang. Zeker weten doe ik het niet.

Een reusachtige, natte hand wordt op mijn gezicht gelegd. Pakt mijn neus vast. Bedekt mijn mond.

Krijg geen adem meer. Probeer mijn hoofd te schudden. Mijn armen weerloos. Benen samengebonden.

Kan me niet verroeren. Iemand houdt mijn hoofd vast. Kan het niet eens draaien. De hand wordt harder op mijn gezicht gedrukt. Geen lucht.

Paniek. Ik stik.

Probeer adem te halen. Doe mijn mond open. Adem in. Je moet inademen. Kan het niet. Water golft mijn keel en neus binnen.

Ik kokhals. Brandende pijn in mijn longen. Ze staan op springen. Spieren schreeuwen het uit van de pijn. Je móét je bewegen. Gaat niet. Geen ontsnappen mogelijk.

Geen lucht.

Ik ga dood.

Ik hoor iemand huilen en besef dat ik het zelf ben.

Opeens een brandende pijn.

Mijn rug kromt zich. Mijn ogen puilen uit mijn hoofd. Ik schreeuw het uit.

'O god, alstublieft...'

De stem is de mijne, maar ik herken hem niet. Zo iel. Ik voel me zo verdomde zwak.

'We hebben een paar vragen voor u.'

'Alstublieft. Ik zal ze allemaal beantwoorden.'

'En nog het een en ander.'

'En mag ik daarna gaan?'

Het klinkt smekend.

'Dat is ongeveer uw enige hoop.'

Ik schrik wakker met een fel licht in mijn gezicht.

Ik knipper met mijn ogen. Mijn hart begint te jagen. Krijg bijna geen adem. Ik weet niet waar ik ben. Mijn gedachten gaan terug. Wat is het laatste wat ik me herinner? Dat ik de loop van de revolver onder de kin van die smeerlap zette en de trekker overhaalde.

Er is nog iets anders, in een uithoek van mijn geest, net buiten bereik. Misschien een droom. U kent het gevoel... je schrikt wakker uit een nachtmerrie die zo verdomde echt leek, maar dan, als je hem weer voor de geest probeert te halen, voel je de herinnering verdampen, als rook die opstijgt. Dat is wat mij nu overkomt. Ik probeer me vast te klampen aan die beelden, maar ze lossen op voordat ik ze zie.

'Myron?'

De stem klinkt kalm en helder. Ik ben bang voor deze stem. Ik huiver. Ik schaam me heel erg, al weet ik niet precies waarom.

Mijn stem klinkt bijna slaafs. 'Ja?'

'Je zult het meeste hiervan vergeten. En dat is maar beter ook. Trouwens, niemand zal je geloven... en áls ze je geloven, zullen ze ons nooit kunnen vinden. Je weet niet waar we zijn. Je weet niet hoe we eruitzien. En vergeet vooral niet dat we dit nog een keer kunnen doen. We kunnen je oppakken wanneer we maar willen. En niet alleen jou. Ook je familie. Je vader en moeder in Miami. Je broer in Zuid-Amerika. Begrijp je dat?'

'Ja.'

'Zet het uit je hoofd. Als je dat doet, komt alles in orde, oké?'

Ik knik. Mijn ogen draaien weg. Ik zak terug in het duister.

23

Ik schrok doodsbang wakker.
Dat was niets voor mij. Mijn hart zat in mijn keel. Een gevoel van paniek drukte mijn borstkas in elkaar, waardoor ik bijna geen adem kreeg. En ik had mijn ogen nog niet eens opengedaan.

Toen ik dat deed – toen ik mijn blik door de kamer liet gaan – voelde ik mijn hartslag vertragen en de paniek afnemen. In de stoel bij het tafeltje, met haar aandacht bij haar iPhone, zat Esperanza. Haar vingers dansten over de toetsjes terwijl ze ongetwijfeld bezig was met een bericht aan een van onze cliënten. Ik ben blij met ons bedrijf; zij houdt er met hart en ziel van.

Ik bleef even naar haar kijken omdat de vertrouwde aanblik zo verdomde geruststellend was. Esperanza had haar grijze mantelpakje en een witte blouse aan, met haar gouden oorringen en haar zwarte haar, waarover een blauwe glans lag, achter haar oor. De jaloezieën van het raam waren open. Ik zag dat het avond was.

'Met welke cliënt ben je bezig?' vroeg ik.

Haar ogen werden groot toen ze mijn stem hoorde. Ze liet de iPhone op het tafeltje vallen, schoot overeind en haastte zich naar me toe. 'O mijn god, Myron. O mijn god...'

'Wat is er? Lig ik op sterven?'

'Nee, hoezo?'

'Zoals je naar me toe komt stuiven. Meestal ben je niet zo snel.'

Ze begon te huilen en zoende me op mijn wang. Esperanza huilt nooit.

'God, ik lig echt op sterven.'

'Stel je niet zo aan,' zei ze, terwijl ze de tranen van haar wangen veegde. Ze omhelsde me. 'Nee, wacht, stel je maar wel aan, zo veel je maar wilt.'

Ik keek over haar schouder. Ik bevond me in een standaard ziekenhuiskamer. 'Hoe lang zit je hier al?' vroeg ik.

'Nog niet zo lang,' zei Esperanza, met haar armen nog steeds om me heen. 'Wat herinner je je?'

Daar moest ik over nadenken. Karen en Terese die werden doodgeschoten. De man die dat had gedaan. Ikzelf die hem doodschoot. Ik slikte en zette me schrap. 'Waar is Terese?'

Esperanza liet me los en ging rechtop staan. 'Dat weet ik niet.'

Niet het antwoord dat ik had verwacht. 'Hoe kan dat, dat je dat niet weet?'

'Dat is een beetje moeilijk uit te leggen. Wat is het laatste wat je je herinnert?'

Ik concentreerde me. 'Mijn laatste duidelijke herinnering,' zei ik, 'was dat ik die klootzak die Terese en Karen had vermoord voor zijn kop heb geschoten. Daarna werd ik besprongen door een stel smerissen.'

Ze knikte.

'Ik ben ook neergeschoten, hè?'

'Ja.'

Dat verklaarde dat ik in het ziekenhuis lag.

Esperanza boog zich naar me toe, bracht haar mond vlak bij mijn oor en fluisterde: 'Oké, luister even naar me. Als die deur straks opengaat en er komt een verpleegkundige of iemand anders binnen, zeg je geen woord meer. Begrijp je?'

'Nee.'

'Orders van Win. Doe het nou maar, oké?'

'Oké.' En daarna: 'Ben je helemaal naar Londen komen vliegen om bij me te zijn?'

'Nee.'

'Hoe bedoel je: nee?'

'Alles op z'n tijd. Vertrouw me maar even, oké? Wat herinner je je nog meer?'

'Niks.'

'Niks? Vanaf het moment dat je bent neergeschoten tot nu?'
'Waar is Terese?'
'Dat heb ik al gezegd. Dat weet ik niet.'
'Maar dat slaat nergens op. Hoe kan het dat je dat niet weet?'
'Dat is een lang verhaal.'
'Zou je me dat dan willen vertellen, alsjeblieft?'
Esperanza keek me aan met haar groene ogen. Wat ik in haar blik zag, beviel me allerminst.
Ik probeerde rechtop te gaan zitten. 'Hoe lang ben ik buiten westen geweest?'
'Ook dat weet ik niet.'
'En dan vraag ik weer: hoe kan het dat je dat niet weet?'
'Om te beginnen ben je niet in Londen.'
Dat bracht me tot zwijgen. Ik keek om me heen in de ziekenhuiskamer alsof die me het antwoord kon geven. Dat kon hij inderdaad. Op mijn deken stond een logo met eronder de woorden: PRESBYTERIAN MEDICAL CENTER - NEW YORK.
Dit kon niet waar zijn.
'Ben ik in Manhattan?'
'Ja.'
'Hebben ze me teruggevlogen?'
Ze zei niets.
'Esperanza?'
'Ik weet het niet.'
'Maar… hoe lang lig dan al in dit ziekenhuis?'
'Een paar uur, geloof ik, maar ook dat weet ik niet zeker.'
'Je praat wartaal.'
'Omdat ik het zelf ook niet begrijp, oké? Twee uur geleden werd ik gebeld met de boodschap dat je hier lag.'
Mijn hersenen voelden beneveld, en haar uitleg maakte het er niet beter op. 'Twee uur geleden?'
'Ja.'
'En daarvoor?'
'Voordat ik werd gebeld,' zei Esperanza, 'hadden we geen idee waar je was.'

‘En als je zegt “we”...’
‘Ik, Win, je ouders...’
‘Mijn ouders?’
‘Maak je geen zorgen. We hebben ze iets op de mouw gespeld. Dat je in Afrika zat, in een omgeving met heel slecht telefoonbereik.’
‘Niemand van jullie wist waar ik was?’
‘Dat klopt.’
‘Hoe lang?’ vroeg ik.
Ze keek me alleen maar aan.
‘Hoe lang, Esperanza?’
‘Zestien dagen.’
Ik ging weer liggen. Zestien dagen. Ik was zestien dagen buiten westen geweest. Toen ik me iets probeerde te herinneren, begon mijn hart sneller te kloppen. De paniek kwam terug.
Zet het uit je hoofd...
‘Myron?’
‘Ik herinner me dat ik gearresteerd werd.’
‘Oké.’
‘Wou je me vertellen dat dat zestien dagen geleden was?’
‘Ja.’
‘Heb je de Britse politie gebeld?’
‘Die wist ook niet waar je was.’
Ik had nog een miljoen vragen, maar we werden gestoord, want de deur ging open. Esperanza wierp me een waarschuwende blik toe. Ik hield mijn mond. Een verpleegkundige kwam binnen en zei: ‘Kijk eens aan, u bent wakker.’
En voordat de deur helemaal dicht was, ging die opnieuw open.
Mijn vader.
Een gevoel dat erg op opluchting leek daalde op me neer toen ik de oude man zag. Hij was buiten adem, had ongetwijfeld gerend om zo snel mogelijk bij zijn zoon te zijn. Na hem kwam ma binnen. Mijn moeder heeft, zelfs als het om een doodgewoon bezoekje gaat, de neiging op me af te stormen alsof ik een zojuist vrijgelaten krijgsgevangene ben. Ze deed dat nu ook en liep daarbij bijna de ver-

pleegkundige omver. Normaliter zou ik met mijn ogen rollen wanneer ze dat deed, hoewel het me heimelijk ook een warm gevoel gaf. Vandaag rolde ik niet eens met mijn ogen.

'Alles is in orde, ma. Echt.'

Mijn vader hield zich op de achtergrond, zoals hij altijd doet. Zijn ogen waren rood en vochtig. Ik keek naar zijn gezicht. Hij wist het. Hij had het niet geloofd, dat verhaal over Afrika en het slechte telefoonbereik. Waarschijnlijk had hij het zo wel aan ma doorverteld. Maar zelf wist hij wel beter.

'Wat ben je mager,' zei ma. 'Geven ze je hier niks te eten?'

'Laat hem toch,' zei pa. 'Hij ziet er prima uit.'

'Hij ziet er helemaal niet prima uit. Moet je zien hoe mager hij is. En zo bleek. En waarom lig je in het ziekenhuis?'

'Dat heb ik je verteld,' zei pa. 'Weet je dat niet meer, Ellen? Voedselvergiftiging. Een of andere vorm van dysenterie, maar het komt allemaal weer goed.'

'Wat deed je trouwens in Sierra Madre?'

'Sierra Leone,' corrigeerde pa haar.

'Ik dacht dat je Sierra Madre zei.'

'Je bent in de war met die film.'

'Ja, die met Humphrey Bogart en Katharine Hepburn.'

'Dat was *The African Queen*.'

'O ja,' zei ma, die het misverstand nu begreep.

Ma liet me los. Pa kwam naar het bed, streek mijn haar van mijn voorhoofd en kuste me op mijn wang. Ik voelde zijn ruwe huid met de baardstoppels tegen de mijne. De geruststellende geur van Old Spice bleef even in de lucht hangen.

'Alles oké met je?' vroeg hij.

Ik knikte. Hij keek alsof hij het niet geloofde.

Ze zagen er allebei opeens zo oud uit. Maar zo ging dat, nietwaar? Wanneer je een kind korte tijd niet zag, verbaasde het je hoe hard het was gegroeid. Wanneer je oudere mensen een tijdje niet zag, verbaasde het je hoeveel ouder ze waren geworden. Het gebeurde elke keer dat ik hen zag. Wanneer waren mijn robuuste ouders die grens gepasseerd? Ma had de bibbers van de ziekte van

Parkinson. Die begonnen erger te worden. En haar geest, die altijd al een tikje excentriek was geweest, was aan het wegglijden in een richting die nog verontrustender was. Pa had een redelijk goede gezondheid, met alleen wat lichte hartproblemen zo nu en dan, maar wat zagen ze er allebei oud uit!

Je vader en moeder in Miami...

Mijn borstkas werd in elkaar gedrukt. Ik kreeg weer problemen met ademhalen.

'Myron?' zei pa.

'Niks aan de hand.'

De verpleegkundige kwam naar mijn bed. Mijn ouders gingen opzij. Ze stak een thermometer in mijn mond en pakte mijn pols om mijn hartslag op te nemen. 'Het bezoekuur is al lang voorbij,' zei ze. 'Jullie zullen nu moeten vertrekken.'

Ik wilde niet dat ze weggingen. Ik wilde niet alleen zijn. Ik was bang, en ik schaamde me er heel erg voor. Ik dwong mijn lippen in een glimlach toen de thermometer uit mijn mond werd gehaald, en zei, net iets te opgewekt: 'Zorg dat je wat slaap krijgt, oké? Ik zie jullie morgen wel.'

Mijn vaders blik kruiste de mijne. Hij keek nog steeds ongelovig. Hij fluisterde iets tegen Esperanza. Ze knikte en ging naar mijn moeder. Esperanza en ma vertrokken. De verpleegkundige draaide zich om bij de deur.

'Meneer,' zei ze tegen mijn vader, 'u moet ook vertrekken.'

'Ik wil even met mijn zoon alleen zijn.'

Ze aarzelde. Toen zei ze: 'U krijgt twee minuten.'

Nu waren we alleen.

'Wat is er met je gebeurd?' vroeg pa.

'Dat weet ik niet,' zei ik.

Hij knikte. Hij zette een stoel naast het bed, ging zitten en nam mijn hand in de zijne.

'Geloofde je niet dat ik in Afrika was?'

'Nee.'

'En ma?'

'Ik heb tegen haar gezegd dat je had gebeld toen ze weg was.'

'Trapte ze erin?'

Hij haalde zijn schouders op. 'Ik heb nog nooit tegen haar gelogen, dus ja, ze trapte erin. Je moeder is niet zo scherp meer als vroeger.'

Ik zei niets. De verpleegkundige kwam terug. 'U moet nu echt gaan.'

'Nee,' zei mijn vader.

'Dwing me alstublieft niet de beveiligingsdienst te bellen.'

Ik voelde de paniek weer groeien in mijn borstkas. 'Het is oké, pa. Ik red me wel. Ga maar slapen.'

Hij bleef me even aankijken en draaide zich toen om naar de verpleegkundige. 'Hoe heet je, lieve kind?'

'Regina.'

'Regina hoe?'

'Regina Monte.'

'Ik heet Al, Regina. Al Bolitar. Heb je kinderen?'

'Twee dochters.'

'Dit is mijn zoon, Regina. Je kunt de beveiliging bellen als je dat wilt. Maar ik laat mijn zoon hier níét alleen.'

Ik wilde protesteren, maar toch deed ik het niet. De verpleegkundige draaide zich om en liep de kamer uit. Ze belde de beveiliging niet. Mijn vader bleef de hele nacht in die stoel naast mijn bed zitten. Hij schonk water in mijn beker en trok mijn deken recht. Toen ik midden in de nacht schreeuwend wakker schrok, legde hij zijn hand op mijn schouder, streek het haar van mijn voorhoofd en zei dat alles weer goed zou komen. En heel even geloofde ik hem.

24

Win belde de volgende ochtend vroeg.

'Ga naar je werk,' zei Win. 'Geen vragen stellen.'

Daarna verbrak hij de verbinding. Soms irriteert Win me mateloos.

Mijn vader haastte zich naar een broodjeszaak aan de overkant van de straat, omdat het ontbijt van het ziekenhuis deed denken aan iets wat de apen in de dierentuin naar je gooien. De arts kwam langs terwijl hij weg was en schreef een gezondheidsverklaring voor me uit. Ja, ik was inderdaad neergeschoten. De kogel was dwars door mijn zij gegaan, iets boven het bekken. Maar de wonden waren goed genezen.

'Waren ze ernstig genoeg voor een verblijf van zestien dagen in het ziekenhuis?' vroeg ik aan de arts.

Hij keek me met een merkwaardige blik aan, want was ik niet pas de vorige dag buiten westen en met mijn verwondingen bij het ziekenhuis afgeleverd… dus wat raaskalde ik over zestien dagen… en ik zag aan hem dat hij een tussenstop op de afdeling Psychiatrie overwoog.

'Hypothetisch gesproken, uiteraard,' zei ik er snel bij toen ik aan Wins waarschuwing dacht. Daarna stelde ik geen vragen meer en knikte alleen nog.

Pa bleef bij me tijdens de ontslagprocedure. Esperanza had mijn pak meegebracht en het in de kast gehangen. Ik trok het aan en voelde me lichamelijk best goed. Ik wilde een taxi bellen, maar pa stond erop me naar kantoor te brengen. Hij was vroeger een geweldige chauffeur. In mijn kindertijd had hij altijd zo ontspannen achter het stuur gezeten, zachtjes meefluitend met de autoradio en sturend met zijn pols. Nu bleef de radio uit, tuurde hij met half dichtgeknepen ogen naar de weg en remde hij veel vaker dan vroeger.

Toen we bij het Lock-Horne-gebouw op Park Avenue stopten – nogmaals: Win heet voluit Windsor Horne Lockwood III, dus reken zelf maar uit waar die naam vandaan komt – vroeg pa: 'Zal ik je gewoon hier afzetten?'

Soms weet mijn vader me echt te verbazen. Het draait in het vaderschap om evenwicht, maar hoe kreeg een enkel mens het voor elkaar dat zo goed en schijnbaar moeiteloos te behouden? Mijn hele leven lang had hij me gemotiveerd om ergens in uit te blinken, maar nooit door te veel druk op me uit te oefenen. Hij had me bewonderd om wat ik had bereikt, maar had nooit de indruk gewekt dat iets presteren alles bepalend was. Hij hield van me zonder eisen te stellen, en toch voelde ik me geroepen het hem naar de zin te maken. Hij wist, zoals nu, wanneer hij er moest zijn en wanneer het tijd was om zich terug te trekken.

'Het lukt wel.'

Hij knikte. Ik kuste de ruwe huid van zijn wang weer, voelde nu dat die wat slapper was geworden, en stapte uit de auto. De lift geeft rechtstreeks toegang tot mijn kantoor. Big Cyndi zat achter haar bureau, gekleed in iets wat eruitzag alsof het van het lijf van Bette Davis was gerukt na de dramatische strandscène in *Whatever Happened to Baby Jane?* Ze had staartjes in haar haar. Big Cyndi is, tja, vooral groot... zoals ik al zei zo'n één meter drieënnegentig en meer dan honderdvijftig kilo. Alles aan haar is groot. Ze heeft grote handen, grote voeten en een groot hoofd. Het meubilair om haar heen ziet er altijd uit als speelgoed dat speciaal voor kleuters is gemaakt en wanneer ze een kamer binnenkomt, lijkt alles te krimpen, zoals in *Alice in Wonderland*.

Ze stond op zodra ze me zag, gooide daarbij bijna haar bureau omver, en riep: 'Meneer Bolitar!'

'Hallo, Big Cyndi.'

Ze wordt boos als ik haar 'Cyndi' of, eh... 'Big' noem. Ze staat op formaliteit. Ik ben meneer Bolitar. Zij is Big Cyndi, wat trouwens haar echte naam is. Ze heeft die meer dan tien jaar geleden officieel laten vastleggen.

Big Cyndi doorkruiste het kantoorvertrek met een soepele snelheid die je van iemand van haar omvang niet zou verwachten. Ze nam me in een omhelzing die me het gevoel gaf dat ik werd gesmoord in isolatiedekens van een vochtige zolder. Op een prettige manier.

'O, meneer Bolitar!'

Ze begon snuivend te snikken, een geluid dat beelden van parende elanden op Discovery Channel opriep.

'Het gaat goed met me, Big Cyndi.'

'Maar iemand heeft u neergeschoten!'

Haar stem veranderde mee met haar gemoedstoestand. Toen ze hier pas werkte, praatte Big Cyndi niet, maar gromde ze alleen. Cliënten klaagden, hoewel nooit in haar gezicht en meestal anoniem. Tegenwoordig gaf Big Cyndi de voorkeur aan een hoge, meisjesachtige stem, die eerlijk gezegd een stuk beangstigender klonk dan het gegrom van vroeger.

'Ik heb hem veel erger geraakt,' zei ik.

Ze liet me los en begon te giechelen, met haar hand – zo breed als het loopvlak van een terreinband – voor haar mond. Het gegiechel echode door het pand en in de directe omgeving keken kleine kinderen op en zochten ze de hand van hun moeder.

Esperanza kwam binnen. Ooit hadden Esperanza en Big Cyndi een worstelduo gevormd voor FLOW, de *Fabulous Ladies Of Wrestling*. Ze hadden zich eigenlijk de *Beautiful Ladies Of Wrestling* willen noemen, maar de tv-zender had bezwaar gemaakt tegen de afkorting die dat opleverde.

Esperanza, met haar getinte huid en haar uiterlijk dat het best kon worden omschreven – wat door de sportcommentatoren ook hijgend werd gedaan – als 'sappig', speelde Little Pocahontas, de sexy schoonheid die het moest hebben van haar techniek en die haar tegenstander meestal al verslagen had voordat die vuile trucjes kon uithalen of misbruik kon maken van haar tengere postuur. Big Cyndi was haar partner, Big Chief Mama, die haar kwam 'redden' wanneer het niet lukte, waarna ze, aangemoedigd door het uitzinnige publiek, gehakt maakten van hun kinky geklede en van implantaten voorziene belagers.

Prachtig amusement.

'We hebben werk te doen,' zei Esperanza, 'en niet zo weinig ook.'

Ons kantoor is vrij klein. We hebben een receptie en twee kantoren, een voor Esperanza en een voor mij. Esperanza was hier begonnen als assistente of secretaresse, of wat de politiek correcte term voor manusje-van-alles tegenwoordig ook is. Maar ze was 's avonds rechten gaan studeren en een volwaardige partner geworden tegen de tijd dat ik in de kreukels lag en met Terese naar dat eiland was gevlucht.

'Wat heb je tegen de cliënten gezegd?' vroeg ik.

'Dat je in Europa een auto-ongeluk hebt gehad.'

Ik knikte. We gingen haar kantoor binnen. De zaken lagen een beetje op hun gat sinds mijn laatste verdwijning. Er moesten telefoontjes worden gepleegd. Ik voerde ze. We behielden het merendeel van onze cliënten, bijna allemaal, maar er waren er ook een paar die niet blij waren met het feit dat ze hun agent meer dan twee weken niet hadden kunnen bereiken. Ik begreep dat best. Dit soort zaken is heel persoonlijk. Er komt een hoop handje-vasthouden en ego-strelen bij kijken. Iedere cliënt moet het gevoel hebben dat hij de enige cliënt ter wereld is, wat een belangrijk deel van de illusie is. Wanneer je er niet bent, ook al heb je daar nog zulke goede redenen voor, spat die illusie uiteen.

Ik wilde haar vragen naar Terese en Win en een miljoen andere dingen, maar ik herinnerde me Wins telefoontje van vanochtend. Dus werkte ik. Ik deed wat ik moest doen en moet toegeven dat het effect therapeutisch was. Ik had me opgejaagd en angstig gevoeld, om redenen die ik niet kon verklaren. Ik had zelfs op mijn nagels gebeten, iets wat ik niet meer had gedaan sinds ik in groep vier van de basisschool zat, en ik had op mijn lijf en leden gezocht naar korstjes waar ik aan kon pulken. Werken hielp daartegen.

Toen het tijd was voor een pauze, ging ik het net op en zocht ik naar 'Terese Collins', 'Rick Collins' en 'Karen Tower'. De drie namen tezamen leverden niets op. Daarna deed ik Terese alleen. Dat leverde heel weinig op, alleen oud materiaal uit haar tijd bij CNN. Er bestond nog steeds een website die 'Terese de tv-babe' heette, met voornamelijk portretfoto's en videofragmenten uit de nieuwsprogramma's, maar de laatste update was van drie jaar geleden.

Daarna probeerde ik Rick en Karen met Google Nieuws.

Ik had niet veel verwacht, misschien alleen een necrologie, maar dat was niet zo. Er was zelfs vrij veel, het meeste afkomstig uit Britse kranten. Ik schrok toen ik het bericht las, maar op de een of andere bizarre manier verklaarde het ook veel.

JOURNALIST EN VROUW VERMOORD DOOR TERRORISTEN

CEL OPGEROLD IN WILDE SCHIETPARTIJ

Ik las het bericht. Esperanza kwam mijn kantoor binnen. 'Myron?'

Ik stak mijn vinger op om te vragen of ze even kon wachten.

Ze kwam om mijn bureau heen lopen en zag wat ik aan het doen was. Ze zuchtte en ging zitten.

'Wist je hiervan?' vroeg ik.

'Natuurlijk.'

Volgens het bericht was een 'speciale eenheid van de internationale terreurbestrijding' erin geslaagd de beruchte terroristenleider Mohammad Matar, beter bekend als 'Dokter Dood', te 'elimineren'. Mohammad Matar was geboren in Egypte, maar hij had onderwijs genoten op de beste scholen in Europa, onder andere in Spanje – vandaar zijn naam, een combinatie van een islamitische voornaam en een achternaam die in het Spaans 'dood' betekende – en hij had zijn artsenopleiding in de Verenigde Staten gedaan. De speciale eenheid had minimaal nog drie mannen van zijn cel omgebracht; twee in Londen en één in Parijs.

Er stond een foto van Matar bij het artikel. Het was dezelfde die Berleand me had gestuurd. Ik keek naar de man die ik, om de journalistieke term te gebruiken, had geëlimineerd.

In het artikel werd ook beschreven hoe onderzoeksjournalist Rick Collins erin was geslaagd heel dicht bij de cel te komen en bezig was geweest erin te infiltreren toen men erachter kwam wie hij was. Matar en zijn 'volgelingen' hadden Collins in Parijs vermoord. Matar was ontsnapt aan de Franse klopjacht, die een van zijn mannen het leven had gekost, was naar Londen gevlucht om daar alle sporen naar zijn cel uit te wissen en af te rekenen met Collins' medestanders in dit 'vijandige complot', zijn oude vriend Mario Contuzzi en Collins' vrouw, Karen Tower. Het was daar geweest, in het huis waar Collins en Tower woonden, dat Mohammad Matar en twee leden van zijn cel de dood hadden gevonden.

Ik keek Esperanza aan. 'Terroristen?'

Ze knikte.

'Het verklaart waarom Interpol door het dolle heen raakte toen we hun die foto lieten zien.'

'Ja.'

'Maar waar is Terese?'

'Dat weet niemand.'

Ik leunde achterover en probeerde de nieuwe informatie te verwerken. 'Er staat hier dat de terroristen zijn gedood door overheidsagenten.'

'Jep.'

'Maar dat is niet zo.'

'Nee. Jij hebt het gedaan.'

'En Win.'

'Precies.'

'Maar ze hebben onze namen erbuiten gelaten.'

'Ja.'

Ik dacht aan het zwarte gat van de zestien dagen, aan Terese en de DNA-test en het blonde meisje. 'Wat is er verdomme aan de hand?'

'Wat er precies aan de hand is weet ik niet,' zei ze. 'Dat interesseerde me ook niet echt.'

'Waarom niet?'

Esperanza schudde haar hoofd. 'Wat kun je soms toch een ongevoelige kwezel zijn.'

Ik wachtte.

'Je was neergeschoten. Win had dat gezien. Daarna, meer dan

twee weken lang, hadden we absoluut geen idee waar je was... en of je nog wel in leven was of niet.'

Ik kon er niets aan doen. Ik begon te grijnzen.

'Zit niet zo stom te grijnzen.'

'Jullie maakten je zorgen om me.'

'Ik maakte me zorgen om de zaak.'

'Jullie houden van me.'

'We krijgen hoofdpijn van je.'

'Ik begrijp het nog steeds niet,' zei ik, en de grijns verdween van mijn gezicht. 'Hoe is het mogelijk dat ik me niet kan herinneren waar ik ben geweest?'

Zet het uit je hoofd...

Mijn handen begonnen te trillen. Ik keek ernaar, probeerde het trillen te stoppen. Dat lukte niet. Esperanza zag het ook.

'Vertel eens,' zei ze. 'Wat kun je je nog herinneren?'

Mijn been begon te tintelen. Ik voelde iets samenknijpen in mijn borstkas. De paniek sloeg weer toe.

'Voel je je wel goed?'

'Ik zou wel een glaasje water kunnen gebruiken,' zei ik.

Ze haastte zich mijn kantoor uit en kwam terug met een bekertje water. Ik nam er kleine slokjes van, was bijna bang dat ik erin zou stikken. Ik keek naar mijn handen. De tremor. Ik kon er niet mee ophouden. Wat was er in godsnaam met me aan de hand?

'Myron?'

'Het is alweer over,' zei ik. 'Wat nu?'

'We hebben cliënten die op ons rekenen.'

Ik keek haar aan.

Ze zuchtte. 'We wilden je eigenlijk even de tijd geven.'

'Tijd waarvoor?'

'Om te herstellen.'

'Waarvan? Ik voel me prima.'

'Ja, je ziet er fantastisch uit. Die bibberende handen zijn echt geweldig. Om over die zenuwtic in je gezicht nog maar te zwijgen. Heel sexy, echt.'

'Ik heb geen tijd nodig, Esperanza.'

'Ja, dat heb je wel.'
'Terese wordt vermist.'
'Of ze is dood.'
'Probeer je me te choqueren?'
Ze haalde haar schouders op.
'En áls ze dood is, moet ik haar dochter opsporen.'
'Niet in jouw toestand.'
'Ja, Esperanza, wel in mijn toestand.'
Ze zei niets.
'Wat is er?'
'Ik geloof niet dat je dat aankunt.'
'Het is niet aan jou om dat te bepalen.'
Ze dacht erover na. 'Nee, dat zal wel niet.'
'Dus?'
'Dus heb ik wat informatie opgegraven over de arts die Collins heeft gesproken over zijn ziekte van Huntington, en over die Red de Engelen-club.'
'Wat ben je te weten gekomen?'
'Dat kan wachten. Als je echt van plan bent hiermee door te gaan, als je echt denkt dat je dat aankunt, moet je met deze telefoon dit nummer bellen.'

Ze gaf me een mobiele telefoon, liep het kantoor uit en deed de deur achter zich dicht. Ik staarde naar het toestel. Het kwam me niet bekend voor, maar dat had ik ook niet verwacht. Ik toetste het nummer in en drukte op het groene knopje.

Het toestel aan de andere kant ging twee keer over en toen zei een bekende stem: 'Welkom terug uit het dodenrijk, beste vriend. Laten we elkaar ontmoeten op een geheime locatie. We hebben heel wat te bespreken, vrees ik.'

Het was Berleand.

25

Berleands 'geheime locatie' was een adres in de Bronx. De straat was een gribus en het pand ook. Ik controleerde het adres nog een keer, maar het moest hier zijn. Het was een stripteasetent die volgens de naam op de gevel UPSCALE PLEASURES heette, hoewel één blik op het etablissement voldoende was om vast te stellen dat men zichzelf enigszins overschatte. De neonletters eronder meldden dat het hier ging om een EERSTEKLAS HERENCLUB, wat zowel tegenstrijdig als irrelevant klonk. Een eersteklas stripteasetent is net zoiets als een goede toupet. Of die nu goed is of slecht, het blijft een toupet.

Binnen was het donker en er waren geen ramen, dus om lunchtijd, toen ik er binnenkwam, leek het wel middernacht.

Een grote zwarte man met een kaalgeschoren hoofd vroeg: 'Kan ik u helpen?'

'Ik zoek een Fransman van begin vijftig.'

Hij sloeg zijn armen over elkaar. 'Dat is alleen op dinsdag,' zei hij.

'Nee, ik bedoel...'

'Ik weet wat je bedoelt.' Hij onderdrukte een glimlach en wees met zijn zware arm, waarop een groene *D* getatoeëerd stond, naar het podium. Ik had verwacht dat Berleand in een stil, donker hoekje zou zitten, maar nee, hij zat pontificaal aan de bar, op de kruk die het dichtst bij het podium stond, ernaartoe gedraaid en met zijn blik gericht op het... eh, talent dat er aan het dansen was.

'Is dat daar jouw Fransman?'

'Ja.'

De uitsmijter draaide zich weer om naar mij. ANTHONY, stond er op zijn naamplaatje. Ik haalde mijn schouders op. Hij bleef me aankijken.

'Kan ik verder nog iets voor je doen?' vroeg hij.

'Je zou tegen me kunnen zeggen dat ik er niet uitzie als iemand die in dit soort clubs komt, en helemaal niet overdag.'

Anthony grinnikte. 'Weet je wie hier niet komen, en zeker niet overdag?'

Ik wachtte.

'Slechtzienden.'

Hij draaide zich om en liep weg. Ik liep door naar Berleand aan de bar. Uit de speakers schalde Beyoncé, die haar vriendje liet weten dat hij maar beter goed voor haar kon zijn, want hij was vervangbaar en ze kon binnen een minuut een ander aan de haak slaan. Het klonk nogal stompzinnig. Jezus, je bent Beyoncé! Je bent bloedmooi, je bent rijk en beroemd, je koopt dure auto's en kleren voor je vriendje. En jij zou géén andere man aan de haak kunnen slaan? Echte *girl power*, maar niet heus.

De topless danseres op het podium was bezig met bewegingen die je het best kon omschrijven als 'futloos', zelfs als ze er een paar schepjes bovenop zou doen. Haar verveelde gezicht wekte de indruk dat ze naar een politiek commentaar op tv stond te kijken, en de verchroomde paal was geen attribuut dat in haar dans werd geintegreerd, maar slechts een hulpmiddel om overeind te blijven staan. Ik wil niet preuts klinken, maar ik begrijp de aantrekkingskracht van stripteasetenten niet goed. Ik heb er gewoon niets mee. Niet omdat de vrouwen onaantrekkelijk zijn, want soms zijn ze dat wel en soms ook niet. Ik heb het een keer aan Win voorgelegd, altijd een vergissing wanneer het zaken met betrekking tot de andere sekse gaat, en kwam tot de conclusie dat het me niet lukt om mee te gaan in de fantasie die er wordt verkocht. Misschien is het een zwakte van mij, maar ik moet geloven dat een vrouw echt oprecht in me geinteresseerd is. Dat soort dingen kunnen Win natuurlijk geen barst schelen. Ik begrijp het lichamelijke aspect wel, maar mijn ego kan gewoon niet overweg met seksuele confrontaties die gepaard gaan met commercie, afkeer en klassenverschillen.

U mag me ouderwets noemen.

Berleand had zijn glanzend grijze Members Only-jasje aan. Hij duwde keer op keer zijn grote bril omhoog op zijn neus en zat glimlachend naar de verveelde danseres te kijken. Ik ging naast hem zitten. Hij draaide zich naar me toe, wreef zich in zijn handen en bleef me een tijdje aankijken.

'Je ziet er afschuwelijk uit,' zei hij.

'Ja, ik weet het,' zei ik. 'Maar jij ziet er geweldig uit. Een nieuwe vochtinbrengende crème?'

Hij gooide een paar borrelnootjes in zijn mond.

'Dus dit is je geheime locatie?'

Hij haalde zijn schouders op.

'Waarom hier?' Maar toen ik erover nadacht: 'Wacht, ik begrijp het. Omdat het ver buiten het radarbereik valt, is dat het?'

'Dat,' gaf Berleand toe, 'en omdat ik graag naar blote vrouwen kijk.'

Hij richtte zijn aandacht weer op de danseres. Zelf had ik al genoeg gezien.

'Leeft Terese nog?' vroeg ik.

'Dat weet ik niet.'

We zwegen even. Ik begon op een nagel te bijten.

'Je had me gewaarschuwd,' zei ik. 'Je zei dat dit meer was dan ik aankon.'

Hij bleef naar het podium kijken.

'Ik had naar je moeten luisteren.'

'Het zou niet uitgemaakt hebben. Ze zouden Karen Tower en Mario Contuzzi toch hebben vermoord.'

'Maar Terese niet.'

'Jij hebt ze tenminste een halt toegeroepen. Het was hun schuld, niet de jouwe.'

'Wiens schuld?'

'Nou, deels ook de mijne.' Berleand zette zijn grote, zware bril af en wreef over zijn gezicht. 'We staan bekend onder vele namen. Binnenlandse Veiligheidsdienst is waarschijnlijk de bekendste. Zoals je misschien al vermoedde, ben ik een Franse agent die zich bezighoudt met wat jouw regering de strijd tegen het terrorisme noemt. De Britse tak had beter moeten opletten.'

Een welgevulde serveerster met een decolleté dat ergens boven haar knieën eindigde, kwam naar ons toe en vroeg: 'Willen jullie champagne?'

'Dat is geen champagne,' zei Berleand tegen haar.

'Huh?'

'Dat spul komt uit Californië.'

'Nou en?'

'Echte champagne kan alleen Frans zijn. Want zie je, Champagne is een streek, niet een soortnaam. De fles die jij in je hand hebt, wordt door lieden zonder smaak gewoonlijk "bubbeltjeswijn" genoemd.'

Ze rolde met haar ogen. 'Willen jullie bubbeltjeswijn?'

'Mijn lieve schat, ik zou dat spul nog niet in de drinkbak van mijn hond durven gieten.' Hij hield zijn lege glas op. 'Geef me liever nog zo'n overheerlijke, aangelengde whisky.' Hij keerde zich naar mij. 'Myron?'

Ik verwachtte niet dat ze hier Yoo-hoo zouden hebben. 'Cola light.' Toen ze weg was vroeg ik: 'Wat is er nou precies aan de hand?'

'Voor zover het mij en mijn mensen betreft, is de zaak gesloten. Rick Collins was gestuit op een terroristisch complot. Hij is in Parijs door terroristen om het leven gebracht. Daarna hebben ze in Londen twee mensen vermoord die connecties hadden met Collins, voordat ze zelf werden doorgeschoten. Door jou, om precies te zijn.'

'Ik heb mijn naam niet in de kranten gezien.'

'Wilde je de eer opstrijken?'

'Nou, nee. Maar ik vraag me wel af waarom ze mijn naam erbuiten hebben gehouden.'

'Denk na.'

De serveerster kwam terug. 'Korbel noemt het champagne, meneertje Bijdehand. En ze zitten in Californië.'

'Korbel kan het beter uilenzeik noemen. Dat komt dichter bij de waarheid.'

Ze zette onze drankjes met een klap neer en beende weg.

'Het is niet zo dat de overheid de eer probeert op te strijken,' zei Berleand. 'Ze hebben twee redenen om jouw naam erbuiten te houden. Ten eerste, je veiligheid. Er is me verteld dat Mohammad Matar persoonlijk met jou wilde afrekenen. Jij had in Parijs een van zijn mensen omgebracht. Hij wilde dat jij toekeek terwijl hij Karen Tower en Terese Collins doodschoot... voordat hij jou ombracht. Als bekend wordt dat jij Dokter Dood hebt vermoord, zullen er diverse mensen zijn die wraak willen nemen op jou en je familie.' Berleand wees naar de danseres, die zijn kant op kwam. 'Heb jij een paar briefjes van een dollar voor me?'

Ik keek in mijn portefeuille. 'En de tweede reden?'

'Als jij daar niet bent geweest, op de plaats delict in Londen, hoeft de overheid niet uit te leggen waar je de afgelopen zestien dagen hebt uitgehangen.'

Het onaangename gevoel kwam terug. Ik probeerde mijn been los te schudden, keek om me heen, wilde opstaan. Berleand observeerde me.

'Weet jij waar ik geweest ben?' vroeg ik.

'Ik heb wel een idee, ja. En jij ook.'

Ik schudde mijn hoofd. 'Niet waar.'

'Herinner je je helemaal niks van de afgelopen twee weken?'

Ik zei niets. De druk op mijn borstkas nam weer toe. Ik kreeg moeite met ademhalen. Ik pakte mijn cola en nam een paar kleine slokjes.

'Je beeft,' zei Berleand.

'Ja, en?'

'De afgelopen nacht... heb je naar gedroomd? Heb je een nachtmerrie gehad?'

'Natuurlijk. Ik lag in het ziekenhuis. Hoezo?'

'Weet je wat de zogenaamde schemerslaap is?'

Daar moest ik even over nadenken. 'Heeft dat niet iets met zwangerschap te maken?'

'Met de geboorte van een kind, om precies te zijn. Het was heel populair in de jaren vijftig en zestig. De theorie was: waarom zou een moeder tijdens de geboorte van haar kind gruwelijke pijnen moeten lijden? Dus gaven ze de moeder een combinatie van morfine en scopolamine. In sommige gevallen ging de moeder compleet onder zeil. Maar bij de rest – en dat was de oorspronkelijke opzet – nam de morfine de pijn weg en zorgde de combinatie van de twee stoffen ervoor dat ze zich niets herinnerde. Medische amnesie... gedeeltelijke narcose, ofwel schemerslaap. Ze zijn met die praktijken gestopt, ten eerste omdat een deel van de baby's met verslavingsverschijnselen ter wereld kwam, en ten tweede omdat de stroming van "het ervaren van het moment" populair werd. Dat laatste heb ik nooit goed begrepen, maar ja, ik ben geen vrouw.'

'Heeft dit iets met mij te maken?'

'Ja. Dit speelde zich af in de jaren vijftig en zestig. Meer dan een halve eeuw geleden. We hebben nu anderen medicijnen, en we hebben de tijd gehad om ermee te experimenteren. Stel dat je in staat bent om dat middel dat ze meer dan vijftig jaar geleden gebruikten, te perfectioneren. Theoretisch zou je iemand dan langere tijd kunnen vasthouden en zou die persoon zich er nooit iets van herinneren.'

Hij wachtte. Zo'n trage leerling was ik nu ook weer niet.

'Dus dat is wat er met mij is gebeurd?'

'Ik wéét niet wat er met jou is gebeurd. Heb je wel eens gehoord van de *black sites* van de CIA?'

'Natuurlijk.'

'Geloof je dat ze bestaan?'

'Plekken waar de CIA gevangenen naartoe brengt en die voor iedereen geheimhoudt? Het zóú waar kunnen zijn.'

'Zóú waar kunnen zijn? Wees niet zo naïef. Bush heeft toegegeven dat ze bestaan. Maar dat is niet begonnen na 11 september, en ook niet opgehouden na die paar hoorzittingen van het Congres. Stel je voor wat je op die black sites kunt doen wanneer je gevangenen in een langdurige schemerslaap houdt. Je kunt ze urenlang verhoren, ze laten zeggen en doen wat je maar wilt, en ze zullen zich er niets van herinneren.'

Mijn ene been begon spastisch op en neer te wippen. 'Dat klinkt onmenselijk.'

'Vind je? Stel dat jij een terrorist hebt opgepakt. Je kent de oude discussie over de bom waarvan je weet dat die ieder moment kan afgaan, en of die rechtvaardigt dat je de terrorist martelt om andere mensen het leven te redden? Nou, op deze manier hou je je straatje schoon. Want hij herinnert zich niets. Maar maakt dat de daad ethisch aanvaardbaar? Jij, mijn goede vriend, bent waarschijnlijk langdurig verhoord en misschien wel gemarteld. Je herinnert je er niets van. Is het dan wel gebeurd?'

'Zoals de boom die omvalt in het bos zonder dat iemand het ziet,' zei ik.

'Precies.'

'Jullie Fransen en je filosofieën.'

'We denken verder dan Sartres existentialisme.'

'Helaas wel.' Ik schoof heen en weer op mijn kruk. 'Toch kan ik het moeilijk geloven.'

'Ik weet niet eens of ik het zelf wel geloof. Maar denk erover na. Denk aan de mensen die plotseling van de aardbodem verdwenen en nooit meer werden gezien. Mensen die een productief leven leidden, die gezond waren en die van de ene op de andere dag suïcidaal werden, die over straat gingen zwerven of geestesziek werden. Denk aan al die mensen – mensen die altijd heel normaal in de omgang waren geweest – die opeens beweerden dat ze door buitenaardse wezens waren ontvoerd, of die zomaar ineens een posttraumatisch stresssyndroom hadden.'

Zet het uit je hoofd...

Ademhalen begon weer moeite te kosten. De spieren van mijn bovenlichaam verkrampten en de druk op mijn borst nam toe.

'Zo simpel kan het niet zijn,' zei ik.

'Dat is het ook niet. Zoals ik al zei, denk aan de mensen die opeens psychotisch worden, of normale, rationele mensen die godsdienstwaanzinnigen worden of die beweren dat ze buitenaardse wezens hebben ontmoet. En – nogmaals – aan de morele vraag: is een trauma geoorloofd, voor het hogere doel, wanneer het meteen wordt vergeten? De mensen die deze black sites bestieren zijn geen monsters. Ze geloven dat ze daar ethisch bezig zijn.'

Ik bracht mijn hand naar mijn gezicht. Er liepen tranen over mijn wangen. Ik wist niet waarom.

'Bekijk het vanuit hún standpunt. De man die jij in Parijs hebt doodgeschoten, die voor Mohammad Matar werkte... de overheid dacht dat hij op het punt stond om over te lopen en dat hij ons van waardevolle informatie kon voorzien. Er woedt een hoop interne strijd binnen deze groepen. Waarom zat jij er middenin? Je hebt Matar gedood... goed, uit zelfverdediging, maar misschien, heel misschien, was je gestuurd om hem te doden. Begrijp je? Het was niet onredelijk om aan te nemen dat jij iets wist wat veel mensen het leven kon redden.'

'En daarom...' Ik stopte even. '... daarom hebben ze me gemarteld?'

Berleand schoof zijn bril hoger op zijn neus en zei niets.

'Als dit soort dingen echt gebeurt, is er dan niemand die zich iets herinnert?' vroeg ik. 'Niemand die het openbaar maakt?'

'Wat openbaar maakt? Misschien komen je herinneringen ooit terug. Wat wil je ermee doen? Je weet niet waar je bent geweest. Je weet niet door wie je bent vastgehouden. Je bent bang, want diep in je hart weet je dat ze je nog een keer kunnen pakken.'

Je vader en moeder...

'Dus hou je je koest, omdat je geen keus hebt. En misschien, heel misschien, redden ze op deze manier wel levens. Heb je je nooit afgevraagd waarom het ons lukt zo veel terroristische complotten te verijdelen voordat ze de aanslagen kunnen plegen?'

'Door mensen te martelen en ze alles te laten vergeten?'

Berleand haalde theatraal zijn schouders op.

'Als deze methode zo effectief is,' zei ik, 'waarom hebben ze die dan niet toegepast op, laten we zeggen, Khalid Sheik Mohammad, of op die andere gasten van Al Qaida?'

'Wie zegt dat ze dat niet hebben gedaan? Tot de dag van vandaag en ondanks alles wat erover is gezegd, heeft de Amerikaanse overheid pas drie keer toegegeven dat ze gebruik hebben gemaakt van *waterboarding*, en sinds 2003 zou het helemaal niet meer zijn gedaan. Geloof jij dat? En in het geval van Khalid keek de hele wereld mee. Dat was de fout die jullie regering in Guantánamo Bay had gemaakt en daar hebben ze van geleerd. Je doet het niet waar iedereen het kan zien.'

Ik nam nog een slokje cola en keek om me heen. Het was niet stampvol in de club, maar ook niet echt stil. Ik zag mannen in pak en in T-shirt en spijkerbroek. Blanke mannen, zwarte mannen, latino's. Geen blinde mannen. Anthony de uitsmijter had gelijk gehad.

'En nu?' vroeg ik.

'De cel is ontmanteld en daarmee – zo denken velen – het terroristische complot dat ze hadden gepland.'

'Maar jij gelooft dat niet?'

'Nee.'

'Waarom niet?'

'Omdat Rick Collins dacht dat hij iets heel groots op het spoor was. Iets wat over de grenzen en tot in de verre toekomst reikt. De eenheid waar ik voor werkte was woedend toen ik jou die foto van Matar had gestuurd. Begrijpelijk, en daarom hebben ze me op nonactief gezet.'

'Sorry.'

'Het is niet erg. Zij gaan zich nu bezighouden met de volgende cel en het volgende complot. Ik niet. Ik blijf me hierop concentreren. Ik heb vrienden die bereid zijn me daarbij te helpen.'

'Wat voor vrienden?'

'Je hebt ze al eens ontmoet.'

Ik dacht erover na. 'De Mossad.'

Hij knikte. 'Ze hielpen Collins ook.'

'Was dat de reden dat ze mij schaduwden?'

'Ze dachten eerst dat jij hem misschien had vermoord. Ik heb ze ervan overtuigd dat jij er niets mee te maken had. Het was duidelijk dat Collins iets wist, maar hij wilde niet zeggen wat. Hij speelde iedereen tegen iedereen uit en op het laatst was het moeilijk te zeggen aan wie hij loyaal was. Volgens de Mossad nam hij een week voordat hij werd vermoord geen contact meer met hen op en was hij spoorloos.'

‘Enig idee waarom?’

‘Nee.’

Berleand sloeg zijn ogen neer en keek in zijn glas, roerde erin met zijn vinger.

‘Waarom ben je eigenlijk hier?’ vroeg ik.

‘Ik ben hiernaartoe gevlogen toen ze je hadden gevonden.’

‘Ja, maar waaróm?’

Hij dronk zijn glas leeg. ‘Genoeg vragen voor vandaag.’

‘Waar heb je het over?’

Hij stond op.

‘Waar ga je naartoe?’

‘Ik heb je de situatie uitgelegd.’

‘Ah, ik begrijp het. We moeten aan de slag.’

‘We? Jij speelt geen rol meer in deze zaak.’

‘Dat meen je niet, hè? Ik moet Terese opsporen, om te beginnen.’

Hij keek met een glimlach op me neer. ‘Sta je me toe dat ik eerlijk tegen je ben?’

‘Nee, ik heb liever dat je me voorliegt.’

‘Ik zeg dit omdat ik niet goed ben in het brengen van slecht nieuws.’

‘Tot nu toe is het je aardig gelukt.’

‘Maar dit is anders.’ Berleand draaide zich half van me weg en keek naar het podium, maar ik dacht niet dat de danseres hem nog echt interesseerde. ‘Jullie Amerikanen noemen dit de ongezouten waarheid. Dus luister goed: Terese is óf dood, en dan kun je haar niet meer helpen, óf ze wordt, net als jij, vastgehouden op een black site, en in dat geval ben je ook hulpeloos.’

‘Ik ben niet hulpeloos,’ zei ik, met een stem die allesbehalve overtuigend klonk.

‘Ja, goede vriend, dat ben je wel. Al voordat ik contact met hem zocht, begreep Win dat niemand een woord mocht zeggen over jouw verdwijning. Waarom? Omdat hij wist dat als er ook maar iemand – je ouders of wie dan ook – aan de bel zou trekken, je nooit meer thuis zou komen. Dan zouden ze een auto-ongeluk ensceneren en zou je er geweest zijn. Of een zelfmoord. Met Terese Collins is het zelfs nog eenvoudiger. Ze zouden haar ombrengen, haar ergens begraven en zeggen dat ze terug was gegaan naar Angola. Of een zelfmoord ensceneren en zeggen dat de dood van haar dochter haar te veel was geworden. Geloof me, je kunt niets voor haar doen.'

Ik zat daar en zei niets.

'Wat jij nu moet doen,' zei Berleand, 'is je om jezelf bekommeren.'

'Wil je dat ik me erbuiten hou?'

'Ja. En hoewel ik het meende toen ik tegen je zei dat ik je niets verwijt, héb ik je eerder gewaarschuwd. Je hebt er toen voor gekozen die waarschuwing in de wind te slaan.'

Hij had gelijk.

'Nog één vraag,' zei ik.

Berleand wachtte.

'Waarom heb je me dit allemaal verteld?'

'Over de black site?'

'Ja.'

'Omdat, wat zij ook denken van de werking van hun medicijnen, ik niet geloof dat je alles voor honderd procent kunt vergeten. Je hebt hulp nodig, Myron. Alsjeblieft, zorg ervoor dat je die krijgt.'

Het was door het volgende dat ik ontdekte dat Berleand mogelijk gelijk had.

Toen ik terugkwam op kantoor, belde ik met een paar cliënten. Esperanza liet broodjes brengen door Lenny's. We aten ze op aan haar bureau. Esperanza praatte over haar zoontje Hector. Ik weet dat het een van de grootste clichés aller tijden is, over hoe een vrouw verandert wanneer ze moeder wordt, maar in het geval van Esperanza waren die veranderingen buitengewoon opmerkelijk en bijna zorgwekkend te noemen.

Toen we onze broodjes op hadden, ging ik terug naar mijn kantoor en deed de deur achter me dicht. Ik liet het licht uit. Ik zat lange tijd achter mijn bureau en deed niets. We hebben allemaal onze momenten dat we ons gedeprimeerd voelen en nadenken over wat we fout hebben gedaan, maar dit was anders, iets wat dieper ging en zwaarder en duidelijker aanvoelde. Ik kon me niet bewegen. Mijn armen en benen waren loodzwaar. Ik heb in de loop der jaren vaak genoeg met geweld te maken gehad, dus heb ik een wapen op kantoor.

Een Smith & Wesson .38, om precies te zijn.

Ik trok de onderste la open, haalde de revolver eruit en nam hem in mijn hand. De tranen liepen over mijn wangen.

Ik weet hoe melodramatisch dit moet klinken. Het beeld van de arme, zielige ik, alleen achter zijn bureau, in een diepe depressie, met een revolver in zijn hand… om je gek te lachen wanneer je erover nadenkt. Als er een foto van Terese op mijn bureau had gestaan, zou ik die hebben opgepakt – à la Mel Gibson in *Lethal Weapon I* - en de loop van de revolver in mijn mond hebben gestoken.

Dat deed ik natuurlijk niet.

Maar de gedachte ging wel door mijn hoofd.

Toen ik zag dat de deurknop langzaam werd omgedraaid – niemand klopt hier op kantoor, zeker Esperanza niet – handelde ik snel en liet de revolver in de la vallen. Esperanza kwam binnen en keek me aan.

'Wat ben je aan het doen?' vroeg ze.

'Niks.'

'Wat wás je aan het doen?'

'Niks.'

Ze bleef me aankijken. 'Zat je met jezelf te spelen onder het bureau?'

'Betrapt.'

'Je ziet er nog steeds afschuwelijk uit.'

'Ja, dat hoor ik de hele dag al.'

'Ik zou eigenlijk tegen je moeten zeggen dat je naar huis moet gaan, maar je hebt al genoeg dagen gemist, en ik denk niet dat thuis in je eentje zitten kniezen je veel goed zal doen.'

'Mee eens. Is er een reden dat je me komt storen?'

'Zou die er moeten zijn?'

'Nee, eigenlijk niet,' zei ik. 'Trouwens, waar hangt Win uit?'

‘Daar kwam ik voor. Win is aan de lijn op de Batphone.’ Ze gebaarde dat ik me moest omdraaien.

Op het kastje achter mijn bureau, onder iets wat eruitziet als een glazen taartstolp, staat een rode telefoon. Als u de oude *Batman*-serie op tv hebt gezien, weet u waar ik het over heb. Het lampje op de rode telefoon knipperde. Win. Ik tilde de stolp op, nam de hoorn van het toestel en vroeg: ‘Waar ben je?’

‘In Bangkok,’ zei hij, een tikje te opgewekt naar mijn zin. ‘Wat, als je erover nadenkt, een heel ironische naam voor deze stad is.’

‘Sinds wanneer?’ vroeg ik.

‘Maakt dat iets uit?’

‘Ik vind de timing alleen een beetje vreemd,’ zei ik. Toen schoot me iets te binnen. ‘Wat is er terechtgekomen van het DNA-monster uit Miriams graf?’

‘In beslag genomen.’

‘Door?’

‘Mannen met glimmende penningen en glimmende pakken.’

‘Hoe zijn ze erachter gekomen?’

Stilte.

Weer die golf van schaamte. Ik vroeg: ‘Van mij?’

Win vond het niet nodig om mijn vraag te beantwoorden. ‘Heb je met inspecteur Berleand gepraat?’

‘Ja. Wat vond jij ervan?’

‘Ik denk,’ zei Win, ‘dat er wel iets zit in zijn hypothese.’

‘Ik begrijp het niet. Waarom ben je in Bangkok?’

‘Waar zou ik anders moeten zijn?’

‘Hier, thuis, weet ik veel.’

‘Dat lijkt me op dit moment niet zo’n goed idee.’

Ik dacht erover na.

‘Is deze lijn veilig?’ vroeg ik.

‘Hartstikke. En je kantoor is vanochtend op microfoontjes gecheckt.’

‘Wat is er verder in Londen gebeurd?’

‘Heb je gezien dat ik die twee snoeshanen doodschoot?’

‘Ja.’

'Dan weet je de rest ook. De regeringsjongens kwamen binnenstormen. Ik kon jou daar onmogelijk weg krijgen, dus leek het me het beste om zelf de aftocht te blazen. Ik ben onmiddellijk het land uit gegaan. Waarom? Omdat ik, zoals ik net al zei, wel iets zie in Berleands verhaal. Daarom leek het me niet in het voordeel van een van ons beiden wanneer ik me ook zou laten inrekenen. Dat begrijp je wel, hè?'

'Ja. Wat ben je nu van plan?'

'Me een tijdje gedeisd te houden. Tot de storm is overgewaaid.'

'De beste manier om onze veiligheid te garanderen is dit tot op de bodem uit te zoeken.'

'Hell yeah, brother Bo,' zei Win.

Ik vind het heerlijk als hij plat praat.

'Om dat te bewerkstelligen, heb ik wat voelhorens uitgestoken. Ik hoop binnenkort meer te vernemen over het lot van mevrouw Collins. Vergeef me mijn botheid – want ja, ik weet dat je gevoelens voor haar koestert – maar als Terese dood is, dan betekent dat voor ons het einde van het verhaal. Dan hebben we geen belangen meer in de zaak.'

'En het opsporen van haar dochter dan?'

'Als Terese dood is, wat heeft dat dan nog voor zin?'

Ik dacht erover na. Hij had gelijk. Ik had Terese willen helpen. Ik had – jezus, ik weet hoe bizar het nog steeds klinkt – haar willen herenigen met haar omgekomen dochter. Inderdaad, wat was de zin daar nog van als Terese dood was?

Ik keek omlaag en zag dat ik weer op mijn nagels zat te bijten.

'Dus wat doen we nu?' vroeg ik.

'Esperanza zegt dat je een wrak bent.'

'Ga jij me ook al bemoederen?'

Stilte.

'Win?'

Als iemand zijn emoties buiten zijn stem kon houden, was het Win, maar voor hooguit de tweede keer sinds ik hem kende, hoorde ik een barstje in het pantser. 'De afgelopen zestien dagen waren niet gemakkelijk.'

'Ik weet het, vriend.'
'Ik heb hemel en aarde bewogen om je te vinden.'
Ik zei niets.
'Ik heb een paar dingen gedaan die jij nooit zou goedkeuren.'
Ik wachtte.
'En toch kon ik je nergens vinden.'
Ik begreep wat hij bedoelde. Win heeft meer contacten dan wie ook. Hij heeft geld en invloed… en het is gewoon een feit: hij houdt van me. Win is vrijwel nergens bang van. Maar ik wist dat hij het de afgelopen zestien dagen heel moeilijk had gehad.
'Het gaat nu weer goed met me,' zei ik. 'Kom naar huis zodra je denkt dat de kust veilig is.'

26

'Neem nog een loempiaatje,' zei ma tegen me.

'Ik heb genoeg gegeten, ma. Dank je.'

'Nog eentje. Je bent veel te mager. Probeer er een met varkensvlees.'

'Die vind ik niet zo lekker.'

'Wat?' Ma keek me geschokt aan. 'Maar je vond die van Fong's Garden altijd zo lekker.'

'Ma, Fong's Garden is dichtgegaan toen ik acht was.'

'Dat weet ik heus wel. Maar toch.'

Maar toch. Zo beëindigde ma altijd alle meningsverschillen. Je zóú haar herinnering aan Fong's Garden kunnen toeschrijven aan haar ouder geworden brein. Maar dan zou je het mis hebben. Ma maakt die opmerking, over mij en de loempiaatjes, al sinds mijn negende.

We zaten in de keuken van het huis waar ik was opgegroeid, in Livingston, New Jersey. Tegenwoordig forens ik heen en weer tussen dit huis en Wins luxueuze appartement in het Dakota op de hoek van West 72nd Street en Central Park West. Toen mijn ouders jaren geleden naar Miami vertrokken, had ik dit huis van hen gekocht. Je zou je terecht kunnen afvragen wat de psychologie achter die aankoop was – ik was bij mijn ouders blijven wonen tot ik ruim in de dertig was en sliep zelfs nog steeds in mijn oude slaapkamer in het souterrain, zoals die was ingericht in mijn middelbare schooltijd – want de laatste tijd verbleef ik hier zelden. Livingston is een stad voor gezinnen met kinderen, niet voor een alleenstaande man die in Manhattan werkt. Wins flat is veel gunstiger gelegen en, wat oppervlakte betreft, maar iets kleiner dan een gemiddeld Europees vorstendom.

Maar pa en ma waren in de stad, dus waren we hier.

Ik ben van de 'verwijtende' generatie, die van je verwacht dat je een hekel aan je ouders hebt en dat het hún schuld is wanneer je later als volwassene het geluk niet vindt. Maar ik hou heel veel van mijn vader en moeder. Ik vind het heerlijk om bij hen te zijn. Ik ben niet zo lang in dat souterrain blijven wonen uit financiële noodzaak. Ik ben hier gebleven omdat ik gewoon graag bij hen was.

We waren klaar met eten, gooiden de lege bakjes weg en spoelden het bestek af. We praatten wat over mijn broer en zus. Toen mijn moeder begon over Brads werk in Zuid-Amerika, voelde ik een korte maar felle flits door mijn hoofd gaan, een soort déjà vu, maar dan een van heel onaangename soort. Ik begon weer op mijn nagels te bijten. Mijn ouders keken elkaar aan.

Ma werd al snel moe. Dat ging de laatste jaren zo. Ik kuste haar op haar wang en keek haar na toen ze de trap op liep. Ze leunde zwaar op de leuning. Ik dacht aan vroeger, toen ze moeiteloos en met een dansende paardenstaart de trap op was gehuppeld en ze die verdomde leuning helemaal niet nodig had gehad. Ik keek pa aan. Hij zei niets, maar ik durfde te wedden dat hij ook aan vroeger dacht.

Pa en ik verhuisden naar de woonkamer. Hij zette de tv aan. Toen ik klein was, had pa een tv-fauteuil in een foeilelijke hardbruine kleur. De vinyl bekleding, die op leer moest lijken, was op een zeker moment bij de naden gaan scheuren en op sommige plekken staken er zelfs delen van het metalen frame uit. Mijn vader, niet de handigste man op aarde, was de scheuren blijven repareren met brede grijze tape. Er wordt Amerikanen vaak verweten dat ze veel te veel tv-kijken, en misschien wel terecht, maar sommige van mijn beste jeugdherinneringen gaan terug naar deze kamer, naar de avonden dat we hier samen zaten, hij in zijn stoel vol grijze tape, en ik op de bank. Kent iemand de klassieke zaterdagavondprogrammering van CBS nog? *All in the Family*, *M*A*S*H*, *Mary Tyler Moore*, *Bob Newhart* en *The Carol Burnett Show*? Pa kon zo lachen om iets wat

Archie Bunker zei, en zijn lach was zo aanstekelijk dat ik vanzelf begon mee te lachen, ook al begreep ik er de helft niet van.

Al Bolitar had hard gewerkt in zijn fabriekje in Newark. Hij was niet iemand die pokerde met de jongens of na zijn werk in bars zat. Hij zat liever thuis bij zijn gezin. Hij was straatarm begonnen, had zich met hart en ziel op zijn werk gestort en had waarschijnlijk dromen gehad die verder gingen dan dat fabriekje in Newark – grootse plannen – maar hij had ze me nooit verteld. Ik was zijn zoon. Je zadelt je kind niet op met dat soort dingen; die hou je voor jezelf.

Op deze avond viel hij in slaap bij een herhaling van *Seinfeld*. Ik zag zijn borstkas langzaam op en neer gaan, de witte baardstoppels op zijn wangen. Na een tijdje stond ik stilletjes op, liep de trap naar mijn souterrain af, kroop in bed en staarde naar het plafond.

Ik voelde de druk op mijn borst weer. Paniek golfde door me heen. Mijn ogen wilden niet dicht. En toen ik ze uiteindelijk dicht kreeg om mijn reis door het duister te beginnen, rukten de nachtmerries me weer uit mijn slaap. De dromen zelf herinnerde ik me niet, maar de angst ervan bleef. Ik baadde in het zweet. Ik ging rechtop zitten, doodsbang, als een kind.

Om drie uur 's nachts flitste er een stukje van een herinnering door mijn hoofd. Onder water. Ik kreeg geen adem. Het duurde nog geen seconde, dit beeld, langer was het niet, en het werd meteen gevolgd door een andere herinnering, deze keer aan een stem.

Al-sabr wal-sayf...

Mijn hart ging tekeer alsof het ieder moment uit mijn borstkas kon springen.

Om half vier 's ochtends liep ik op mijn tenen de trap op en ging in de keuken zitten. Ik probeerde me zo stil mogelijk te houden maar wist dat het geen zin had. Mijn vader was de lichtste slaper ter wereld. Toen ik vroeger als kind 's nachts langs de open deur van zijn kamer probeerde te sluipen om naar de wc te gaan, schoot hij overeind in zijn bed alsof iemand een waterijsje in zijn kruis had laten vallen. Dus nu, als volwassen man van over de veertig, als iemand die zichzelf beschouwde als moediger dan de meeste andere mensen, wist ik wat er zou gebeuren zodra ik in de keuken zat.

‘Myron?’

Ik keek op en zag hem de trap af komen. ‘Ik had je niet willen wekken, pa.’

‘Ach, ik was toch al wakker,’ zei hij. Pa was gekleed in een boxershort die betere tijden had gekend en een tot op de draad versleten grijs Duke-T-shirt dat twee maten te groot was. ‘Zal ik roerei voor ons maken?’

‘Ja, lekker.’

Hij deed het. We zaten aan de keukentafel en praatten over niets in het bijzonder. Hij deed zijn best een niet te bezorgde indruk te maken, waardoor ik me juist meer beschermd door hem voelde. Er kwamen meer flarden van herinneringen terug. Mijn ogen begonnen te branden en ik moest de tranen wegknipperen. Emoties laaiden op totdat ik niet meer kon zeggen hoe ik me voelde. Er stonden me nog heel wat van dit soort ellendige nachten te wachten. Dat besefte ik nu. Maar ik besefte ook nog iets anders: dat ik niet langer stil kon blijven zitten.

Toen het ochtend was belde ik Esperanza thuis en zei: ‘Voordat ik verdween, zou je een paar dingen voor me opzoeken.’

‘Ook goeiemorgen.’

‘Sorry.’

‘Geeft niet. Wat zei je?’

‘Je zou een paar dingen voor me opzoeken, over de zelfmoord van Sam Collins, over die OPAL-code en over de Red de Engelenbeweging,’ zei ik.

‘Dat klopt.’

‘Ik wil graag weten wat je hebt gevonden.’

Even dacht ik dat ze zou weigeren, maar waarschijnlijk hoorde ze aan mijn stem dat ze dat beter niet kon doen. ‘Oké, ik zie je over een uur. Dan zal ik je laten zien wat ik heb.’

‘Sorry dat ik zo laat ben,’ zei Esperanza, ‘maar Hector had over mijn blouse gespuugd, dus ik moest me omkleden, en toen begon de oppas over opslag en wilde Hector me niet loslaten…’

‘Geeft niet,’ zei ik.

In Esperanza's kantoor waren nog steeds sporen van haar kleurrijke verleden te zien. Aan de muur hingen foto's van haar in haar sexy suède bikini, als Little Pocahontas, de indiaanse prinses, ook al was ze van Latijns-Amerikaanse afkomst. Haar intercontinentale kampioenschapsgordel, een foeilelijk ding dat bij Esperanza van haar borstbeen tot net boven haar knieën zou reiken wanneer ze die zou omdoen, hing in een platte glazen vitrine achter haar bureau. De muren waren geschilderd in kobaltblauw en een tint paars waarvan ik de naam nooit kon onthouden. Haar bureau, rijkversierd en van massief eiken, was voor haar in een antiekzaak gevonden door Big Cyndi, en hoewel ik op kantoor was toen het werd bezorgd, weet ik nog steeds niet hoe ze het door de deuropening hebben gekregen.

Maar sinds de laatste jaren was het 'overheersende thema in het kantoorvertrek', om uit het handboek voor politici te citeren, 'aan verandering onderhevig'. Op haar bureau en de planken van haar kasten stonden foto's van Hector, haar zoontje, in poses zo doodgewoon en voorspelbaar dat het bijna clichés waren. De standaard kinderportretten, met de golvende regenboog als achtergrond à la Sears, Hector op schoot bij de Kerstman en met geverfde eieren met Pasen. En foto's van Esperanza met haar man Tom, met Hector in zijn witte doopjurkje in zijn armen, en met een of ander Disneyfiguur waarvan ik de naam niet kende. De opvallendste foto was die van Esperanza met Hector op een draaimolen, op een klein model brandweerwagen, waarop Esperanza in de camera kijkt met de breedste en meest ongekunstelde glimlach die ik ooit op haar gezicht had gezien.

Esperanza was altijd een rebel en een vrijdenker van het zuiverste water geweest. Ze was schaamteloos biseksueel geweest, had relaties gehad met dan weer een man en dan weer een vrouw, en het had haar nooit een barst kunnen schelen wat men daarvan dacht. Ze was profworstelaar geworden omdat ze dat leuk vond en omdat ze er geld mee kon verdienen, en toen ze er genoeg van had gekregen, was ze 's avonds rechten gaan studeren terwijl ze overdag als mijn assistente werkte. Ik weet dat het vreselijk oneerlijk klinkt, maar het moederschap had haar een deel van die spirit afgenomen. Ik had het natuurlijk eerder zien gebeuren, met andere vriendinnen. Ik begrijp het ook wel. Zelf had ik pas geweten dat ik een zoon had toen hij al bijna volwassen was, dus het moment dat je kind wordt geboren en je hele leven draait om dat wezentje van krap zeven pond, heb ik nooit meegemaakt. Maar dat was dus wat er met Esperanza was gebeurd. Was ze nu gelukkiger? Ik wist het niet. Maar onze relatie was veranderd, wat te verwachten was, en eenzelvig als ik ben, vond ik dat jammer.

'Eerst de chronologie,' zei Esperanza. 'Sam Collins, Ricks vader, krijgt ongeveer vier maanden geleden te horen dat hij de ziekte van Huntington heeft. Twee weken daarna pleegt hij zelfmoord.'

'Is dat zeker, dat het zelfmoord was?'

'Volgens het politierapport wel. Geen verdachte omstandigheden.'

'Oké, ga door.'

'Na de zelfmoord is Rick Collins naar dokter Freida Schneider, de geneticaspecialist van zijn vader gegaan. Hij heeft ook diverse keren naar haar praktijk gebeld. Ik ben zo vrij geweest om dokter Schneider te bellen. Ze heeft het erg druk, maar ze is bereid vanmiddag vijftien minuten van haar lunchpauze aan ons te spenderen. Om half een precies.'

'Hoe heb je dat voor elkaar gekregen?'

'MB Reps schenkt jaarlijks een aanzienlijke som geld aan het Terence Cardinal Cooke Health Care Center.'

'Dat komt dan goed uit.'

'Die wordt betaald van jouw bonus.'

'Mij best. Wat nog meer?'

'Rick Collins heeft gebeld met het CryoHope Center vlak bij het Presbyterian in New York. Die doen daar veel met het bloed uit de navelstreng, restembryo's en stamcelonderzoek. Er werken daar vijf artsen met verschillende specialismen, dus het is moeilijk te zeggen met wie hij heeft gesproken. Hij heeft ook een paar keer met de Red de Engelen-beweging gebeld. Dus de chronologie is als volgt: hij praat eerst met dokter Schneider, vier keer in twee weken tijd.

Daarna praat hij met CryoHope. En dat brengt hem op de een of andere manier bij Red de Engelen.'

'Oké,' zei ik. 'Kunnen we een afspraak met CryoHope maken?'

'Met wie?'

'Een van de artsen?'

'Ze hebben daar een gynaecoloog,' zei Esperanza. 'Moet ik zeggen dat je een uitstrijkje wilt laten maken?'

'Ik meen het.'

'Dat weet ik, maar ik weet niet naar wie ik moet vragen. Ik probeer erachter te komen met welke arts hij heeft gesproken.'

'Misschien kan dokter Schneider ons op dat punt helpen.'

'Dat zou kunnen.'

'O, ben je nog iets opgeschoten met die OPAL-code?'

'Nee. Ik heb hem diverse keren door Google gehaald, maar zonder resultaat. Ik heb hetzelfde met HHK gedaan, en toen kwam ik uit bij een beursgenoteerde organisatie in de gezondheidszorg. Ze houden zich bezig met investeringen in kankeronderzoek.'

'Kanker?'

'Ja.'

'Ik zie niet in hoe dat bij de rest zou passen.'

Esperanza fronste haar wenkbrauwen.

'Wat is er?'

'Ik zie géén van al deze dingen bij elkaar passen,' zei ze. 'Sterker nog, volgens mij verspillen we onze tijd.'

'Hoezo?'

'Wat hoop je precies te vinden? Een arts behandelt een oudere man die de ziekte van Huntington heeft. Wat kan dat nou te maken hebben met terroristen die in Parijs en Londen mensen vermoorden?'

'Ik heb geen idee.'

'Geen enkel idee?'

'Nee.'

'Waarschijnlijk ís er helemaal geen verband,' zei ze.

'Waarschijnlijk niet.'

'En hebben we niks beters te doen?'

'Wat we doen is het volgende: we blijven doorgraven totdat we op iets stuiten. Dit hele gedoe is begonnen met een auto-ongeluk van tien jaar geleden. Van daarna hebben we niks, totdat Rick Collins ontdekt dat zijn vader de ziekte van Huntington heeft. Ik weet niet wat het verband is, dus het enige wat we volgens mij kunnen doen, is teruggaan en de weg volgen die hij heeft afgelegd.'

Esperanza sloeg haar benen over elkaar, pakte een losgeraakte lok van haar haar en draaide die om haar vinger. Ze heeft gitzwart haar waarover een blauwe glans ligt en dat er altijd uitziet alsof ze net van achter de spiegel vandaan komt. Als ze ermee zit te spelen, betekent dat meestal dat haar iets dwarszit.

'Wat is er?'

'Ik heb Ali niet gebeld toen je spoorloos was,' zei ze.

Ik knikte. 'En zij heeft ook niet voor mij gebeld, hè?'

'Dus het is uit tussen jullie?' vroeg Esperanza.

'Blijkbaar.'

'Heb je mijn favoriete citaat voor dat soort gelegenheden gebruikt?'

'Nee, vergeten.'

Esperanza zuchtte. 'Welkom in Dumpsville. Aantal inwoners: 1. Jij.'

'Eh... zo is het niet gegaan. Je kunt beter zeggen dat ík die ene inwoner ben, niet zij.'

'O.' We zwegen even. 'Sorry,' zei ze.

'Geeft niet.'

'Win zei dat je met Terese had gerollebold.'

Ik had bijna gezegd: Win heeft met Mei gerollebold, maar ik was bang dat Esperanza het verkeerd zou begrijpen.

'Ik zie niet in wat dat met deze zaak te maken heeft.'

'Nou, jij zou dat nooit doen, zeker niet als het net uit was met een ander, als je niet echt om Terese gaf. Heel veel om haar gaf.'

Ik leunde achterover. 'Ja, en?'

'Dus gaan we alles in de strijd werpen, als jij denkt dat we daar verder mee zullen komen. Maar we zullen ook de waarheid onder ogen moeten zien.'

‘En die is?’

‘Dat Terese hoogstwaarschijnlijk dood is.’

Ik zei niets.

‘Ik heb eerder meegemaakt dat jij een dierbare bent verloren,’ zei Esperanza. ‘Jij kunt dat niet goed aan.’

‘Wie wel?’

‘Dat is waar. Maar je moet ook nog bijkomen van wat jou zelf is overkomen, wat dat ook was. Dat is erg veel tegelijk.’

‘Ik overleef het wel. Verder nog iets?’

‘Ja,’ zei ze. ‘Die twee gasten die Win en jij een pak slaag hebben gegeven.’

Coach Bobby en assistent-coach Pat. ‘Wat is daarmee?’

‘De politie van Kasselton is al een paar keer langs geweest. Je moest contact met ze opnemen als je terug was. Je wist dat die knaap die Win pootje heeft gelicht een politieman was, hè?’

‘Dat heeft Win me verteld.’

‘Hij heeft een knieoperatie gehad en is nu aan het revalideren. Die andere knaap, die het gedonder is begonnen, had vroeger een paar winkels in keukenspullen. Hij is zijn klanten kwijtgeraakt aan de grootwinkelbedrijven en werkt nu als afdelingschef bij Best Buy in Paramus.’

Ik stond op. ‘Oké.’

‘Oké, wat?’

‘We hebben nog wat tijd voor onze afspraak met dokter Schneider. Kom, we gaan naar Best Buy.’

27

Coach Bobby droeg een blauwe polo met een Best Buy-logo, waarvan de stof strak over zijn bierbuik spande. Zijn hand lag op een tv-toestel en hij was in gesprek met een Aziatisch echtpaar. Ik zocht naar sporen van het pak slaag op zijn gezicht, maar zag ze niet.

Esperanza was bij me. Toen we verder de winkel in liepen, kwam er een man in een geruit flanellen shirt op haar af rennen. 'Neem me niet kwalijk,' zei hij, en zijn gezicht straalde als dat van een kind op kerstochtend. 'Maar, o mijn god, ben jij het? Little Pocahontas?'

Ik schoot bijna in de lach. Het blijft me verbazen hoeveel mensen haar nog steeds herkennen. Ze wierp me een boze blik toe en wendde zich tot haar fan.

'Ja, ik ben het.'

'Wauw! Man, ik kan mijn ogen niet geloven. Ik bedoel, jeetje. Wat leuk om je in het echt te ontmoeten.'

'Dank je.'

'Ik had vroeger je poster boven mijn bed hangen. Toen ik een jaar of zestien was.'

'Ik voel me gevleid...' begon ze.

'Ik heb er aardig wat vlekken op gemaakt,' zei hij met een knipoog, 'als je begrijpt wat ik bedoel.'

'... en een beetje onpasselijk.' Ze stak haar hand op, bewoog haar vingers en liep van hem weg. 'Nou, dag.'

Ik ging haar achterna. 'Vlekken,' zei ik. 'Dat zou je toch iets moeten doen.'

'Het klinkt pathetisch, maar dat is ook zo,' zei ze.

Vergeet wat ik eerder zei, over het moederschap dat haar spirit zou hebben verminderd. Esperanza was nog steeds een kanjer.

We liepen de te openhartige fan voorbij en naderden coach Bobby. Ik hoorde de Aziatische man vragen wat het verschil tussen een plasmascherm en een lcd-scherm was. Coach Bobby zette zijn borstkas op en gaf de man de voor- en nadelen, die ik geen van alle begreep. Toen vroeg de man naar dlp-tv's. Coach Bobby was erg enthousiast over dlp-tv's. Hij legde uit waarom.

Ik wachtte.

Esperanza knikte in de richting van coach Bobby en zei: 'Zo te horen had hij die dreun dik verdiend.'

'Nee,' zei ik. 'Je vecht niet met mensen om ze een lesje te leren... alleen uit zelfbescherming en om te overleven.'

Esperanza trok een gezicht.

'Wat is er?' vroeg ik.

'Win heeft gelijk. Soms ben je echt een tut.'

Coach Bobby glimlachte naar het Aziatische echtpaar en zei: 'Neemt u rustig de tijd. Ik kom zo terug en dan kunnen we de gratis bezorging bespreken.'

Hij kwam naar me toe en keek me recht aan. 'Wat wil je?'

'Ik kom zeggen dat het me spijt.'

Coach Bobby verroerde zich niet. Drie seconden bleef het stil. Toen zei hij: 'Nou, dat heb je dan gezegd.'

Hij draaide zich om en liep terug naar zijn klanten.

Esperanza gaf me een klap op mijn schouder. 'Tjonge, dát was verhelderend.'

Dokter Freida Schneider was klein en gedrongen en had een brede glimlach die vertrouwen wekte. Ze was orthodox-joods, zo te zien aan haar sobere kleding en de baret op haar hoofd. Ik ontmoette haar in de kantine van het Terence Cardinal Cooke Health Care Center op Fifth Avenue bij 103rd Street. Esperanza was buiten gebleven om een paar mensen te bellen. Dokter Schneider vroeg of ik iets wilde eten. Ik bedankte. Zelf bestelde ze een ingewikkeld broodje. We gingen aan een tafeltje zitten. Ze zei haar gebedje en viel aan op het broodje alsof het haar had uitgedaagd.

'Ik heb maar tien minuten,' zei ze bij wijze van uitleg.

'U had toch vijftien gezegd?'

'Ik ben van gedachten veranderd. Nog bedankt voor de donatie.'

'Ik wil u een paar dingen vragen over Sam Collins.'

Schneider slikte een hap brood door. 'Dat zei uw collega al. U bent bekend met de vertrouwensrelatie tussen arts en patiënt, neem ik aan? Dus ik kan die riedel overslaan?'

'Ja, graag.'

'Hij is dood, dus misschien kunt u mij vertellen wat de reden van uw belangstelling voor hem is.'

'Ik heb begrepen dat hij zelfmoord heeft gepleegd.'

'Dat hoeft u mij niet te vertellen.'

'Gebeurt het vaker dat patiënten met de ziekte van Huntington dat doen?'

'Weet u wat Huntington precies is?'

'Ik weet dat het erfelijk is.'

'Het is een autosomaal dominante overerfelijke neurologische stoornis,' zei ze tussen twee happen door. 'Je gaat er niet meteen aan dood, maar naarmate de stoornis verergert, kan die leiden tot complicaties zoals longontsteking en hartproblemen en nog veel meer wat u allemaal niet wilt weten, waaraan je wel degelijk doodgaat. Huntington tast zowel het lichaam als de psyche van de mens aan. Het is een heel onaangename ziekte. Dus ja, zelfmoord komt vaker voor. Onderzoek toont aan dat een op de vier patiënten het probeert, waarvan ongeveer zeven procent met succes, als je de ironische term "succes" in dit geval zou mogen gebruiken.'

'En zo is het met Sam Collins gegaan?'

'Hij was al depressief voordat de diagnose werd gesteld. Het is moeilijk te zeggen welke van de twee er het eerst was. Meestal begint Huntington met een lichamelijke stoornis, maar er zijn genoeg gevallen bekend waarin eerst de geest wordt aangetast. Dus kan zijn depressiviteit het eerste symptoom van Huntington zijn geweest en heeft men een verkeerde diagnose gesteld. Niet dat het veel uitmaakte. De ziekte zou hem hoe dan ook het leven hebben gekost...

en eigenlijk kan zijn zelfmoord als een zoveelste levensbedreigende complicatie ervan worden gezien.'

'Ik heb begrepen dat je de ziekte alleen door overerving kunt krijgen?'

'Ja.'

'En dat een kind, wiens vader of moeder het heeft, vijftig procent kans heeft het ook te krijgen.'

'Om het eenvoudig te houden zou ik zeggen: ja, dat is juist.'

'En van een ouder die het niet heeft, zal het kind het ook niet krijgen. Dan is die familielijn schoon.'

'Ga door.'

'Dus dat betekent dat een van Sam Collins' ouders het moet hebben gehad.'

'Dat klopt. Zijn moeder is dik in de tachtig geworden, zonder een spoor van Huntington, dus hoogstwaarschijnlijk heeft hij de ziekte geërfd van zijn vader, die jong is gestorven, voordat de symptomen zich hadden kunnen openbaren.'

Ik boog me naar voren. 'Hebt u Sam Collins' kinderen onderzocht?'

'Dat is uw zorg niet.'

'Ik heb het met name over Rick Collins. Die ook dood is. Vermoord, om precies te zijn.'

'Door terroristen, volgens de nieuwsberichten.'

'Ja.'

'En toch denkt u dat het feit dat zijn vader de ziekte van Huntington had iets met de moord op hem te maken heeft?'

'Ja, dat denk ik.'

Freida Schneider nam nog een hap van haar broodje en schudde haar hoofd.

'Rick Collins heeft een zoontje,' zei ik.

'Dat weet ik.'

'En misschien heeft hij ook een dochter.'

Ze hield abrupt op met kauwen. 'Pardon?'

Ik wist niet precies hoe ik het moest uitleggen. 'Er bestaat een kans dat Rick Collins niet wist dat ze in leven is.'

'Kunt u dat toelichten?'

'Liever niet,' zei ik. 'We hebben maar tien minuten.'

'Dat is waar.'

'Dus?'

Ze zuchtte. 'Rick Collins is getest, ja.'

'En?'

'Het bloedonderzoek toonde een verlengde CAG-ketting op de korte arm van het vierde chromosoom.'

Ik keek haar alleen maar aan.

'Goed dan, om kort te gaan, de uitslag was helaas positief. We beschouwen de bloedtest niet als definitieve diagnose, want het kan jaren of zelfs tientallen jaren duren voordat de symptomen zich openbaren. Maar bij Rick Collins waren de chorea al te zien, de hoekige, ongecontroleerde bewegingen. Hij heeft ons verzocht het stil te houden. Waaraan we natuurlijk gehoor hebben gegeven.'

Ik dacht erover na. Rick had de ziekte van Huntington. Hij vertoonde de symptomen al, dus hoe zag zijn nabije toekomst eruit? Zijn vader had zich diezelfde vraag gesteld en een eind aan zijn leven gemaakt.

'Is Ricks zoontje ook getest?'

'Ja. Rick drong erop aan, iets wat – moet ik zeggen – nogal ongebruikelijk is. De meningen over het testen lopen erg uiteen, vooral wanneer het jonge kinderen betreft. Als van zo'n jong kind bekend wordt dat het later – ooit – de ziekte zal krijgen, is dat dan geen loodzware last om mee te leven? Of is het beter om het meteen te weten en zo veel mogelijk uit het leven te halen? En als je positief test op de ziekte van Huntington, moet je dan zelf wel beginnen aan kinderen, die weer vijftig procent kans hebben de ziekte van je te erven, of is het leven, zelfs als je dat allemaal weet, toch nog de moeite waard? De ethische vraagstukken zijn talrijk.'

'Maar Rick heeft zijn zoontje dus laten testen?'

'Ja. Hij was een onderzoeksjournalist pur sang. Hij wilde alles weten. Gelukkig testte het zoontje negatief.'

'Dat moet een hele opluchting voor hem geweest zijn.'

'Ja.'

'Kent u het CryoHope Center?'
Ze dacht even na. 'Die doen aan research en opslag, geloof ik. Voornamelijk embryo-opslag en dat soort zaken, is het niet?'
'Nadat Rick Collins bij u was geweest, is hij naar het CryoHope Center gegaan. Hebt u enig idee waarom?'
'Nee.'
'En de Red de Engelen-beweging? Kent u die misschien?'
Schneider schudde haar hoofd.
'Er bestaat geen medicijn tegen de ziekte van Huntington, klopt dat?' vroeg ik.
'Ja, dat is juist.'
'En met behulp van stamcelonderzoek?'
'Wacht, meneer Bolitar, laten we even teruggaan. U zei dat Rick Collins mogelijk een dochter had.'
'Ja.'
'Zou u dat kunnen toelichten?'
'Heeft hij u niet verteld dat hij een dochtertje had dat tien jaar geleden bij een auto-ongeluk om het leven is gekomen?'
'Nee. Waarom zou hij?'
Daar zat wel iets in. 'Toen Rick in Parijs werd vermoord, is er op de plaats delict bloed gevonden. DNA-onderzoek van dat bloed toonde aan dat het van zijn dochter was.'
'Maar u zei net dat zijn dochter is omgekomen. Ik kan het niet volgen.'
'Ik ook niet, nog niet. Maar vertelt u me iets over stamcelonderzoek.'
Ze haalde haar schouders op. 'Het is nog erg speculatief in dit stadium. In theorie zou je beschadigde neuronen in de hersenen kunnen vervangen met behulp van stamcellen uit bloed afkomstig uit de navelstreng. We hebben bij dierproeven bemoedigende resultaten gezien, maar niemand durft zich nog te wagen aan klinische proeven op mensen.'
'Toch, als je ten dode opgeschreven en wanhopig bent...'
Een vrouw kwam de kantine in. 'Dokter Schneider?'
Freida Schneider stak haar hand op, propte het restant van het

broodje in haar mond en stond op. 'Als je stervende bent... ja, dan is alles mogelijk. Alles, van wondermiddelen tot... tja, zelfmoord. Uw tien minuten zijn om, meneer Bolitar. Kom nog eens terug, dan geef ik u een rondleiding door het centrum. Het zal u verbazen hoeveel goed werk hier wordt verricht. Nogmaals dank voor uw donatie en veel succes met waar u mee bezig bent, wat dat ook moge zijn.'

28

Het CryoHope Center glom je tegemoet, als de ideale mix van een hypermoderne kliniek en een chique bank. De receptiebalie van donker hout was hoog. Ik leunde ertegenaan, met Esperanza aan mijn zijde. Ik zag dat de receptioniste, een blozend plattelandsmeisje, geen trouwring droeg. Ik overwoog van plan te veranderen. Een jonge, alleenstaande vrouw. Als ik mijn charme in de strijd wierp zou ze als een blok voor me vallen en al mijn vragen beantwoorden. Esperanza voelde aan wat ik dacht en wierp me een afkeurende blik toe. Ik haalde mijn schouders op. De receptioniste wist hoogstwaarschijnlijk toch niets.

'Mijn vrouw is in verwachting,' zei ik, met een knikje naar Esperanza. 'We zouden graag iemand willen spreken over het invriezen en bewaren van de navelstreng van onze baby.'

De blozende receptioniste wierp me een geoefende glimlach toe. Ze gaf me een stapeltje brochures – full colour op zwaar hoogglanspapier – en bracht ons naar een kamertje met pluchen fauteuils. Aan de muur hingen grote, kunstzinnige foto's van kinderen en een poster met een dwarsdoorsnede van het menselijk lichaam, die aan biologieles op de middelbare school deed denken. We vulden het formulier op het klembord in. CryoHope wilde mijn naam weten. Even was ik in de verleiding om I.P. Daily of Wink Martindale op te schrijven, maar uiteindelijk koos ik voor Mark Kadison, omdat hij een vriend van me was en er hartelijk om zou lachen als ze hem belden.

'Zo, hallo daar!'

De man die binnenkwam had een witte laborantenjas aan, met

een stropdas en een bril met een zwaar, donker montuur, zoals filmacteurs vaak opzetten wanneer ze een intelligente indruk willen maken. Hij schudde ons allebei de hand en nam plaats in een van de fauteuils.

'En,' zei hij, 'hoe lang bent u onderweg?'

Ik keek naar Esperanza.

Ze fronste haar wenkbrauwen en zei: 'Drie maanden.'

'Gefeliciteerd. Is het uw eerste?'

'Ja.'

'Nou, dan ben ik blij met uw wijze besluit om het bloed van de navelstreng van uw kind bij ons op te slaan.'

'Wat kost het?' vroeg ik.

'Duizend dollar voor het invriezen en de afhandeling. Plus een jaarlijks bedrag voor de opslag. Dat klinkt als een flinke duit, ik weet het, maar het gaat hier om een kans die u maar één keer krijgt. Het bloed uit de navelstreng bevat stamcellen die levens kunnen redden. Zo simpel is het. Ze kunnen bloedarmoede en leukemie genezen. Ze kunnen infecties bestrijden en gunstige effecten hebben op bepaalde vormen van kanker. We zijn bezig met research die zou kunnen resulteren in behandelingen voor hartkwalen, de ziekte van Parkinson en diabetes. Nee, we kunnen die nu nog niet genezen. Maar wie weet wat er over een paar jaar mogelijk is? Bent u bekend met beenmergtransplantaties?'

Hij moest eens weten.

'Ik weet er iets van,' zei ik.

'Transplantaties met bloed uit de navelstreng werken beter, en zijn natuurlijk veiliger omdat er geen chirurgische ingreep nodig is. Met beenmerg heb je een HLA-match van drieëntachtig procent nodig. Met bloed uit de navelstreng is dat maar zevenenzestig procent. Dat is nu, op dit moment. We redden al levens met stamceltransplantaties. Kunnen jullie me volgen?'

We knikten allebei.

'Maar wat allesbepalend is, is het volgende: het enige moment om het bloed uit de navelstreng veilig te stellen, is meteen nadat uw kind ter wereld is gekomen. Dáár gaat het om. U kunt niet zeggen:

we doen het wel als het kind een jaar of drie is, of als – God verhoede – er een broertje of zusje ziek wordt.'

'Hoe gaat het precies in zijn werk?' vroeg ik.

'De ingreep is pijnloos en simpel. Wanneer u uw kind baart, wordt het bloed uit de navelstreng gezogen. Uit dat bloed halen we de stamcellen en die vriezen we in.'

'Waar worden ze bewaard?'

Hij spreidde zijn armen. 'Hier, in een afgesloten, veilige omgeving. We hebben bewaking, generatoren voor als de stroom uitvalt en een gepantserde ruimte. Zoals elke bank heeft. De meest gebruikte optie – die ik u van harte kan aanbevelen – is *family banking*. In het kort: u slaat de stamcellen van uw kind op voor later gebruik. Voor het kind zelf. Voor een broertje of zusje. Maar misschien ook voor een van u beiden, of voor een oom of tante. Wat u maar wilt.'

'Hoe weten jullie dat het bloed uit de navelstreng aanslaat?'

'Daar bestaan geen garanties voor. Dat zeg ik u in alle eerlijkheid. Maar de kans is wel enorm toegenomen. Kijk... u ziet eruit als een echtpaar met een gemengde etnische afkomst. Dan is het sowieso veel moeilijker om met elkaar tot een match te komen, daarom is deze aanpak juist voor u zo belangrijk. O, en voor de duidelijkheid, de stamcellen waar we het over hebben, die uit het bloed van de navelstreng, hebben niets te maken met alle ophef die u hoort over stamcellen uit embryo's.'

'Slaan jullie geen embryo's op?'

'O, jawel, maar dat staat helemaal los van waar u beiden in geïnteresseerd bent. Die zijn voor andere doeleinden, onvruchtbaarheid en dat soort zaken. Bij de research en de opslag die voor ú van belang zijn, is contact met embryo's absoluut uitgesloten. Dat wilde ik graag even gezegd hebben.'

Hij had een brede glimlach op zijn gezicht.

'Bent u arts?' vroeg ik.

De glimlach werd een tikje minder breed. 'Nee, maar we hebben een staf van vijf artsen.'

'Wat voor soort artsen zijn dat?'

'CryoHope beschikt over toonaangevende artsen in alle specialismen.' Hij hield me de brochure voor en wees me de lijst aan. 'We hebben een geneticus die zich met erfelijke ziekten bezighoudt. We hebben een hematoloog die zich om de transplantatiezaken bekommert. We hebben een gynaecoloog die baanbrekend werk op het gebied van de onvruchtbaarheid heeft verricht. We hebben een pediater en een oncoloog die met behulp van stamcelonderzoek een genezingsmethode voor kinderkanker proberen te ontwikkelen.'

'Oké,' zei ik. 'Mag ik u een hypothetische vraag stellen?'

Hij boog zich naar me toe.

'Ik laat het bloed uit de navelstreng van mijn kind invriezen en opslaan. Er gaan een paar jaar voorbij. Dan krijg ik een of andere ernstige ziekte. Een waarvoor nog geen behandeling bestaat, dus wil ik een paar alternatieven proberen. Kan ik dat bloed daarvoor gebruiken?'

'Dat bloed is van u, meneer Kadison. U kunt ermee doen wat u wilt.'

Ik had geen idee hoe ik verder moest. Ik keek Esperanza aan. Die wist het zo te zien ook niet.

'Kan ik met een van jullie artsen spreken?' vroeg ik.

'Zijn er vragen die ik niet naar tevredenheid heb beantwoord?'

Ik probeerde iets anders te bedenken. 'Hebben jullie ene Rick Collins als cliënt gehad?'

'Pardon?'

'Rick Collins, een goede vriend van me. Hij heeft u bij me aanbevolen. Ik wilde alleen even checken of hij hier zelf cliënt is geweest.'

'Dat is vertrouwelijke informatie. Ik ben ervan overtuigd dat u dat begrijpt. Als er iemand naar u zou vragen, zou ik hetzelfde zeggen.'

Dat schoot niet op.

'Kent u een organisatie die "Red de Engelen" heet?' vroeg ik.

Zijn gezicht verstrakte.

'Nou?'

'Wat heeft dit te betekenen?' vroeg hij.

'Ik stel u gewoon een vraag.'

'En ik heb u uitgelegd hoe we hier te werk gaan,' zei hij terwijl hij opstond. 'Ik stel voor dat u de brochures doorneemt. Hopelijk besluit u daarna van de diensten van CryoHope gebruik te maken. Ik wens u beiden veel geluk toe.'

Buiten, op de stoep, zei ik: 'Eruit gebonjourd.'

'Jep.'

'Win had een tijdje geleden de theorie dat het bloed dat ze op de plaats delict hebben gevonden, misschien bloed uit de navelstreng was.'

'Het zou een hoop verklaren,' zei Esperanza.

'Ik begrijp alleen niet hoe. Stel dat Rick Collins het bloed van zijn dochtertje Miriam heeft laten invriezen. Hij haalt het hier op, laat het – wat? – ontdooien, neemt het mee naar Parijs en morst het op de plek waar hij wordt vermoord?'

'Nee,' zei ze.

'Hoe dan?'

'We zien iets over het hoofd. Eén of meer stappen. Misschien heeft hij het ingevroren monster naar Parijs laten sturen. Misschien werkte hij wel samen met een paar artsen aan een experimenteel testprogramma, op mensen, iets wat onze overheid niet zou toestaan. Ik weet het niet, maar nogmaals... vind jij het geloofwaardiger dat het meisje het auto-ongeluk heeft overleefd en dat ze zich tien jaar lang verborgen heeft gehouden?'

'Zag je zijn gezicht toen ik over Red de Engelen begon?'

'Zo verrassend is dat niet. Het is een groep die fel tegen abortus en embryonaal stamcelonderzoek is. Zag je hoe behendig hij een streep trok tussen hun onderzoek, van het bloed uit de navelstreng, en de controverse over de rest van het stamcelonderzoek?'

Ik dacht erover na. 'We moeten hoe dan ook de Red de Engelenbeweging onder de loep nemen.'

'Niemand daar neemt de telefoon op,' zei Esperanza.

'Heb je een adres?'

'Ze zitten in New Jersey,' zei ze. 'Maar...'

'Maar wat?'

'We rennen rond als een kip zonder kop. We komen niet verder. En even terug naar de realiteit: onze cliënten verdienen beter dan wat ze krijgen. We hebben beloofd dat we keihard voor ze zouden werken. En dat doen we niet.'

Ik stond daar en zei niets.

'Je bent de beste agent van de hele wereld,' zei Esperanza. 'Ik ben ook goed in wat ik doe. Heel goed zelfs. Ik ben een betere onderhandelaar dan jij ooit zult worden, en ik weet beter dan jij hoe ik lucratieve deals voor onze cliënten kan sluiten. Maar ze worden cliënt bij ons omdat ze jóú vertrouwen. Want wat ze écht van hun agent verlangen, is dat die om hen geeft... en daar ben jij goed in.'

Ze haalde haar schouders op en wachtte.

'Ik begrijp wat je bedoelt,' zei ik. 'Meestal komen we in dit soort puinhopen terecht als ik een cliënt probeer te beschermen. Maar deze keer gaat het om iets wat groter is. Veel en veel groter. Jullie willen dat ik me vooral blijf richten op onze persoonlijke belangen. Dat begrijp ik heel goed. Maar ik móét dit tot op de bodem uitzoeken.'

'Je hebt een heldencomplex,' zei Esperanza.

'Dat wisten we toch al, min of meer?'

'Ja, maar het zorgt er ook voor dat je niet altijd alles even scherp ziet. Je kunt meer bereiken wanneer je weet waar je naartoe gaat.'

'Nu,' zei ik, 'ga ik naar New Jersey. En jij gaat terug naar kantoor.'

'Ik kan met je meegaan.'

'Ik heb geen behoefte aan een babysitter.'

'Dat is dan jammer voor je, want ik gá met je mee. We gaan samen naar Red de Engelen. En als het een dood spoor is, gaan we terug naar kantoor en werken we de hele avond door. Deal?'

'Deal,' zei ik.

29

En een dood spoor was het. Hartstikke dood.

Met de routeplanner van de auto kwamen we terecht bij een kantoorpand in HoHoKus, New Jersey, aan het einde van een doodlopende straat. Er waren een Ed's Body Shop, een karatestudio die Eagle's Talon heette, en een wel heel goedkope etalage van een fotostudio die zich de OFFICIAL PHOTOGRAPHY OF ALBIN LARAMIE noemde. Ik wees naar de plakletters op de winkelruit.

'De officiële,' zei ik, 'want geloof me, de officieuze foto's van Albin Laramie wil je echt niet zien.'

Er hingen trouwfoto's zo wazig dat je amper kon zien waar de bruid ophield en de bruidegom begon. Er hingen ook glamourfoto's van modellen, meestal in bikini, in uitdagende poses. En er waren kinderfoto's, van die ouderwetse, in sepia tinten en victoriaanse stijl. Baby's gehuld in witte spookgewaden, waardoor ze er nogal griezelig uitzagen. Wanneer ik zo'n foto zag, dacht ik altijd, zonder het te willen: degene die poseerde, is nu dood en begraven. Misschien klink ik een beetje zwartgallig, maar wie zat er nu op dat soort foto's te wachten?

We gingen het kantoorpand binnen en bekeken de naambordjes. De huurders vormden de gebruikelijke mix van artsen, accountants en zelfs een paar beleggingsadviseurs. Red de Engelen zou in suite 3B moeten zitten, maar de deur was op slot. Aan de verkleurde rechthoek op de deur zag ik dat daar ooit een naambord had gezeten.

Het dichtstbijzijnde kantoor was van een accountantsbureau dat Bruno & Associates heette. Ik ging ernaar binnen en vroeg naar de Engelen.

'O, die zijn al een tijdje weg,' vertelde de receptioniste ons. Op haar naamplaatje stond dat ze 'Minerva' heette. Ik vroeg me af of dat haar voornaam of haar achternaam was. 'Ze zijn kort na de inbraak vertrokken.'

Ik trok mijn ene wenkbrauw op en boog me over de balie. 'De inbraak?' vroeg ik.

Ik ben goed in het stellen van de juiste vragen.

'Jep. Het hele kantoor was leeggehaald. Dat moet...' Er kwam een denkrimpel in haar voorhoofd. '... hé, Bob, wanneer was die inbraak hiernaast?'

'Drie maanden geleden.'

Veel meer konden Minerva en Bob ons niet vertellen. Op tv vragen rechercheurs altijd of de gezochte een nieuw postadres heeft achtergelaten. In het echte leven heb ik echter nooit meegemaakt dat iemand dat had gedaan. We liepen de gang weer in en ik bleef nog even bij de deur van Red de Engelen staan. De deur had me niets te vertellen.

'Ben je klaar om terug te gaan naar kantoor?' vroeg Esperanza.

Ik knikte. We liepen naar buiten. Ik kneep mijn ogen half dicht tegen de felle zon en hoorde Esperanza zeggen: 'Tjonge jonge, kijk eens aan.'

'Wat?'

Ze wees naar een auto aan de overkant van de straat. 'Die sticker op de achterbumper.'

U kent ze wel. Die witte, ovale stickers met zwarte letters die aangeven waar je bent geweest. Het is geloof ik begonnen in Europese steden. Iemand ging op vakantie naar Italië, en als hij weer terug was plakte hij een sticker met ROM op zijn auto. Nu leek elke zichzelf respecterende stad zijn eigen sticker te hebben.

Op deze ovale sticker stond: HHK.

'HoHoKus,' zei ik.

'Jep.'

Ik dacht terug aan de code. 'OPAL in HoHoKus. Misschien is vier-zeven-een-twee een huisnummer?'

'Opal kan de naam van iemand zijn.'

We keerden ons om naar de plek waar we de auto hadden neergezet en werden getrakteerd op een tweede verrassing. Achter onze auto stond een zwarte Cadillac Escalade geparkeerd, waardoor we er niet meer uit konden. Ik zag een zwaargebouwde man in een bruin overheidspak onze kant op komen. Hij had stekeltjeshaar en een groot, hoekig gezicht, waardoor hij eruitzag als een aanvallende lijnverdediger van de Green Bay Packers in 1953.

'Meneer Bolitar?'

Ik herkende de stem. Ik had die twee keer eerder gehoord. De eerste keer toen ik Berleand belde… en de tweede keer in Londen, vlak voordat ik het bewustzijn verloor.

Ik deed een stap achteruit. Esperanza kwam voor me staan, alsof ze me wilde beschermen. Ik legde mijn hand op haar schouder om haar te laten weten dat alles oké was.

'Special agent Jones,' zei ik.

Uit de Escalade stapten nog twee mannen, ook agenten, nam ik aan. Ze bleven bij de geopende portieren staan. Ze hadden allebei een zonnebril op.

'Ik zou graag willen dat je met me mee komt,' zei Jones.

'Sta ik onder arrest?' vroeg ik.

'Nog niet. Toch zou ik je willen adviseren met me mee te komen.'

'Ik wacht liever op het arrestatiebevel,' zei ik. 'En ik laat mijn advocaat komen. Om alles netjes volgens het boekje te doen.'

Jones deed een stap naar me toe. 'Ik wil je liever niet formeel ergens van beschuldigen. Maar ik weet dat je minstens één misdaad hebt gepleegd.'

'Want daar was jij getuige van, hè?'

Jones haalde zijn schouders op.

'Waar hebben jullie me naartoe gebracht nadat ik buiten westen was geraakt?' vroeg ik.

Hij deed alsof hij een diepe zucht slaakte. 'Ik heb echt geen idee waar je het over hebt. Maar we hebben allebei meer te doen, nietwaar? Laten we nou maar een stukje gaan rijden.'

Hij wilde me bij mijn bovenarm pakken toen Esperanza zei: 'Special agent Jones?'

Jones keek haar aan.

'Telefoon voor je,' zei ze.

Esperanza hield hem haar mobieltje voor. Hij fronste zijn wenkbrauwen maar pakte het toestel aan. Ik fronste mijn wenkbrauwen ook en keek haar aan. Van haar gezicht was niets af te lezen.

'Hallo?' zei Jones.

Het geluid stond zo hard dat ik de stem vanaf de andere kant duidelijk kon verstaan. De stem zei: 'Een gesp in militaire stijl, verchroomd, met een Gucci-logo in de linker onderhoek.'

Het was Win.

'Huh?' zei Jones.

'Ik zie de gesp van je broekriem door mijn telescoopvizier,' zei Win, 'maar ik richt tien centimeter lager, hoewel vijf centimeter in jouw geval waarschijnlijk ook genoeg is.'

Mijn blik zakte naar Jones' broekriem. Het klopte. Ik had geen idee wat militaire stijl inhield, maar in de linker onderhoek stond een Gucci-logo.

'Een Gucci van een overheidssalaris?' zei Win. 'Dat moet jatwerk zijn.'

Jones hield de telefoon tegen zijn oor gedrukt en keek om zich heen. 'Ik neem aan dat ik met meneer Windsor Horne Lockwood spreek?'

'Ik weet niet waar je het over hebt.'

'Wat wil je?'

'Heel simpel. Meneer Bolitar gaat niet met je mee.'

'Je bedreigt een federaal ambtenaar. Dat is een ernstig misdrijf.'

'Ik lever commentaar op je gevoel voor mode,' zei Win. 'En aangezien je riem zwart is en je schoenen bruin, ben jij degene die een misdrijf begaat.'

Jones keek op en zijn blik ontmoette de mijne. Voor iemand die een geweer op zijn kruis gericht wist, lag er een merkwaardige kalmte in zijn ogen. Ik keek naar Esperanza. Ze keek niet terug. En ik besefte iets wat ik eigenlijk wel had kunnen weten: Win was niet in Bangkok. Hij had tegen me gelogen.

'Ik wil geen scène maken,' zei Jones, en hij stak zijn beide handen

op. 'Dus, oké, als je niet wilt, dan niet. Een prettige dag nog.'
Hij draaide zich om en wilde teruglopen naar zijn auto.
'Jones?' riep ik hem na.
Hij keek om, bracht zijn hand naar zijn ogen om ze tegen de zon te beschermen.
'Weet jij wat er met Terese Collins is gebeurd?'
'Ja.'
'Vertel het me.'
'Als je met me meegaat,' zei hij.
Ik keek Esperanza aan. Ze gaf haar telefoon weer aan Jones.
'Even voor de duidelijkheid,' zei Win. 'Ergens onderduiken heeft geen zin. Voor jou niet en de rest van de familie ook niet. Als hem iets overkomt, gaan jullie er allemaal aan. Iedereen en alles wat je dierbaar is. En, nee, dit is geen dreigement.'
De verbinding werd verbroken.
Jones keek me aan. 'Fijne vent.'
'Je moest eens weten.'
'Zullen we gaan?'
Ik volgde hem naar de Escalade en stapte in.

30

We reden George Washington Bridge over en kwamen weer in Manhattan. Jones stelde me voor aan de twee agenten voorin, maar hun namen zeiden me niets. De Escalade sloeg af bij West 79th Street en stopte een paar minuten later bij Central Park West. Jones opende het portier, pakte zijn koffertje en zei: 'Zullen we een eindje gaan lopen?'

Ik stapte uit. De zon scheen nog steeds fel.

'Wat is er met Terese gebeurd?'

'Je moet eerst de rest weten.'

Eigenlijk vond ik dat niet nodig, maar het had geen zin om hem te veel onder druk te zetten. Hij zou het me in zijn eigen tempo vertellen. Jones trok zijn bruine jasje uit en legde het op de achterbank. Zijn overhemd, met korte mouwen, leek eerder geel dan wit. Ik wachtte tot de andere twee agenten de auto zouden wegzetten en ook zouden uitstappen, maar Jones gaf een klap op het dak en de Escalade reed door.

'Alleen wij?' vroeg ik.

'Alleen wij.'

Zijn attachékoffertje stamde uit de vorige eeuw, had scherpe, rechte hoeken en cijfersloten op beide sluitingen. Mijn vader had er vroeger zo een gehad, om zijn contracten, bonnen, pennen en zijn kleine taperecorder naar zijn fabriekje in Newark en weer naar huis te vervoeren.

Jones liep bij West 67th Street het park in. We passeerden Tavern on the Green, maar de lampjes aan de bomen waren nog uit. Ik haalde Jones in en zei: 'We doen wel erg spionachtig, vind je niet?'

'Alleen uit voorzorg. Hoogstwaarschijnlijk overbodig. Maar als je mijn soort werk doet, leer je beseffen waarom het soms nodig is.'

Ik vond dat een tikje melodramatisch klinken, maar opnieuw besloot ik mijn mond te houden. Jones maakte opeens een sombere, in zichzelf gekeerde indruk, en ik had geen idee waarom. Hij keek naar de joggers, de rolschaatsers, de fietsers en de moeders met hun peperdure designbuggy's.

'Ik weet dat het arrogant klinkt,' zei hij, 'maar al die mensen hier rolschaatsen en joggen en werken en lachen en vrijen en frisbieeën, en ze hebben geen idee hoe kwetsbaar het allemaal is.'

Ik trok een gezicht. 'Laat me raden... maar jij, special agent Jones, bent de zwijgende poortwachter die iedereen beschermt, degene die zijn eigen leven opoffert opdat de burgers 's nachts veilig kunnen slapen? Is dat het?'

Hij glimlachte. 'Die had ik verdiend, denk ik.'

'Wat is er met Terese gebeurd?'

Jones bleef doorlopen.

'Toen we in Londen waren,' zei ik, 'heb je me in hechtenis genomen.'

'Ja.'

'En toen?'

Hij haalde zijn schouders op. 'Daarna heeft ieder zijn eigen taak. Dus ik weet het niet. Ik heb je overgedragen aan iemand van een ander departement. Mijn werk was gedaan.'

'Handig, als het om de morele schuldvraag gaat,' zei ik.

Hij kromp ineen maar liep door.

'Wat weet je van Mohammad Matar?' vroeg hij.

'Alleen wat ik in de krant heb gelezen,' zei ik. 'Hij was een echte kwaaie, mag ik aannemen?'

'De slechtste van allemaal. Een hoogopgeleide, radicale extremist voor wie alle andere radicale extremisten het in hun broek deden. Hij hield van martelen. Hij geloofde heilig in infiltratie, dat je met het tuig moest leven alvorens het te vernietigen. Hij begon een terroristische organisatie die de "Groene Dood" heette. Hun strijdkreet is: *Al-sabr wal-sayf sawf yudammir al-kafirun.*'

Er ging een schok door me heen.

Al-sabr wal-sayf...

'Waar staat dat voor?' vroeg ik.

'Met geduld en het zwaard zullen we de ongelovigen uitroeien.'

Ik schudde mijn hoofd om beter te kunnen nadenken.

'Mohammad Matar heeft vrijwel zijn hele leven in het Westen gewoond. Het merendeel van de tijd in Spanje, waar hij is opgegroeid, maar ook in Frankrijk en Engeland. En Dokter Dood is voor hem meer dan alleen een bijnaam, want hij heeft op de medische faculteit van Georgetown gezeten en zijn doctoraal hier in New York gedaan. Twaalf jaar lang heeft hij onder diverse schuilnamen in de Verenigde Staten gewoond. En raad eens op welke dag hij de Verenigde Staten heeft verlaten?'

'Ik ben niet in de stemming voor raadseltjes.'

'Op 10 september 2001.'

We hielden allebei op met praten, bleven staan en keerden ons naar het zuiden. Nee, we konden de torens niet zien, ook niet als ze er nog hadden gestaan. Maar er moest respect worden getoond. Altijd en hopelijk voor eeuwig.

'Wou je zeggen dat hij daarbij betrokken was?'

'Betrokken? Moeilijk te zeggen. Maar Mohammad wist ervan. Zijn vertrek was geen toeval. We hebben een getuige die hem eerder die maand in de Pink Pony heeft gezien. Zegt die naam je iets?'

'Is dat niet de stripteasetent waar de terroristen voor de aanslag van 11 september waren geweest?'

Jones knikte. Een schoolklas op een uitje liep voor ons langs. De kinderen – een jaar of tien, elf oud, zo te zien – waren allemaal gekleed in een frisgroene polo met de naam van de school op de borst. De stoet werd geleid door een volwassene, en afgesloten door een tweede volwassene.

'Je hebt een vooraanstaand terroristenleider vermoord,' zei Jones. 'Heb je enig idee wat zijn volgelingen met je zouden doen als ze wisten hoe de vork in de steel zit?'

'En daarom hebben jullie de verantwoordelijkheid van zijn dood opgeëist?'

'Daarom hebben we jouw naam erbuiten gehouden.'
'Ik ben jullie oprecht dankbaar.'
'Bespeur ik enig sarcasme?'
Dat wist ik zelf niet precies.
'Maar als je stenen blijft omkeren, komt de waarheid een keer boven tafel. Dan loop je de verkeerde tegen het lijf en krijg je een stel jihadstrijders op je nek.'
'En als ik nou eens niet bang ben voor die lui?'
'Dan ben je niet goed bij je hoofd.'
'Wat is er met Terese gebeurd?'
We bleven bij een bankje staan. Jones zette zijn voet op de zitting en legde zijn koffertje op zijn bovenbeen. Hij opende het en zocht erin. 'De nacht voordat je Mohammad Matar hebt vermoord, hebben jullie het stoffelijk overschot van Miriam Collins opgegraven met de bedoeling DNA-materiaal mee te nemen voor onderzoek.'
'Ben je uit op een bekentenis?'
Jones schudde zijn hoofd. 'Je begrijpt het niet.'
'Ik begrijp wát niet?'
'We hebben het stoffelijk overschot geconfisqueerd. Maar waarschijnlijk wist je dat al.'
Ik wachtte.
Jones haalde een dossiermap uit zijn koffertje. 'Dit is de uitslag van de DNA-test.'
Ik stak mijn hand uit naar de map. Jones leek even te aarzelen of hij hem nu zou geven of niet. Maar we wisten allebei wel beter. Dit was de reden dat ik hier was. Hij gaf me de map. Ik sloeg hem open. Bovenop lag een foto van het botje dat Win en ik die nacht uit de kist hadden gehaald. Ik bladerde door naar de volgende bladzijde, maar Jones had zich alweer in beweging gezet.
'De uitslagen waren eenduidig. Het botje dat jullie hebben opgegraven is van Miriam Collins. Het DNA wijst Rick Collins aan als de vader en Terese Collins als de moeder. Bovendien wijzen de grootte en de mate van ontwikkeling van de botjes in de richting van een meisje van zeven.'
Ik las het rapport. Jones bleef langzaam doorlopen.

'Dit rapport kan vervalst zijn,' zei ik.

'Ja, dat kan,' beaamde Jones.

'Hoe verklaar jij dan het bloed dat op de plaats delict in Parijs is gevonden?'

'Daarmee roer je een heel interessante mogelijkheid aan,' zei hij.

'En die is?'

'Dat díé uitslag misschien wel vervalst is.'

Ik zweeg.

'Je zei net dat ik de uitslag van de DNA-test misschien heb vervalst. Maar zou het niet redelijker zijn om aan te nemen dat de Fransen dat hebben gedaan?'

'Berleand?'

Hij haalde zijn schouders op.

'Waarom zou hij dat doen?'

'Waarom zou ík het vervalsen? Maar je hoeft me niet te geloven. Ik heb hier in dit koffertje je oorspronkelijke botmonster. Als we straks klaar zijn, zal ik het aan je geven. Dan kun je het zelf laten testen, als je dat wilt.'

Mijn hoofd tolde. Jones bleef doorlopen. Dit zou waar kunnen zijn. Als Berleand had gelogen, vielen alle andere stukjes op hun plaats. Want als je alle emoties en dingen die je graag wilde erbuiten hield, wat was dan waarschijnlijker: dat Miriam Collins het autoongeluk had overleefd en haar bloed had verloren in de kamer waar haar vader was vermoord, of dat Berleand had gelogen over de uitslag van de test?

'Je bent hierbij betrokken geraakt omdat je Miriam Collins probeerde op te sporen,' zei Jones. 'Je hebt haar nu gevonden. De rest kun je echt beter aan ons overlaten. Wat er verder ook speelt, je weet nu zeker dat Miriam Collins dood is. Dit botmonster zal het benodigde bewijs daarvoor leveren.'

Ik schudde mijn hoofd. 'Met zo veel rook móét er wel ergens vuur zijn.'

'Wat voor vuur? De terroristen? Die cel? Bijna al je zogenaamde rook kan worden toegeschreven aan Rick Collins' poging om in de cel te infiltreren.'

'Het blonde meisje.'
'Wat is daarmee?'
'Hebben jullie haar gearresteerd in Londen?'
'Nee. Ze was al weg toen wij arriveerden. We weten dat je haar hebt gezien. We hebben een getuige in de flat waar Mario Contuzzi woonde, een buurman die zei dat hij je achter haar aan heeft zien gaan.'
'Wie was dat meisje?'
'Een lid van de cel.'
Ik trok een wenkbrauw op. 'Een blonde tienerjihadist?'
'Waarom niet? De cellen zijn altijd een mix. Illegale immigranten, Arabische staatsburgers, en ja, een paar doorgedraaide westerlingen. We weten dat de cellen hun best doen om blanke westerlingen te ronselen, het liefst vrouwen. De reden daarvoor is duidelijk... een leuk blondje kan op plekken komen waar Arabische mannen meteen opvallen. Het gaat meestal om meisjes die met een serieus vaderprobleem kampen. Je weet hoe dat gaat... sommige meisjes gaan de porno in, andere duiken met terroristen het bed in.'
Over dat laatste had ik mijn twijfels.
Er kwam een vage glimlach om zijn lippen. 'Waarom vertel je me niet wat je nog meer dwarszit?'
'Er zitten me diverse dingen dwars,' zei ik.
Hij schudde zijn hoofd. 'Volgens mij niet, Myron. Ik denk dat er nog maar één ding is dat je echt dwarszit. Je vraagt je af hoe het zit met dat auto-ongeluk.'
'De officiële lezing is een leugen,' zei ik. 'Ik heb met Karen Tower gesproken voordat ze werd doodgeschoten. En ik heb Nigel Manderson erover gesproken. Het ongeluk heeft niet plaatsgevonden zoals zij het vertelden.'
'Is dat jouw rook?'
'Ja.'
'Als ik die rook wegneem, laat je de zaak dan vallen?'
'Ze hebben allebei gelogen over wat er die avond is gebeurd.'
'En als ik die rook wegneem, laat je de zaak dan vallen?' vroeg Jones weer.

'Misschien,' zei ik.

'Oké, laten we dan beginnen met de mogelijke alternatieve theorieën.' Jones bleef doorlopen. 'Het auto-ongeluk van tien jaar geleden. Wat er volgens jou écht is gebeurd, is...' Hij bleef staan en keek me aan. 'Nee, wacht, vertel jij het me maar. Wat hebben ze volgens jou verzwegen?'

Ik zei niets.

'De auto had een aanrijding... dat deel geloof je, mag ik aannemen? Terese werd naar het ziekenhuis gebracht. Dat geloof je ook. Waar ontspoort het voor jou? Denk jij – kom op, Myron, help me een handje – aan een complot, van Terese Collins' beste vriendin en ten minste een van de twee politiemensen, die om een of andere onduidelijke reden haar dochtertje van zeven hebben ontvoerd, haar tien jaar lang in gevangenschap hebben grootgebracht... en dan wat?'

Ik zei nog steeds niets.

'En deze complottheorie van jou is alleen mogelijk wanneer ik heb gelogen over de uitslag van de DNA-test, wat ik – kun je nu op een onafhankelijke manier laten bevestigen – niet heb gedaan.'

'Toch hebben ze iets verzwegen,' zei ik.

'Ja,' zei hij. 'Dat hebben ze inderdaad.'

Ik wachtte. We kwamen bij de draaimolen en wandelden erlangs.

'De feitelijke aanrijding heeft plaatsgevonden zoals je is verteld. Een vrachtwagen op de A-Forty, op de verkeerde weghelft. Mevrouw Collins geeft een ruk aan het stuur en tja... toen was het gebeurd. De tragedie. Je kent de voorgeschiedenis ook. Ze was thuis. Ze wordt gebeld door de studio met de vraag of ze het nieuws op primetime kan doen. Ze was niet van plan geweest die avond de deur uit te gaan, wat het op een bepaalde manier iets begrijpelijker maakt.'

'Wat?'

'Er bestaat een oud Grieks gezegde: de gebochelde ziet de bochel op zijn eigen rug niet.'

'Wat heeft dat er nou mee te maken?'

'Misschien niks. Het gaat over tekortkomingen. We signaleren die van anderen; daar zijn we vrij goed in. Veel minder goed zijn we in het signaleren van onze eigen tekortkomingen. En in het beoordelen van wat we wel of niet kunnen, vooral wanneer er zo'n smakelijke wortel voor onze neus hangt.'

'Je slaat nu echt wartaal uit.'

'Nee hoor. Jij wilde weten wat er in de doofpot is gestopt, maar dat ligt zó voor de hand. Was Terese Collins met de dood van haar dochtertje al niet genoeg gestraft? Ik weet niet of ze bang waren voor de juridische consequenties of voor het enorme schuldgevoel dat ze als moeder zou ervaren. Maar waar het om gaat is dat Terese Collins die avond dronken was. Had ze de botsing kunnen voorkomen als ze nuchter was geweest? Wie weet... het was de bestuurder van de vrachtwagen die de fout maakte, maar als zij sneller had gereageerd...'

Ik liet dit tot me doordringen. 'Was ze dronken?'

'Uit de test bleek dat ze meer alcohol in haar bloed had dan was toegestaan, ja.'

'En dat is wat in de doofpot is gestopt?'

'Ja.'

Leugens hebben een bepaalde geur. De waarheid ook.

'Wie wisten ervan?' vroeg ik.

'Haar man. En Karen Tower. Ze hebben het voor haar verzwegen omdat ze bang waren dat de waarheid te zwaar voor haar zou zijn.'

Misschien was dat ook wel zo geweest, dacht ik. Het werd me zwaar te moede toen er nóg een waarheid tot me doordrong: dat Terese het waarschijnlijk zelf ook had geweten. Ergens moest ze hebben geweten dat het haar schuld was. Menig andere moeder zou voor altijd geknakt zijn door zo'n tragedie, maar niet Terese, die tien jaar na dato nog bezig was geweest om het gebeurde ongedaan te maken.

Hoe had Terese het gezegd toen ze me vanuit Parijs belde? Dat ze haar leven niet opnieuw had willen oppakken.

Ze had het geweten. Misschien in haar onderbewustzijn. Maar ze wíst het.

Ik bleef staan.

'Wat is er met Terese gebeurd?'

'Is de rook nu opgestegen, Myron?'

'Wat is er met haar gebeurd?' vroeg ik weer.

Jones draaide zich om en keek me recht aan. 'Ik zou heel graag willen dat je je hieruit terugtrekt, begrijp je? Ik ben niet iemand van het doel heiligt de middelen. Ik ken de bezwaren tegen martelen en ik ben het ermee eens. Maar het is een lastig onderwerp. Laten we zeggen dat je een terrorist hebt gepakt die al duizenden slachtoffers heeft gemaakt, en die nu ergens een bom heeft verstopt die een miljoen kinderen het leven zal kosten. Zou jij hem op zijn gezicht slaan om een antwoord uit hem te krijgen en de kinderen het leven te redden? Natuurlijk zou je dat doen. Maar zou je hem ook twee keer op zijn gezicht slaan? Of stel dat het om maar duizend kinderen gaat, of honderd, of tien. Iemand die op alles nee zou antwoorden... nou, ik zou weinig vertrouwen in die persoon hebben. In zekere zin is zo iemand ook een extremist.'

'Wat wil je daarmee zeggen?'

'Dat ik graag zou willen dat jij je normale leven weer gaat oppakken.' Jones' stem had een zachtere, bijna smekende klank gekregen. 'Ik weet dat je dat niet wilt. Maar wat er met jou is gebeurd, bevalt me niet. Daarom vertel ik je dit allemaal. Ik word aan alle kanten ingedekt. Ik heet niet eens Jones, en we zijn hier in het park omdat ik nergens een kantoor heb. Zelfs je vriend Win zal een hoop moeite moeten doen om me te vinden. Ik weet inmiddels alles van jou. Je hele verleden. Ik weet hoe je door je knie bent gegaan en hoe je daarna je best hebt moeten doen om je leven weer op de rails te krijgen. Mensen krijgen niet vaak een tweede kans. Ik bied je er nu een aan.'

Jones tuurde in de verte. 'Je moet dit loslaten en doorgaan met je leven. Voor je eigen bestwil.' Hij gebaarde met zijn kin. 'En voor de hare.'

Even durfde ik niet te kijken. Ik volgde zijn blik, liet de mijne langzaam van links naar rechts gaan, totdat ik abrupt stopte. Mijn hand vloog naar mijn mond, alsof iemand me een dreun had gegeven en ik moeite moest doen om overeind te blijven staan.

Aan de rand van het grasveld, turend naar mij, terwijl de tranen over haar wangen liepen, maar hartverscheurend mooi als altijd, stond Terese.

31

Tijdens de confrontatie met de terroristen in Londen was Terese in haar hals geraakt.

Ik keek weer naar die mooie blote schouder en drukte er zachtjes een kus op toen ik het litteken zag. Nee, ze was niet platgespoten of naar een black site gebracht. Ze had in een ziekenhuis in de omgeving van Londen gelegen en was later met het vliegtuig naar New York gebracht. Haar verwondingen waren veel ernstiger geweest dan de mijne. Ze had veel bloed verloren. Ze had nog steeds pijn en bewoog zich behoedzaam.

We waren in Wins flat in het Dakota, in mijn slaapkamer, hielden elkaar vast en keken naar het plafond. Ze bewoog zich en legde haar hoofd op mijn borst. Ik voelde mijn hartslag tegen haar wang.

'Geloof je wat Jones zei?' vroeg ik aan haar.

'Ja.'

Ik wreef zachtjes over haar rug, volgde de kromming van haar wervelkolom en trok haar dichter tegen me aan. Ik voelde haar even huiveren. Ik was niet van plan haar ooit nog los te laten.

'Diep in mijn hart begreep ik heus wel dat ik mezelf voor de gek hield,' zei ze. 'Maar ik wilde het zo graag. Die kans om het goed te maken, begrijp je? Mijn kind, dat ik al tien jaar dood waande, liep daar ergens rond en ik kreeg de kans haar te redden.'

Ik begreep hoe ze zich had gevoeld.

'Wat gaan we nu doen?' vroeg ik.

'Ik wil hier gewoon bij jou blijven liggen en verder niks. Kan dat?'

'Ja, dat kan.' Ik lag nog steeds naar het houten plafond te staren. Toen, omdat ik het goede van het leven nooit lang met rust kan laten, vroeg ik: 'Toen Miriam werd geboren, hebben jullie toen het bloed uit de navelstreng laten invriezen?'

'Nee.'

Een dood spoor.

Ik vroeg: 'Wil je nog steeds dat we die DNA-test laten doen, voor de zekerheid?'

'Wat vind jij?'

'Ik vind van wel,' zei ik.

'Dan doen we het.'

'Dan moet jij een DNA-monster afstaan,' zei ik. 'Om de vergelijking te kunnen doen. We hebben Ricks DNA niet, maar als we kunnen bevestigen dat het kind van jou was... eh, je hebt toch maar één keer een kind gebaard?'

Stilte.

'Terese?'

'Ja, alleen Miriam,' zei ze.

Weer stilte.

'Myron?'

'Ja?'

'Ik kan geen kinderen meer krijgen.'

Ik zei niets.

'Het was al een wonder dat Miriam werd geboren. Maar meteen na de bevalling hebben ze mijn baarmoeder moeten verwijderen omdat ze een gezwel in de bindweefselwand hadden aangetroffen. Dus ik kan geen kinderen meer krijgen.'

Ik deed mijn ogen dicht. Ik wilde iets zeggen om haar te troosten, maar het zou allemaal even clichématig klinken. Dus trok ik haar iets vaster tegen me aan. Ik wilde niet vooruitkijken. Ik wilde hier gewoon liggen, met haar tegen me aan.

Ik moest weer denken aan dat oude Jiddische gezegde: de mens probeert en God lacht.

Ik voelde dat ze zich heel even van me losmaakte en trok haar weer steviger tegen me aan.

'Te vroeg voor dit onderwerp?' vroeg ze.

Ik dacht erover na. 'Of te laat.'

'Hoe bedoel je?'

'Omdat ik,' zei ik, 'hier nu alleen maar wil liggen en bij je wil zijn.'

Terese sliep toen ik de sleutel in de voordeur hoorde. Ik keek op het klokje. Eén uur 's nachts.

Ik trok mijn badjas aan en Win en Mei kwamen binnen. Mei stak haar slanke handje naar me op en zei: 'Hoi, Myron.'

'Hallo, Mei.'

Ze liep door naar de volgende kamer. Toen ze weg was zei Win: 'Ze gaat zich alvast klaarmaken voor de Meifeesten.'

Ik keek hem alleen maar aan.

'Het leuke van Mei is, is dat het zo weinig moeite kost om het Mei naar de zin te maken.'

'Hou alsjeblieft op,' zei ik.

Win kwam naar me toe en nam me in een stevige omhelzing. 'Alles oké met je?' vroeg hij.

'Ja.'

'Zal ik je eens iets geks vertellen?'

'Nou?' zei ik.

'Sinds onze tijd op Duke zijn we niet zo lang gescheiden geweest.'

Ik knikte, wachtte tot hij me losliet en deed een stapje achteruit. 'Je hebt gelogen over Bangkok.'

'Nee, niet waar. Ik was in een seksclub die zo heette. Iets anders gespeld: Bang-Cock.'

Ik schudde mijn hoofd. We gingen naar de woonkamer, ingericht in Lodewijk de Zoveelste-stijl, met veel donker hout, een gebeeldhouwd plafond en bustes van mannen met lang haar. We namen plaats in de leren fauteuils bij de marmeren open haard. Win wierp me een blikje Yoo-hoo toe en schonk voor zichzelf een dure whisky uit een kristallen karaf in.

'Ik wilde eigenlijk koffie nemen,' zei Win, 'maar dat houdt Mei de hele nacht wakker.'

Ik knikte. 'Ben je bijna door je Mei-grappen heen?'

'God, ik hoop het van harte.'

'Waarom heb je over Bangkok gelogen?'

'Waarom denk je?' vroeg Win.

Maar het antwoord was bekend. Ik voelde die golf van schaamte weer in me opstijgen. 'Ik heb je verlinkt, hè?'

'Ja.'

Ik voelde de tranen, de angst, de inmiddels vertrouwde gejaagde ademhaling. Mijn rechterbeen begon weer aan zijn rusteloze dansje.

'Je was bang dat ze me opnieuw zouden pakken,' zei ik. 'En als ze dat deden en me weer hadden gebroken, zou ik hun verkeerde informatie geven en ze naar Bangkok sturen.'

'Ja.'

'Het spijt me,' zei ik.

'Dat is niet nodig.'

'Ik had gedacht... ik had gehoopt dat ik sterker zou zijn.'

Win nam een slokje uit zijn glas. 'Ik ken geen sterkere man dan jij.'

Ik liet een korte stilte vallen en toen, omdat ik het gewoon niet kon laten, vroeg ik: 'Sterker dan Mei?'

'Stukken sterker. Maar bij lange na niet zo lenig.'

We zaten even in een comfortabel stilzwijgen tegenover elkaar.

Toen vroeg Win: 'Herinner je je überhaupt iets?'

'Het is allemaal uiterst vaag.'

'Je zult hulp nodig hebben bij de verwerking.'

'Ja, ik weet het.'

'Heb je het botmonster voor de DNA-test?'

Ik knikte.

'En als de uitslag bevestigt wat die Jones jou heeft verteld, kunnen we er dan een punt achter zetten?'

'Jones heeft bijna al mijn vragen beantwoord.'

'Ik hoor een maar.'

'Ik heb zelfs meer dan een maar.'

'Ik luister.'

'Ik heb het nummer gebeld dat Berleand me had gegeven,' zei ik. 'Er nam niemand op.'

'Dat kun je nauwelijks een maar noemen.'

'Heb je Berleands theorie over Mohammad Matars plannen gehoord?'

'Dat die na zijn dood gewoon blijven bestaan? Ja.'

'Als dat waar is, zijn er talloze mensen in gevaar. Dan hebben we de plicht om te helpen.'

Win kantelde zijn hoofd heel langzaam van links naar rechts en weer terug en zei: 'Mwah.'

'En Jones denkt dat als Matars volgelingen te weten komen wat ik heb gedaan, ze achter mij aan zullen komen. Ik voel er weinig voor om de rest van mijn leven angstig over mijn schouders te kijken.'

Die redenering beviel Win al beter. 'Dus je voelt meer voor een proactieve aanpak?'

'Ja, dat denk ik wel.'

Win knikte. 'Wat nog meer?'

Ik nam een flinke slok Yoo-hoo. 'Ik heb dat blonde meisje gezien. Ik heb haar zien lopen. Ik heb haar gezicht gezien.'

'Ah,' zei Win. 'En zoals je al eerder stelde, zijn je overeenkomsten, mogelijk van erfelijke aard, tussen haar en de lieftallige mevrouw Collins opgevallen?'

Ik dronk mijn blikje leeg.

Win zei: 'Ken je die plaatjes met die optische illusies van vroeger nog? Dan zag je een tekening waar je zowel een oude heks als een mooi meisje in kon zien. Er was er ook een met een konijn en een eend.'

'Dat is niet wat hier is gebeurd.'

'Vraag jezelf dan eens af wat er gebeurd zou zijn wanneer Terese je niet vanuit Parijs had gebeld. Je loopt op straat, bent op weg naar kantoor, en je wordt gepasseerd door een blond meisje. Zou je dan blijven staan en denken: hé, dat moet Tereses dochter zijn?'

'Nee.'

'Kortom, het is situatiegebonden. Begrijp je dat?'

'Ja.'

We zaten enige tijd zwijgend tegenover elkaar.

'Natuurlijk...' zei Win, 'alleen omdat iets situatiegebonden is, betekent dat nog niet dat het niet waar is.'

'Dat is ook weer zo.'

'En misschien is het wel leuk om een paar beruchte terroristen te slopen.'

'Dus je doet mee?'

'Eerst doe ik Mei, zodra ik mijn glas leeg heb,' zei Win, 'maar daarna sta ik tot je beschikking.'

32

De menselijke geest is soms tot rare, gluiperige dingen in staat.

Logica is nooit rechtlijnig. Die vliegt alle kanten op, stuitert terug van de muren, maakt haarspeldbochten en verdwaalt tijdens omwegen. Alles kan als katalysator dienen, maar meestal is het iets wat niets met je gedachten te maken heeft, en wat door je hoofd stuitert totdat je gedachten een onverwachte wending nemen... in de richting van een oplossing waar je met rechtlijnig denken nooit terecht zou zijn gekomen.

Dat was wat mij overkwam. Dat was het moment waarop ik de stukjes in elkaar begon te passen.

Terese verroerde zich toen ik de slaapkamer binnenkwam. Ik vertelde haar niet wat ik dacht over het blonde meisje, situatiegebonden of anderzijds. Niet dat ik het voor haar wilde verzwijgen, maar er was geen reden om het haar nu al te vertellen. Ze was nog aan het herstellen. Waarom zou ik wonden openrukken voordat ik meer wist?

Ze viel weer in slaap. Ik hield haar vast en deed mijn ogen dicht. Ik bedacht hoe weinig ik had geslapen sinds ik was teruggekeerd van mijn zestiendaagse verblijf in het zwarte gat. Ik viel in slaap, dreef al snel af naar nachtmerrieland en schrok om drie uur 's nachts wakker. Mijn hart zat in mijn keel en de tranen stonden in mijn ogen. Het enige wat ik me herinnerde was dat er iets zwaars op me drukte, dat ik me niet kon verroeren en dat ik geen adem kreeg. Ik stapte uit bed. Terese sliep door. Ik bukte me en kuste haar zacht op haar voorhoofd.

In de grote zitkamer stond een laptop. Ik ging internet op en zocht naar Red de Engelen. De website verscheen op het beeldscherm. Bovenaan, in het logo, stond RED DE ENGELEN, en daaronder, in een kleine letter: CHRISTELIJKE OPLOSSINGEN. In de openingstekst werd vooral van leven, liefde en God gesproken. Er werd gezegd dat je het woord 'keuzes' moest vervangen door het woord 'oplossingen'. Er waren getuigenissen van vrouwen die de 'oplossing van afstaan ter adoptie' hadden verkozen boven 'moord', en van echtparen die de overheid ervan beschuldigden dat ze 'gruwelijke experimenten' wilden doen op hun 'ongeborenen', terwijl Red de Engelen kon helpen een ingevroren embryo zijn 'ultieme doel' te verwezenlijken, 'het leven', de christelijke oplossing voor een ander echtpaar met vruchtbaarheidsproblemen.

Ik had die argumenten eerder gehoord en herinnerde me dat Mario Contuzzi het erover had gehad. Hij had ook gezegd dat de groepering een beetje rechts was, maar zeker niet extreem. Ik had de neiging het met hem eens te zijn. Ik ging verder. Er was een geloofsverklaring over het delen van Gods liefde en het redden van het 'ongeboren kind'. En een statement over het geloof, dat begon met geloven in de Bijbel, 'het complete, ware Woord van God', en de heilige onschendbaarheid van het leven. Verder waren er links die verwezen naar adoptiezorg en -rechten, geplande bijeenkomsten en hulp bij het zoeken naar draagmoeders.

Ik klikte op de link VAAK GESTELDE VRAGEN om te zien hoe alle hoe's en waaroms werden beantwoord, over hulp aan ongehuwde moeders, het matchen van onvruchtbare echtparen met ingevroren embryo's, hoe alle formulieren moesten worden ingevuld, wat de kosten waren, hoe je donateur kon worden en hoe je je bij Red de Engelen kon aansluiten. Ik vond het allemaal best indrukwekkend. Daarna kwamen de fotopagina's. Ik klikte de eerste aan. Op het scherm verschenen foto's van twee heel mooie landhuizen, waarin – las ik – de ongehuwde moeders waren ondergebracht. Het ene zag eruit als iets wat je op een negentiende-eeuwse plantage kon tegenkomen, helemaal wit, met marmeren zuilen, en omgeven door hoge treurwilgen. Het andere oogde als een chic hotel-restaurant, heel mooi, pittoresk gelegen, in bijna overdreven victoriaanse stijl, vol lijsten en torentjes en gebrandschilderde ramen, een groot overdekt terras en een blauwgrijs leistenen dak. In de onderschriften werd de nadruk gelegd op de vertrouwelijkheid van zowel de locaties als hun bewoners – geen namen, geen adressen – terwijl je bijna de neiging kreeg om ongewenst zwanger te raken wanneer je de foto's zag.

Ik klikte pagina twee aan... en het was op dat moment dat ik mijn rare, gluiperige, niet-lineaire katalysatormoment beleefde.

Op het scherm verschenen foto's van baby's. Allemaal heel mooi en schattig en ontroerend, het soort foto's bedoeld om ons te herinneren aan het wonder van het leven en om iedereen met een hart in zijn lijf in vervoering te brengen.

Maar mijn gluiperige geest speelt graag contrastspelletjes. Bijvoorbeeld, je ziet een heel erg slechte komiek op tv en je bedenkt hoe geweldig Chris Rock is. Of je kijkt naar een film die je de stuipen op het lijf probeert te jagen met peperdure speciale effecten en je bedenkt hoe Hitchcock je aan je stoel gekluisterd hield met doodsimpele zwart-witbeelden. Wat er nu gebeurde was dit: ik keek naar de 'geredde engelen' op het beeldscherm en dacht aan hoe mooi deze foto's waren wanneer ik ze vergeleek met de enge victoriaanse plaatjes die ik eerder vandaag in die smakeloze etalage had zien hangen. Wat me herinnerde aan iets anders wat ik daar te weten was gekomen, over HHK, wat mogelijk stond voor HoHoKus, en dat het Esperanza was geweest die dat had bedacht.

En opnieuw begon de menselijke geest... die miljarden onzichtbare contactjes, te klikken, te zoemen en te vonken. Je hebt er zelf geen vat op, maar wat er in mijn hoofd gebeurde was ongeveer het volgende: officiële fotografie... HHK... Esperanza... hoe we elkaar hadden ontmoet... toen ze nog profworstelaar was... bij FLOW... de afkorting van Fabulous Ladies of Wrestling.

Opeens kwam alles tezamen. Nou, misschien niet alles. Maar in ieder geval een deel. Dat groot genoeg was om te weten waar ik de volgende ochtend naartoe zou gaan.

Naar die smakeloze etalage in HoHoKus. Naar de 'Official Photography of Albin Laramie', of afgekort OPAL.

De man achter de counter van de Official Photography of Albin Laramie moest Albin zelf zijn. Hij droeg een cape. Een glanzende zwarte cape. Alsof hij Batman of Zorro was. Zijn gezichtsbeharing zag er minutieus verwaarloosd uit, het haar op zijn hoofd was een zorgvuldig gecomponeerde warboel en zijn hele wezen schreeuwde niet alleen uit dat hij een kunstenaar was, maar zelfs een 'groot artiest!' Hij was aan de telefoon en keek geërgerd op toen ik binnenkwam.

Ik kwam naar de counter. Hij gebaarde met zijn wijsvinger dat ik moest wachten. 'Hij heeft het niet, Leopold. Wat moet ik ervan zeggen? Hij ziet het niet, de hoeken, de lijnen, de kleuren... Hij heeft er geen oog voor.'

Hij stak zijn vinger weer op om aan te geven dat ik nog even moest wachten. Ik deed het. Ten slotte hing hij op en slaakte een theatrale zucht. 'Wat kan ik voor u doen?'

'Hallo,' zei ik. 'Ik ben Bernie Worley.'

'En ik,' zei hij terwijl hij zijn hand naar zijn hart bracht, 'ben Albin Laramie.'

De aankondiging werd met veel trots en flair gedaan. Het deed me denken aan Mandy Patinkin in *Princess Bride*, en het zou me niet hebben verbaasd als hij had gezegd dat ik zijn vader had vermoord en dat ik me moest voorbereiden op mijn eigen einde.

Ik schonk hem een wereldwijze glimlach. 'Mijn vrouw heeft gezegd dat ik hier foto's moest afhalen.'

'Hebt u het orderstrookje?'

'Dat ben ik kwijt.'

Albin fronste zijn wenkbrauwen.

'Maar ik heb wel het ordernummer, als u daar iets aan hebt.'

'Misschien wel.' Hij trok een toetsenbord naar zich toe, hield zijn beide handen erboven en keek me aan. 'Nou?'

'Vier-zeven-een-twee.'

Hij bleef me aanstaren alsof ik iets wereldschokkend doms had gezegd. 'Dat is geen ordernummer.'

'O nee? Weet u dat zeker?'

'Dat is een sessienummer.'

'Een sessienummer?'

Hij sloeg met beide handen zijn cape achteruit alsof hij van plan was om weg te vliegen. 'Van een fotosessie.'

De telefoon begon te rinkelen en hij keerde zich van me af alsof ons onderhoud afgelopen was. Ik was zijn aandacht aan het verliezen. Dus deed ik een stapje achteruit en begon aan mijn eigen theaterstukje. Ik knipperde met mijn ogen en mijn mond vormde een volmaakt ronde O. Myron Bolitar, getroffen door de bliksem van de muze. Hij observeerde me met hernieuwde belangstelling. Ik liep een rondje door de winkel en hield die verbijsterde trek op mijn gezicht.

'Is er iets?' vroeg hij.

'Uw werk,' zei ik, 'is werkelijk adembenemend mooi.'

Hij begon te stralen. Dat zie je niet vaak in het echte leven, een volwassen man die straalt. De daaropvolgende tien minuten deed ik er nog een schepje bovenop en pakte ik hem in met complimenten over zijn werk, de belichting, het contrast, de kleuren en nog veel meer.

'Marge en ik hebben nu ook een kleintje,' zei ik, hoofdschuddend van bewondering turend naar een afzichtelijk victoriaans gedrocht waarop een verder normale baby me deed denken aan mijn oom Morty na een aanval van gordelroos. 'Misschien kunnen we een afspraak maken, dat we met de kleine meid hiernaartoe komen?'

Albin, met zijn cape, bleef stralen. Die cape en dat stralen, bedacht ik, pasten goed bij elkaar. We spraken een prijs af, die bespottelijk hoog was en die me een tweede hypotheek zou kosten. Maar ik speelde mee. Ten slotte zei ik: 'Hoor eens, nu weet ik weer waarom mijn vrouw me dat nummer heeft gegeven. Dat sessienummer. Ze zei dat als ik die foto's zou zien, ik meteen verkocht zou zijn. Denkt u dat het mogelijk is dat ik de foto's van sessie vier-zeven-een-twee even bekijk?'

Als het hem als merkwaardig voorkwam dat ik oorspronkelijk was binnengekomen om een stel foto's op te halen en nu de foto's van een bepaalde sessie wilde zien, dan ging dit verloren in de orkaan van zijn ware genie.

'Ja, natuurlijk, die zitten in de computer. Ik moet er wel iets bij zeggen. Ik hou niet van digitale fotografie. Voor uw kleine meisje ga ik een ouderwetse vlakfilmcamera gebruiken. Die geeft zo veel meer contrast.'

'Dat zou geweldig zijn.'

'Ik gebruik digitale fotografie nog wel voor opslag op het net.' Hij typte iets in en sloeg op 'Enter'. 'Nou, dit zijn geen babyfoto's, dat is zeker. Kijk zelf maar.'

Albin draaide de monitor naar me toe. Er verscheen een rij *thumbnails* op het scherm. Ik voelde de druk op mijn borstkas al toenemen voordat ik er een had aangeklikt, maar toen verscheen de foto full screen in beeld. Geen twijfel mogelijk.

Het was het blonde meisje.

Ik probeerde zo weinig mogelijk te laten blijken. 'Ik zou graag een afdruk van deze foto willen.'

'Hoe groot?'

'Maakt niet uit, maar achttien bij vierentwintig zou geweldig zijn.'

'Dinsdag over een week is hij klaar.'

'Ik heb hem nu nodig.'

'Dat is onmogelijk.'

'Er is toch een kleurenprinter op die computer aangesloten?'

'Ja, maar die levert bij lange na geen fotokwaliteit.'

Ik had geen tijd om het allemaal uit te leggen. Ik haalde mijn portefeuille tevoorschijn. 'Ik geef je tweehonderd dollar als je die foto voor me print.'

Er kwam een sluwe blik in zijn ogen, maar dat duurde maar even. Eindelijk begon het tot hem door te dringen dat er iets aan de knikker was, maar ach, hij was fotograaf, geen arts of advocaat. Hij had geen geheimhoudingsplicht. Ik gaf hem de twee bankbiljetten. Hij zette de printer aan. Onder de foto stond een link: PERSOONLIJKE INFO. Ik boog me over de counter en klikte hem aan terwijl hij de foto uit de printer haalde.

Albin zag wat ik deed en zei: 'Pardon?'

Ik trok me snel terug, maar ik had genoeg gezien. Alleen de

voornaam van het meisje werd vermeld: Carrie. En het adres?
Het kantoor hiernaast. Dat van Red de Engelen.

Albin wist niet wat Carries achternaam was. Toen ik bleef aandringen, gaf hij toe dat hij foto's voor Red de Engelen maakte, maar dat was alles. Hij kreeg altijd alleen de voornaam te horen. Ik pakte de foto van hem aan en vertrok. De deur van de Engelen zat nog steeds op slot. Weinig verrassend. Ik liep weer naar binnen bij Bruno & Associates, trof daar Minerva, mijn favoriete receptioniste, en liet haar de foto van de blonde Carrie zien.

'Ken je haar?'

Minerva keek naar me op.

'Ze wordt vermist,' zei ik. 'Ik ben naar haar op zoek.'

'Ben je een privédetective?'

'Ja,' zei ik, want dat was gemakkelijker dan alles uit te moeten leggen.

'Cool.'

'Ja. Haar voornaam is Carrie. Herken je haar?'

'Ze werkte daar.'

'Bij Red de Engelen?'

'Hoewel, ze werkte er niet echt, maar ze was een van de stagiaires. Voor een paar weken, de afgelopen zomer.'

'Kun je me iets over haar vertellen?'

'Ze is mooi, hè?'

Ik zei niets.

'Ik heb nooit geweten hoe ze heette. Ze was niet erg aardig. Geen van die stagiaires was dat, om je de waarheid te zeggen. Al die liefde voor God, maar voor gewone mensen... ho maar. Hoe dan ook, onze kantoren maken gebruik van dezelfde wc's verderop in de gang. Als ik haar tegenkwam, zei ik haar gedag. Maar zij keek altijd dwars door me heen. Begrijp je wat ik bedoel?'

Ik bedankte Minerva en ging terug naar suite 3B. Ik bleef voor het kantoor staan en keek, naar de deur van Red de Engelen. Het oude brein toog weer aan het werk en de stukjes van de puzzel tuimelden over elkaar als schone sokken in een wasdroger. Ik dacht aan de website die ik de afgelopen nacht had bekeken, aan de naam van de organisatie. Ik keek naar de foto in mijn hand. Naar het blonde haar. Het mooie gezicht. De blauwe ogen met de dunne gouden ring om de pupillen, en toch begreep ik precies wat Minerva zojuist had bedoeld.

Soms zie je in een gezicht sterke genetische overeenkomsten, zoals de gouden ring om de pupil... en soms zie je ook iets wat meer wegheeft van een echo. Dat was wat ik op het gezicht van het meisje zag.

De echo, daar was ik van overtuigd, van haar moeder.

Ik keek naar de deur en daarna weer naar de foto. En toen het besef tot me doordrong, voelde ik een kilte tot in mijn botten.

Berleand had niet gelogen.

Mijn mobiele telefoon ging over. Het was Win.

'De uitslag van de DNA-test van het botmonster is binnen.'

'Laat me raden,' zei ik. 'Er is een match met Terese als de moeder. Jones heeft de waarheid gesproken.'

'Ja.'

Ik stond nog steeds naar de foto te staren.

'Myron?'

'Ik denk dat ik het nu begrijp,' zei ik. 'Ik denk dat ik weet wat er gaande is.'

33

Ik reed terug naar New York... naar het kantoor van CryoHope, om precies te zijn.

Dit kon toch niet waar zijn?

Dat was de gedachte die door mijn hoofd bleef spoken. Ik wist niet of ik hoopte dat ik het goed had of juist niet, maar zoals ik eerder al zei heeft de waarheid een bepaalde geur. En wat betreft het argument 'dat kan toch niet?' verwijs ik graag naar de uitspraak van Sherlock Holmes: wanneer men al het onmogelijke elimineert, moet dat wat resteert, hoe onwaarschijnlijk ook, de waarheid zijn.

Even overwoog ik special agent Jones te bellen. Ik had nu de foto van het meisje. Deze Carrie was hoogstwaarschijnlijk een terrorist, of een sympathisant, of – in het gunstigste geval – ze werd tegen haar wil vastgehouden. Maar daar was het te vroeg voor. Ik kon met Terese gaan praten en de mogelijkheid aan haar voorleggen, maar ook daarvoor leek het me nog te vroeg.

Ik moest meer zekerheid hebben voordat ik Terese hoop gaf... of haar die juist afnam.

CryoHope had een bewaakt parkeerterrein. Ik droeg mijn auto over aan de beheerder en liep naar binnen. Onmiddellijk nadat Rick Collins had ontdekt dat hij de ziekte van Huntington had, was hij hiernaartoe gekomen. Op het eerste gezicht een logische reactie. CryoHope was op dat moment de top als het ging om baanbrekend stamcelonderzoek. Het was begrijpelijk dat hij hiernaartoe was gekomen in de hoop dat er iets gevonden kon worden wat hem tegen zijn genetische lot kon beschermen.

Maar dat was dus niet gelukt.

Ik herinnerde me de naam van de arts uit de brochure. 'Ik wil dokter Sloan graag spreken,' zei ik tegen de receptioniste.

'Uw naam?'

'Myron Bolitar. Zeg hem dat het over Rick Collins gaat. En over een meisje dat Carrie heet.'

Toen ik weer buiten kwam, stond Win naast de deur tegen de muur geleund alsof hij de portier van een nachtclub was. Zijn limo stond voor de ingang, maar hij liep met me mee naar mijn auto.

'En?' vroeg hij.

Ik vertelde hem alles. Win luisterde zonder me te onderbreken of vragen te stellen. Toen ik uitgepraat was, vroeg hij: 'En nu?'

'Ik ga het aan Terese vertellen.'

'Enig idee hoe ze zal reageren?'

'Nee.'

'Je zou kunnen wachten. Eerst meer onderzoek doen.'

'Waarnaar?'

Hij pakte de foto van me aan. 'Het meisje.'

'Dat gaan we ook doen. Maar ik vind dat Terese het nu moet weten.'

Mijn mobiele telefoon begon te piepen. Ik keek naar de display: onbekend nummer. Ik zette het toestel op de speaker en zei: 'Hallo?'

'Mis je me?'

Het was Berleand. 'Je hebt me niet teruggebeld,' zei ik.

'Omdat jij je er verder buiten zou houden. Je terugbellen zou je misschien hebben aangemoedigd je opnieuw met het onderzoek te bemoeien.'

'Waarom bel je me nu dan wel?'

'Omdat jij met een heel groot probleem zit,' zei hij.

'Ik luister.'

'Ben ik op de speaker te horen?'

'Ja.'

'Is Win bij je?'

'Hier,' zei Win.

‘We hebben enkele heel verontrustende geruchten opgevangen uit Paterson, New Jersey. Tereses naam werd genoemd.’

‘Tereses naam,’ zei ik. ‘Maar de mijne niet?’

‘Het kan zijn dat jij ermee werd bedoeld. Het zijn geruchten. Het is niet altijd even duidelijk wat er wordt bedoeld.’

‘Maar jij denkt dat ze weten dat ik Matar heb vermoord?’

‘Daar lijkt het wel op, ja.’

‘Enig idee hoe?’

‘Nee. Jones’ mannen, die jou in hechtenis hebben genomen, zijn de allerbeste in het vak. Die hebben in ieder geval niet gepraat.’

‘Een van de andere agenten misschien?’ zei ik.

‘Denk je?’

Ik dacht erover na, dacht terug aan die dag in Londen, aan wie erbij waren geweest en wie aan de andere jihadisten had kunnen doorvertellen dat ik hun leider Mohammad Matar had vermoord. Ik keek Win aan. Hij hield de foto van Carric omhoog en trok zijn ene wenkbrauw op.

Wanneer men al het onmogelijke elimineert…

Win zei: ‘Bel je ouders. We brengen ze over naar het Lockwood-landgoed in Palm Springs. We huren de best mogelijke beveiliging voor Esperanza in… misschien is Zorra beschikbaar, of anders die Carl uit Philadelphia. Is je broer nog bij die opgraving in Peru?’

Ik knikte.

‘Dan kan hem weinig gebeuren, lijkt me.’

Ik wist dat Win bij Terese en mij zou blijven. Win haalde zijn telefoon tevoorschijn en begon zijn mensen te bellen. Ik pakte mijn toestel en schakelde de luidspreker uit. ‘Berleand?’

‘Ja?’

‘Jones suggereerde dat jij misschien had gelogen over de uitslag van de DNA-test in Parijs.’

Berleand zei niets.

‘Ik weet nu dat je de waarheid hebt gesproken,’ zei ik.

‘Hoe weet je dat?’

Maar ik had al te veel gezegd. ‘Ik moet een paar mensen bellen. Ik spreek je later.’

Ik verbrak de verbinding en belde mijn ouders. Ik hoopte dat ik mijn vader aan de lijn zou krijgen, maar het was natuurlijk mijn moeder die opnam.

'Ma, ik ben het.'

'Hallo, lieveling.' Ze klonk vermoeid. 'Ik kom net terug van de dokter.'

'Is alles goed met je?'

'Dat kun je vanavond op mijn blog lezen,' zei ma.

'Wacht even, je komt net terug van de dokter, klopt dat?'

Ma zuchtte. 'Dat zei ik toch, of niet soms?'

'Ja. Daarom vraag ik je naar je gezondheid.'

'Dat komt allemaal op mijn blog te staan. Dus als je meer wilt weten, moet je die lezen.'

'Je wilt het me niet vertellen?'

'Je moet het niet persoonlijk opvatten, lieve jongen. Op deze manier hoef ik mezelf niet steeds te herhalen wanneer iemand ernaar vraagt.'

'Dus je stuurt iedereen door naar je blog?'

'Ja. Zo neemt het dataverkeer van mijn site toe. Zie je wel, nu heb ik je interesse gewekt, waar of niet? Op deze manier krijg ik meer hits.'

Dames en heren, mag ik u voorstellen: mijn moeder.

'Ik wist niet eens dat je een blog had.'

'Natuurlijk heb ik een blog. Ik ben heel eigentijds, hoor. Ik zit ook op MyFace.'

Ik hoorde mijn vader op de achtergrond roepen: 'Het is MySpace, Ellen.'

'Wat?'

'Het heet MySpace.'

'O, ik dacht dat het MyFace heette.'

'Je bedoelt Facebook. Dat heb je ook. MySpace en Facebook.'

'Weet je het zeker?'

'Ja, ik weet het zeker.'

'Moet je meneer Billy Gates hier horen. Denkt dat hij opeens alles van internet af weet.'

'En het gaat goed met je moeder,' riep pa naar mij.

'Dat moet je niet zeggen,' klaagde ze. 'Nu komt hij niet langs op mijn blog.'

'Ma, laat me even met pa praten, alsjeblieft. Het is belangrijk.'

Pa kwam aan de lijn. Ik legde hem in het kort uit wat er aan de hand was, zonder veel details te geven. Pa begreep het. Hij stelde geen vragen en protesteerde niet. Ik legde hem net uit dat ze zo meteen opgehaald zouden worden en naar het landgoed van Wins familie zouden worden gebracht, toen er een tweede gesprek binnenkwam. Het was Terese.

Ik rondde het gesprek met mijn vader af en schakelde door.

'Ik ben twee minuten van je vandaan,' zei ik tegen Terese. 'Blijf binnen totdat ik er ben.'

Stilte.

'Terese?'

'Ze heeft gebeld.'

Ik hoorde de snik in haar stem.

'Wie heeft er gebeld?'

'Miriam. Ik heb haar net gesproken.'

34

Ze wachtte me op bij de deur.
'Vertel me wat er gebeurd is.'

Ze beefde over haar hele lichaam. Ze drukte zich tegen me aan, ik sloeg mijn armen om haar heen en deed mijn ogen dicht. Dit gesprek, wist ik, zou heel hard aankomen. Ik begreep dat nu. Ik begreep waarom Rick Collins tegen haar had gezegd dat ze op het ergste voorbereid moest zijn. Dat hij haar ervoor had gewaarschuwd dat wat hij haar te vertellen had, haar hele leven zou veranderen.

'Mijn telefoon ging. Ik antwoordde en toen zei een meisjesstem aan de andere kant van de lijn: "Mama?"'

Ik probeerde me het moment voor te stellen, dat je dat woord hoort van je eigen kind, van iemand van wie je meer hield dan van wie of wat ook ter wereld, en iemand die door jouw schuld om het leven was gekomen.

'Wat zei ze nog meer?'

'Dat ze haar in gijzeling hielden.'

'Wie?'

'Terroristen. Dat ik tegen niemand iets mocht zeggen.'

Ik zei niets.

'Toen nam iemand haar de telefoon af, een man met een zwaar accent, die zei dat hij zou terugbellen met de eisen.'

Ik hield haar in mijn armen en zei niets.

'Myron?'

Op de een of andere manier wist ik haar naar de bank te loodsen. Ze keek me aan met hoop en... ja, ik weet hoe het klinkt... en met liefde in haar ogen. Mijn hart verbrokkelde in mijn borstkas toen ik haar de foto gaf.

'Dit is het blonde meisje dat ik in Parijs en in Londen heb gezien,' zei ik.

Ze bleef twee volle minuten zonder iets te zeggen naar de foto staren. Toen zei ze: 'Ik begrijp het niet.'

Ik wist niet wat ik daarop moest zeggen. Ik vroeg me af of ze de gelijkenis zag, of dat dit het moment was waarop voor haar de stukjes in elkaar begonnen te passen.

'Myron?'

'Dit is het meisje dat ik heb gezien,' zei ik weer.

Ze schudde haar hoofd.

Ik wist het antwoord al, maar toch stelde ik de vraag. 'Wat is er mis?'

'Dit is Miriam niet,' zei ze.

Ze keek weer naar de foto en wreef met haar hand in haar ogen. 'Misschien... ik weet het niet, misschien als ze reconstructiechirurgie op haar gezicht hebben toegepast, en tja, het is al zo lang geleden. Je uiterlijk verandert in de loop der jaren, nietwaar? Ik bedoel, ze was zeven toen ik haar voor het laatst heb gezien...'

Haar ogen keken weer op naar mij, zochten naar steun en geruststelling op mijn gezicht. Ik kon haar geen van beide geven. Ik besefte dat het moment van de waarheid was aangebroken en draaide er niet langer omheen.

'Miriam is dood,' zei ik.

Langzaam trok het bloed weg uit haar gezicht. Voor de zoveelste keer brak mijn hart. Ik wilde mijn armen om haar heen slaan, maar ik wist dat het daar niet het juiste moment voor was. Ze worstelde zich erdoorheen, probeerde rationeel te blijven nadenken, besefte hoe belangrijk dat op dit moment was. 'Maar dat telefoontje dan...?'

'Jouw naam is genoemd in onderschepte geruchten. Ik denk dat ze jou bij ons weg proberen te lokken.'

Ze keek weer naar de foto. 'Dus het was allemaal bedrog?'

'Nee.'

'Maar je zei net...' Terese deed haar uiterste best om me te blijven volgen. Ik probeerde te bedenken hoe ik het haar kon vertellen zonder haar te veel te choqueren, maar ik besefte dat die manier niet bestond. Ik kon het haar alleen uitleggen zoals ik het zelf had ingezien.

'Laten we een paar maanden teruggaan,' zei ik, 'toen Rick ontdekte dat hij de ziekte van Huntington had.'

Ze keek me aan en zei niets.

'Wat zou hij het eerst hebben gedaan?' vroeg ik.

'Zijn zoontje laten testen.'

'Precies.'

'Maar?'

'Maar hij is ook naar CryoHope gegaan. Aanvankelijk dacht ik om een genezingskuur te vinden.'

'Was dat dan niet zo?'

'Nee,' zei ik. 'Ken jij een arts die dokter Everett Sloan heet?'

'Nee. Of wacht eens... ik heb zijn naam in de brochure zien staan. Hij werkt bij CryoHope.'

'Ja,' zei ik, 'én hij heeft de praktijk van dokter Aaron Cox overgenomen.'

Ze zei niets.

'Ik ben zijn naam pas net te weten gekomen,' zei ik. 'Maar Cox was jullie gynaecoloog, toen jullie Miriam kregen.'

Terese keek me alleen maar aan.

'Jullie hadden een ernstig vruchtbaarheidsprobleem. Je hebt me verteld hoe moeilijk het was, totdat... nou, jij noemde het een medisch wonder, maar zo ongebruikelijk is het tegenwoordig niet. De kunstmatige bevruchting.'

Ze wilde of kon nog steeds niets zeggen.

'Kunstmatig, omdat de eitjes buiten de baarmoeder worden bevrucht en later als embryo in de baarmoeder van de vrouw worden geplaatst. Je hebt me verteld dat je Pergonal slikte om je productie van eitjes te stimuleren. Dat gebeurt in vrijwel alle gevallen. En er zijn extra embryo's. Die worden al ruim twintig jaar ingevroren. Soms worden ze ontdooid om ze te gebruiken voor stamcelonderzoek. Soms worden ze door het betreffende echtpaar gebruikt om het opnieuw te proberen. Of soms, wanneer een van de partners overlijdt of ontdekt dat hij of zij ongeneeslijk ziek is, en de ander wil toch het kind... enfin, je weet waar ik het over heb. In geval van echtscheiding en voogdij ligt het juridisch allemaal heel gecompliceerd en er worden genoeg embryo's vernietigd... óf ze blijven tientallen jaren ingevroren.'

Ik slikte, want ze moest inmiddels begrijpen welke kant dit op zou gaan. 'Wat is er met jouw extra embryo's gebeurd?'

'Het was onze vierde poging,' zei Terese. 'Tot dan toe had geen van de embryo's gepakt. Je hebt geen idee hoe teleurstellend dat is. Dus toen het uiteindelijk lukte, was het zo'n heerlijke verrassing...' Ze wachtte even. 'We hadden nog maar twee embryo's over. Die wilden we bewaren voor het geval we het nog een keer wilden proberen, maar toen kreeg ik die ontsteking aan mijn baarmoederslijmvlies en was het duidelijk dat ik nooit meer een kind zou baren. Dokter Cox heeft me trouwens verteld dat de embryo's het proces van het invriezen niet hadden overleefd.'

'Dat heeft hij gelogen,' zei ik.

Ze keek weer naar de foto van het blonde meisje.

'Er bestaat een beweging die Red de Engelen heet. Ze zijn tegen embryonaal stamcelonderzoek en tegen het vernietigen van embryo's in welke vorm of ontwikkelingsfase ook. Bijna twintig jaar lang hebben ze gelobbyd voor adoptie van deze embryo's, als je het zo tenminste kunt noemen. Er zit wel iets in. Er zijn honderdduizenden opgeslagen embryo's, en er zijn echtparen die ze een leven kunnen geven. De juridische kant is buitengewoon gecompliceerd. In de meeste staten is adoptie van embryo's niet toegestaan, omdat de draagmoeder in zekere zin als surrogaatmoeder wordt beschouwd. Wat Red de Engelen wil, is de opgeslagen embryo's implanteren bij onvruchtbare vrouwen.'

Ze begon het te begrijpen. 'O mijn god...'

'Ik ben niet op de hoogte van alle details. Een van dokter Cox' coassistenten was blijkbaar een aanhanger van Red de Engelen. Herinner je je een zekere dokter Jiménez?'

Terese schudde haar hoofd.

'Red de Engelen heeft Cox onder druk gezet toen hij CryoHope aan het opstarten was. Ik weet niet of hij voor die druk is bezweken, of dat ze hem hebben betaald, of dat hij sympathiek tegenover de ideeën van Red de Engelen stond. Cox heeft waarschijnlijk beseft dat er embryo's waren die nooit zouden worden gebruikt, dus... nou ja, waarom niet? Waarom zou hij ze in de vriezer laten liggen of ze laten vernietigen? Dus heeft hij ze afgestaan ter adoptie.'

'Dus dit meisje...' Ze bleef naar de foto kijken. '... dit meisje is mijn dochter?'

'Biologisch gezien wel, ja.'

Ze bleef naar het gezicht van het meisje staren en verroerde zich niet.

'Toen dokter Sloan zes jaar geleden de leiding van CryoHope overnam, ontdekte hij wat ze hadden gedaan. Hij bevond zich in een moeilijke positie. Hij heeft enige tijd gespeeld met het idee het stil te houden, maar hij besefte heel goed dat dat zowel strafbaar als medisch onethisch was. Dus heeft hij gekozen voor een soort tussenweg. Hij heeft contact opgenomen met Rick en hem gevraagd of hij het goed vond dat de embryo's werden afgestaan ter adoptie. Ik weet natuurlijk niet wat er door Ricks hoofd ging, maar ik neem aan dat hij, toen er gekozen moest worden tussen de embryo's vernietigen en ze een kans op leven geven, voor het laatste heeft gekozen.'

'Hadden ze daar ook niet *míjn* toestemming voor nodig?'

'Die had je al gegeven toen je met CryoHope in zee ging. Rick niet. En niemand wist waar je was. Dus heeft Rick die beslissing genomen. Ik weet niet of die al dan niet legitiem was. Maar het kwaad was al geschied. Dokter Sloan probeerde alleen het puin te ruimen, voor het geval hij ooit zou moeten verantwoorden wat er was gebeurd. En dat moment kwam ook. Want toen Rick ontdekte dat hij de ziekte van Huntington had, wilde hij dat de mensen die jullie embryo's hadden geadopteerd, daarvan in kennis zouden worden gesteld. Dus ging hij naar CryoHope. Dokter Sloan vertelde hem de waarheid... dat de embryo's al jaren daarvoor via Red de Engelen waren geïmplanteerd. Hij wist niet wie de adoptieouders waren, dus zegde hij Rick toe dat hij bij Red de Engelen een verzoek tot informatie zou indienen. Ik vermoed dat Rick geen zin had om daarop te wachten.'

'Denk je dat híj in hun kantoor heeft ingebroken?'

'Het past wel in het plaatje,' zei ik.

Eindelijk maakte ze haar blik los van de foto. 'Maar waar is ze nu?'

'Dat weet ik niet.'

'Ze is mijn dochter.'

'Alleen biologisch.'

Er kwam een wat hardere trek op haar gezicht. 'Kom me daar niet mee aan. Jij hoorde het ook pas van Jeremy toen hij al veertien was. Toch heb je hem altijd als je zoon beschouwd.'

Ik wilde zeggen dat dat een andere situatie was, maar in wezen had ze gelijk. Jeremy was biologisch mijn zoon, maar hij had me nooit als zijn vader gekend. Toen ik hoorde dat hij mijn zoon was, was het al veel te laat om nog iets bij te dragen aan zijn ontwikkeling, en toch maakte ik deel uit van zijn leven. Was de situatie wel zo anders?

'Hoe heet ze?' vroeg Terese. 'Wie hebben haar grootgebracht? Waar woont ze?'

'Haar voornaam is waarschijnlijk Carrie, maar echt zeker weet ik het niet. Die andere dingen weet ik nog niet.'

Ze legde de foto in haar schoot.

'We moeten dit aan Jones vertellen,' zei ik.

'Nee.'

'Als ze je dochter hebben gegijzeld...'

'Dat geloof je zelf toch niet, hè?'

'Ik weet niet wat ik moet geloven.'

'Kom op, Myron, wees eerlijk tegen me. Jij denkt dat ze met die terroristen meedoet, dat ze zo'n meisje met een vaderprobleem is, waar Jones het over had.'

'Ik weet het echt niet. Maar als ze onschuldig is...'

'Ze is sowieso onschuldig. Ze kan niet ouder dan zeventien zijn. Als ze hier op de een of andere manier bij betrokken is geraakt, omdat ze jong en beïnvloedbaar was, zullen Jones en zijn maten van de Binnenlandse Veiligheidsdienst daar weinig begrip voor hebben. Dan is haar leven geen cent meer waard. Je hebt gezien wat ze met jou hebben gedaan.'

Ik zei niets.

'Ik weet niet waarom ze zich bij die lui heeft aangesloten,' zei Terese. 'Misschien vanwege een soort Stockholm-syndroom. Misschien heeft ze afschuwelijke ouders gehad of is ze rebels van nature. Shit, dat was ik vroeger ook. Maar het maakt niet uit. Ze is nog maar een kind. En ze is mijn dochter, Myron. Begrijp je dat? Ze is Miriam niet, maar ze is de tweede kans die ik krijg. Ik kan haar niet laten barsten. Begrijp dat, alsjeblieft.'

Ik zei nog steeds niets.

'Ik kan haar helpen. Het is alsof... het zo heeft moeten zijn. Rick is omgekomen toen hij haar probeerde te redden. Nu is het mijn beurt. Toen ze me belden, zeiden ze dat ik het alleen tegen jou mocht zeggen, verder tegen niemand. Alsjeblieft, Myron. Ik smeek het je. Help me alsjeblieft mijn dochter te redden.'

35

Met Terese naast me belde ik Berleand terug.

'Jones suggereerde dat je op de een of andere manier had gelogen over de uitslag van de DNA-test,' zei ik. 'Of dat je ermee had gerotzooid.'

'Ik weet het.'

'O ja?'

'Hij wilde jou van de zaak hebben. Ik wilde dat ook. Daarom heb ik je niet teruggebeld.'

'Maar eerder heb je me wel gebeld.'

'Om je te waarschuwen. Alleen daarom. Het is nog steeds beter als je je erbuiten houdt.'

'Dat kan ik niet.'

Berleand zuchtte. Ik dacht terug aan onze eerste ontmoeting, op het vliegveld, aan zijn futloze haar, aan zijn bril met die veel te grote glazen, aan de keer dat hij me had meegenomen naar het dak van Quai des Orfèvres 36, aan hoe graag ik hem mocht.

'Myron?'

'Ja?'

'De vorige keer zei je dat je wist dat ik niet over de uitslag van de DNA-test had gelogen.'

'Dat klopt,' zei ik.

'Was je tot die conclusie gekomen door mijn betrouwbare gezicht en mijn bijna bovenaardse charisma?'

'Daar moet ik helaas nee op antwoorden.'

'Leg het me dan uit, alsjeblieft.'

Ik keek Terese aan. 'Dan moet je me eerst iets beloven.'

‘O-o.’

‘Ik heb informatie die van grote waarde voor je is. En jij hebt waarschijnlijk informatie die voor mij van grote waarde is.’

‘En jij wilt die ruilen.’

‘Om te beginnen.’

‘Om te beginnen,’ herhaalde hij. ‘Zou je me dan, voordat ik akkoord ga, willen vertellen wat de hoofdmoot gaat worden?’

‘Dat we een team vormen. Dat we dit samen gaan aanpakken en dat we Jones en de rest erbuiten laten.’

‘En mijn vrienden van de Mossad?’

‘Nee. Alleen wij tweeën.’

‘Ik begrijp het. Of wacht eens, ik begrijp het níét.’

Terese vlijde zich tegen me aan, zodat ze kon meeluisteren.

‘Als Matars plannen ondanks zijn dood ten uitvoer zullen worden gebracht,’ zei ik, ‘wil ik dat wíj het zijn die daar een stokje voor steken, niet zij.’

‘Waarom?’

‘Omdat ik het blonde meisje erbuiten wil houden.’

Er viel een stilte. Toen zei Berleand: ‘Jones heeft je verteld dat hij het botmonster uit Miriam Collins’ graf heeft laten testen.’

‘Ja.’

‘En dat is bevestigd dat het van Miriam Collins was.’

‘Ja, dat weet ik.’

‘Sorry, maar dan begrijp ik het niet. Waarom zou jij dat meisje, dat hoogstwaarschijnlijk een bikkelharde terrorist is, in bescherming willen nemen?’

‘Dat kan ik je pas uitleggen als je instemt met onze samenwerking.’

‘En dan houden we Jones erbuiten?’

‘Ja.’

‘Omdat jij dat blonde meisje, dat mogelijk betrokken is geweest bij de moord op Karen Tower en Mario Contuzzi, in bescherming wilt nemen?’

‘Zoals je zegt, “mogelijk”.’

‘Daar hebben we rechtbanken voor om dat vast te stellen.’

'Ik wil haar niet in een rechtbank zien. Je zult begrijpen waarom niet als ik je heb verteld wat ik weet.'

Berleand zei niets.

'Hebben we een deal?' vroeg ik.

'Tot op zekere hoogte.'

'En dat betekent?'

'Dat betekent dat je weer te klein denkt. Jij maakt je zorgen om één persoon. Ik begrijp dat wel. Ik neem aan dat je mij zo meteen gaat uitleggen waarom zij belangrijk voor je is. Maar waar we mee geconfronteerd worden, kan duizenden mensen het leven kosten. Duizenden vaders, moeders, zonen en dochters. De geruchten die ik heb vernomen, hebben het over iets van enorme omvang, niet een enkele aanslag, maar een hele reeks, verspreid over een periode van diverse maanden. Daarom kan ik me niet druk maken om één meisje... niet als er mogelijk duizenden mensenlevens op het spel staan.'

'Wat kun je me dan wel beloven?'

'Je laat me niet uitpraten. Dat dit meisje me niet echt interesseert, werkt twee kanten op. Het maakt me niet uit of ze wordt gepakt, en evenmin of ze aan vervolging ontsnapt. Dus ja, ik doe met je mee. We gaan proberen dit samen op te lossen, waar ik trouwens al enige tijd mee bezig ben. Maar als we tegenover een overmacht van mensen en/of wapens komen te staan, wil ik het recht hebben om Jones' hulp in te roepen. Ik zal me aan mijn woord houden en jou helpen het meisje te beschermen. Maar onze prioriteit moet zijn dat we die jihadisten ervan weerhouden hun terreurdaden ten uitvoer te brengen. Eén leven is geen duizenden mensenlevens waard.'

Dat vroeg ik me af. 'Heb jij kinderen, Berleand?'

'Nee, maar als je denkt dat je nu de kaart van de band tussen ouder en kind moet uitspelen, dan beledig je me.' En toen: 'Wacht eens, ga je me vertellen dat het blonde meisje de dochter van Terese Collins is?'

'In zekere zin.'

'Leg uit.'

'Hebben we een deal?' vroeg ik.

'Ja. Met de voorwaarden die ik je net heb genoemd. Vertel me wat je weet.'

Ik nam de hele geschiedenis met hem door: mijn bezoeken aan Red de Engelen en Official Photography van Albin Laramie, de ontdekking van de adoptie van embryo's tot en met het 'mammie'-telefoontje dat Terese een uur geleden had ontvangen. Berleand onderbrak me diverse keren met vragen die ik zo goed mogelijk beantwoordde. Toen ik uitgepraat was, wilde hij meteen aan de slag.

'Eerst moeten we de identiteit van het meisje vaststellen. We moeten kopieën van de foto laten maken. Ik zal er een naar Lefebvre mailen. Als ze Amerikaanse is, was ze misschien in Parijs in het kader van een of ander uitwisselingsprogramma. Hij kan kijken of iemand haar herkent.'

'Oké,' zei ik.

'Zei je dat Terese op haar mobiel werd gebeld?'

'Ja.'

'En het nummer was geblokkeerd, mag ik aannemen?'

Daar had ik nog niet aan gedacht. Ik keek Terese aan. Ze knikte. 'Ja,' zei ik.

'Hoe laat werd ze precies gebeld?'

Ik keek weer naar Terese. Ze checkte de binnengekomen gesprekken en noemde de exacte tijd.

'Ik bel je over vijf minuten terug,' zei Berleand, en hij verbrak de verbinding.

Win kwam binnen en vroeg: 'Gaat alles goed hier?'

'Op rolletjes.'

'Je ouders zijn in veiligheid. Esperanza en het kantoor ook.'

Ik knikte. De telefoon ging weer. Het was Berleand.

'Misschien heb ik iets,' zei hij.

'Vertel op.'

'Het telefoontje naar Terese is gedaan met een eenmalig toestel dat met contant geld is gekocht in Danbury, Connecticut.'

'Dat is een vrij grote stad.'

'Misschien kan ik het gebied wat verkleinen. Ik had je verteld dat we gesprekken hadden onderschept van een mogelijke cel in Paterson, New Jersey.'

'Ja.'

'Het merendeel van de communicatie was met landen overzee, maar een deel is ook binnen de Verenigde Staten gebleven. Wist je dat criminele elementen vaak per e-mail communiceren?'

'Daar zullen ze wel een reden voor hebben.'

'Omdat het redelijk anoniem is. Ze openen een account bij een gratis provider en klaar zijn ze. Wat veel mensen niet weten, is dat we tegenwoordig kunnen nagaan met welke computer de account is geopend. Niet dat we daar veel mee opschieten. Meestal wordt er namelijk een openbaar toegankelijke pc gebruikt, van een bibliotheek of een internetcafé, of zoiets.'

'En in dit geval?'

'In de onderschepte berichten wordt gesproken over een e-mailadres dat acht maanden geleden is geopend in de Mark Twainbibliotheek in Redding, Connecticut, wat nog geen vijftien kilometer van Danbury ligt.'

Ik dacht erover na. 'Het kan een verband zijn.'

'Ja. Sterker nog, de bibliotheek wordt onder andere gebruikt door de plaatselijke middelbare meisjesschool, de Carver Academy. Misschien hebben we geluk en zit jouw "Carrie" daar op school.'

'Kun je dat natrekken?'

'Daar wordt al aan gewerkt. In de tussentijd is Redding maar anderhalf uur hiervandaan. We kunnen ernaartoe rijden en de foto aan mensen laten zien.'

'Zal ik rijden?'

'Ja, dat lijkt me het beste,' zei Berleand.

36

Ik wist Terese over te halen, met veel moeite, dat ze thuis bleef, voor als er hier iets moest worden gedaan. Ik beloofde haar dat we zouden bellen zodra we meer wisten. Met tegenzin ging ze akkoord. Het had geen zin om er met z'n allen naartoe te gaan. Win zou in de buurt blijven, vooral om Terese te beschermen, maar ze konden samen ook een deel van het onderzoek voor hun rekening nemen. De sleutel was waarschijnlijk bij Red de Engelen te vinden. Als we hun dossiers wisten te bemachtigen, als we Carries volledige naam en adres konden vinden, of als we haar adoptie- of draagouders, of hoe die mensen ook heetten, konden vinden en haar via hen konden traceren…

Onderweg in de auto vroeg Berleand: 'Ben je ooit getrouwd geweest?'

'Nee. Jij?'

Hij glimlachte. 'Vier keer.'

'Wauw.'

'En vier keer gescheiden. Maar ik heb van geen enkel huwelijk spijt.'

'Denken je ex-vrouwen er ook zo over?'

'Dat betwijfel ik. Maar we zijn nog steeds bevriend. Met het vinden van vrouwen heb ik nooit moeite gehad, met ze houden wel.'

Ik glimlachte. 'Ik had dat niet van je verwacht.'

'Omdat ik niet knap ben?'

Ik haalde mijn schouders op.

'Het uiterlijk wordt overschat,' zei hij. 'Ik heb iets wat veel belangrijker is. Wil je weten wat dat is?'

'Laat me raden. Een fantastisch gevoel voor humor, is dat het? Volgens de vrouwenbladen is dat het allerbelangrijkste bij een man.'

'Ja, en financiële zekerheid, zeggen ze,' zei Berleand.

'Dus dat is het niet?'

'Ik ben een heel humoristisch mens,' zei hij, 'maar dat is niet genoeg.'

'Wat is het dan?' vroeg ik.

'Dat heb ik je al een keer verteld.'

'Vertel het me dan nog een keer.'

'Charisma,' zei Berleand. 'Ik heb gewoon heel veel charisma.'

Ik glimlachte. 'Dat valt niet te ontkennen.'

Redding was landelijker dan ik had verwacht, een slaperig plattelandsstadje met huizen in puriteinse New England-stijl, postmoderne, fantasieloze McMansions, antiekwinkels langs de weg en oude percelen boerenland. De bescheiden bibliotheek had een groene deur met een plaquette ernaast.

MARK TWAIN BIBLIOTHEEK, stond erop, en daaronder, in een iets kleinere letter: GESCHONKEN DOOR SAMUEL L. CLEMENS

Dat wekte mijn nieuwsgierigheid, maar daar was het nu niet het juiste moment voor. We gingen naar binnen en liepen door naar de bibliothecaresse achter de balie.

Aangezien Berleand de man in functie was, ook al bevond hij zich ver buiten zijn district, liet ik hem het woord doen. 'Hallo,' zei hij tegen de bibliothecaresse. Op haar naamplaatje stond dat ze Paige Wesson heette. Ze keek op met een vermoeide blik, alsof Berleand een boek veel te laat kwam terugbrengen, met een excuus dat ze al duizend keer eerder had gehoord. 'We zijn op zoek naar dit vermiste meisje. Heb jij haar misschien gezien?'

Hij had zijn penning in zijn ene hand en de foto van het meisje in de andere. De bibliothecaresse keek eerst naar zijn penning.

'U komt uit Parijs,' zei ze.

'Ja.'

'Ziet het er hier uit als Parijs?'

'In de verste verten niet,' zei Berleand. 'Maar we zijn bezig met een zaak die internationale complicaties kent. Dit meisje is voor het laatst in gevangenschap in mijn jurisdictie gezien. We hebben redenen om aan te nemen dat ze gebruik heeft gemaakt van een computer in deze bibliotheek.'

Ze pakte de foto van hem aan. 'Ik geloof niet dat ik haar heb gezien.'

'Weet je dat zeker?'

'Nee, dat weet ik niet zeker. Maar kijk om u heen.' We keken om ons heen. Achter alle computertafels zaten tieners. 'Er komen hier elke dag honderden kinderen. Ik zeg niet dat ze hier nooit is geweest. Ik zeg alleen dat ik haar niet herken.'

'Kun je in de computer kijken of er een lidmaatschap geregistreerd staat op naam van ene Carrie?'

'Hebben jullie een gerechtelijk bevel?' vroeg Paige.

'Mogen we in je computer kijken naar de aanmeldingen van acht maanden geleden?'

'Zelfde vraag.'

Berleand glimlachte naar haar. 'Een prettige dag nog.'

'Jullie ook.'

We keerden Paige Wesson onze rug toe en liepen bij de balie vandaan. Mijn telefoon ging over. Het was Esperanza.

'Het is me gelukt om iemand bij de Carver Academy te vinden,' zei Esperanza. 'Maar er staat geen student met de voornaam Carrie ingeschreven.'

'Hè, verdorie,' zei ik. Ik bedankte haar, verbrak de verbinding en lichtte Berleand in.

'En nu?' vroeg Berleand. 'Heb je nog meer goeie ideeën?'

'We kunnen ieder een rondje door de bibliotheek lopen en de foto aan de studenten laten zien,' zei ik.

Ik liet mijn blik door de leeszaal gaan en zag achterin een tafel waaraan drie tienerjongens zaten. Twee droegen een universiteitsjack, met de naam op de voorkant en nepleren mouwen, zoals ik vroeger zelf op Livingston High had gedragen. De derde was typisch het zoontje van rijke ouders, compleet met aristocratische kaaklijn, de edele gelaatstrekken, het poloshirt met kraagje en de dure kakibroek. Ik besloot met deze drie te beginnen.

Ik liet de foto zien.
'Kennen jullie haar?'
Het rijkeluiszoontje deed het woord. 'Volgens mij heet ze Carrie.'
Bingo.
'En haar achternaam?'
Ze schudden alle drie hun hoofd.
'Zit ze bij jullie op school?'
'Nee,' zei het zoontje. 'Maar ze is van hier, neem ik aan. We zien haar wel eens.'
'Lekker wijf,' zei sportjack nummer een.
Het rijkeluiszoontje knikte instemmend. 'Ze heeft een fantastisch kontje.'
Ik fronste mijn wenkbrauwen. Dames en heren, Win junior, dacht ik.
Berleand keek mijn kant op. Ik gebaarde dat ik misschien iets had gevonden. Hij kwam naar ons toe.
'Weten jullie waar ze woont?' vroeg ik.
'Nee. Misschien weet Kenbo het. Die heeft haar gehad.'
'Wie?'
'Ken Borman. Die heeft haar gehad.'
'Haar gehad?' vroeg Berleand.
Ik keek hem aan. 'O... gehad,' zei Berleand. 'Op die manier.'
'Waar kunnen we die Kenbo vinden?'
'In de sportschool op de campus.'
Ze vertelden ons hoe we daar moesten komen en we gingen op weg.

37

Ik had Kenbo groter verwacht.

Wanneer iemand Kenbo wordt genoemd, hij met een lekker blondje heeft liggen rotzooien en er wordt verteld dat hij in de sportschool met gewichten aan het trainen is, dan dient zich een bepaald beeld aan, dat van een mooie jongen met spieren in plaats van hersens. Dat was hier niet het geval. Kenbo had haar dat zo donker en zo steil was dat het wel geverfd en gestreken moest zijn. Het hing als een zwart gordijn voor één oog. Zijn huid was heel bleek, zijn armen mager en zijn nagels waren zwart gelakt. Vroeger noemden we dit een goth.

Toen ik hem de foto gaf, zag ik zijn oog – ik kon er maar een zien; het andere ging schuil achter zijn haar – groter worden. Hij keek ons aan en ik zag angst op zijn gezicht.

'Je kent haar,' zei ik.

Kenbo stond op, deed een stap achteruit, draaide zich om en ging er als een haas vandoor. Ik keek Berleand aan. 'Je verwacht toch niet van me dat ik achter hem aan ga rennen, is het wel?' zei hij.

Ik ging hem zelf achterna. Kenbo was al buiten, rende weg over de grote campus van Carver Academy. Mijn kogelwond speelde op, maar niet zo erg dat ik niet hard kon rennen. Er liepen maar weinig studenten op de campus, en geen docenten, zo te zien, maar het zou vast niet lang duren voordat iemand de politie zou bellen. Dit kon niet goed gaan.

'Wacht!' riep ik.

Hij deed het niet. Hij schoot naar links en verdween achter een van de universiteitsgebouwen. Hij had zo'n moderne spijkerbroek aan, met een laag kruis en laag op de heupen, en dat hielp. Want hij moest hem steeds ophijsen. Ik volgde hem en verkleinde de afstand. Mijn knie begon zeer te doen en ik werd herinnerd aan mijn oude blessure toen ik over een laag hek van draadgaas sprong. Hij rende een sportveld van kunstgras op. Ik deed geen moeite meer om hem te roepen. Dat zou maar verspilling van tijd en energie zijn. Hij naderde de rand van de campus, waar geen getuigen waren, en ik beschouwde dat als een voordeel.

Hij was bijna bij de bomen toen ik naar zijn voeten dook en mijn armen om zijn onderbenen sloeg op een manier die iedere NFL-lijnverdediger stinkend jaloers zou maken. Hij sloeg harder tegen de grond dan mijn bedoeling was, rolde van me weg en probeerde me van zich af te trappen.

'Ik doe je geen kwaad,' riep ik.

'Laat me met rust.'

Ik zat inmiddels boven op hem en hield zijn armen in bedwang met mijn knieën, alsof ik zijn grote broer was. 'Rustig aan.'

'Ga van me af!'

'Ik probeer alleen dit meisje te vinden.'

'Ik weet er niks van.'

'Ken...'

'Ga van me af!'

'Beloof je dat je dan niet wegrent?'

'Ga van me af. Alsjeblieft!'

Ik zat boven op een hulpeloze, doodsbange schooljongen. Stoer hoor. Had ik nog een toegift in huis? Misschien kon ik een jong katje verdrinken? Ik klom van hem af.

'Ik probeer alleen maar dit meisje te helpen,' zei ik.

Hij ging rechtop zitten. De tranen stonden in zijn ogen. Hij veegde ze weg en hield zijn onderarm voor zijn gezicht.

'Ken?'

'Wat is er?'

'Dit meisje wordt vermist en is waarschijnlijk in gevaar.'

Hij keek naar me op.

'Ik probeer haar te vinden.'

'Ken je haar niet?'
Ik schudde mijn hoofd. Berleand doemde op in de verte.
'Zijn jullie van de politie?'
'Alleen hij. Ik heb mijn eigen redenen om dit te doen.'
'En wat zijn die?'
'Ik...' Ik wist echt niet hoe ik het anders moest uitleggen. '... probeer haar op te sporen voor haar biologische moeder. Carrie wordt vermist en ze verkeert waarschijnlijk in groot gevaar.'
'Ik begrijp het niet. Waarom komen jullie naar mij toe?'
'Je vrienden hebben ons verteld dat je met haar omging.'
Hij keek weer naar de grond.
'Ze zeiden zelfs dat je meer hebt gedaan dan alleen maar met haar omgaan.'
Hij haalde zijn schouders op. 'Nou en?'
'Hoe heet ze voluit?'
'Weten jullie dat ook niet?'
'Ze is in de problemen, Ken.'
Berleand kwam aanlopen. Hij hapte naar adem. Hij stak zijn hand in zijn zak – om een pen te pakken, dacht ik – en haalde er een pakje sigaretten uit. Ja, daar zou hij van opknappen.
'Carrie Steward,' zei de jongen.
Ik keek op naar Berleand. Hij knikte en zei hijgend: 'Ik bel het door.'
Hij haalde zijn telefoon uit zijn zak, liep van ons weg en hield zijn toestel omhoog om bereik te krijgen.
'Ik begrijp niet waarom je voor ons op de loop bent gegaan,' zei ik.
'Ik had gelogen,' zei hij. 'Tegen mijn vrienden, bedoel ik. Ik ben nooit met haar naar bed geweest. Ik heb dat alleen maar gezegd.'
Ik wachtte.
'We waren elkaar in de bibliotheek tegengekomen. Ik bedoel, ze was zo mooi, weet je? En ze was altijd samen met nog twee blonde meisjes, ook al van die mooie, alsof ze rechtstreeks uit een of andere sprookjesfilm waren gestapt. Maar goed, ik heb haar drie dagen lang in de gaten gehouden, tot ze eindelijk eens een keer alleen was,

en toen ben ik naar haar toe gegaan. Eerst negeerde ze me compleet. Ik bedoel, ik heb wel eens eerder een blauwtje gelopen, maar deze chick bezorgde me echt de rillingen. Maar ik dacht: wat heb ik te verliezen? Dus bleef ik tegen haar praten, en ik had mijn iPod bij me, dus vroeg ik van welke muziek ze hield. Ze zei dat ze helemaal niet van muziek hield, maar dat kon ik niet geloven, en toen liet ik haar een nummer van Blue October horen. Je zag haar hele gezichtsuitdrukking veranderen. Dat is de kracht van muziek, toch?'

Hij stopte met praten. Ik keek opzij. Berleand was nog aan het bellen. Ik sms'te 'Carrie Steward' naar Esperanza en Terese. Dan konden ze daar ook aan de slag. Ik had verwacht dat iemand van de school ons achterna zou komen, maar tot nu toe was dat niet gebeurd. We zaten allebei in het gras, naar de campus toe gekeerd. De zon was naar de horizon gezakt en kleurde de hemel oranjerood.

'Wat gebeurde er toen?' vroeg ik.

'We raakten aan de praat. Ze vertelde me dat ze Carrie heette. Ze wilde meer muziek horen. Maar ze bleef om zich heen kijken, alsof ze bang was dat haar vriendinnen haar met mij zouden zien. Daardoor voelde ik me een loser, maar misschien was het wel omdat zij uit de stad kwamen en ik niet; dat weet ik niet. Dat dacht ik toen... in het begin. Daarna hebben we elkaar nog een paar keer ontmoet. Meestal wanneer ze met haar vriendinnen in de bibliotheek was, maar dan gingen we stiekem samen door de achterdeur naar buiten, om te praten of naar muziek te luisteren. Op een dag vertelde ik haar over een band die in Norwalk zou komen spelen. Ik vroeg of ze zin had om ernaartoe te gaan. Ze werd helemaal bleek en zag er echt doodsbang uit. Ik zei: hé, geeft niks, maar toen zei Carrie dat we het misschien konden proberen. Maar toen ik zei: dan kom ik je wel thuis ophalen, schrok ze zich opnieuw lam. Ik bedoel, ze werd lijkbleek.'

Het begon koeler te worden. Berleand was klaar met bellen. Hij keek mijn kant op, zag onze gezichten en begreep dat het beter was om even op afstand te blijven.

'Wat gebeurde er toen?'

'Nou, ze zei tegen me dat ik mijn auto aan het eind van Duck Run

Road moest parkeren. Dat ze daar om negen uur naartoe zou komen. Dus ik sta daar, een paar minuten voor negen. Het is al donker buiten. Ik zit in mijn auto en wacht. Nergens licht te zien, ook geen verkeer op de weg. Ik wacht en wacht. Het is inmiddels kwart over negen. Dan hoor ik iets, gaat mijn portier ineens open en word ik naar buiten getrokken.'

Ken stopte met praten. De tranen liepen weer over zijn wangen. Hij veegde ze weg.

'Iemand slaat me meteen midden in mijn gezicht. Slaat zo twee tanden uit mijn mond.' Hij liet het me zien. 'Ik word van de auto weggetrokken. Ik weet niet met hoeveel ze zijn. Vier of vijf, en ze schoppen me. Ik probeer mezelf te beschermen, je weet wel, met mijn armen voor mijn gezicht, en ik denk echt dat mijn laatste uur geslagen heeft. Dan word ik op mijn rug gelegd en in bedwang gehouden. Een van die gasten houdt een mes vlak voor mijn ogen en zegt: "Ze wil niet meer dat je tegen haar praat. En als je er tegen iemand ook maar één woord over zegt, moorden we je hele familie uit."'

Ken en ik zaten in het gras en zeiden enige tijd niets. Ik keek naar Berleand. Hij schudde zijn hoofd. Geen informatie over Carrie Steward.

'Dat is alles,' zei Ken. 'Ik heb haar nooit meer gezien. Die andere meisjes ook niet. Alsof ze van de aardbodem waren verdwenen.'

'Heb je het aan iemand verteld?'

Hij schudde zijn hoofd.

'Hoe heb je je verwondingen verklaard?'

'Ik heb gezegd dat ik na het concert bij een knokpartij betrokken ben geraakt. U vertelt het toch niet door, hè?'

'Geen woord, tegen niemand,' zei ik. 'Maar we moeten haar wel vinden, Ken. Heb je enig idee waar Carrie zou kunnen zijn?'

Hij gaf geen antwoord.

'Ken?'

'Ik heb haar gevraagd waar ze woonde. Maar dat wilde ze niet zeggen.'

Ik wachtte.

'Maar op een dag...' Hij stopte en haalde diep adem. '... ben ik haar gevolgd nadat ze uit de bibliotheek was weggegaan.'
Ken staarde in de verte en knipperde met zijn ogen.
'Dus je weet waar ze woont?'
Hij haalde zijn schouders op. 'Ik weet het niet zeker. Misschien woont ze daar, maar misschien ook niet.'
'Kun je me laten zien waar je haar naartoe bent gevolgd?'
Ken schudde zijn hoofd. 'Ik kan wel vertellen hoe je er moet komen,' zei hij. 'Maar ik ga niet met jullie mee. Het enige wat ik nu wil, is naar huis gaan, oké?'

38

Aan de ketting die de weg voor ons afsloot hing een bordje met de tekst: VERBODEN TOEGANG VOOR ONBEVOEGDEN.

We reden een stukje door en parkeerden de auto om de hoek. Afgezien van maïsvelden en bos was er niets te zien. Tot nu toe hadden onze diverse bronnen ons geen informatie over ene Carrie Steward kunnen leveren. De naam kon een schuilnaam zijn, maar iedereen was nog bezig met zoeken. Esperanza belde me en zei: 'Ik heb iets gevonden wat misschien interessant voor je is.'

'Laat maar horen.'

'Je had het over een dokter Jiménez, een jonge coassistent die voor dokter Cox werkte toen hij CryoHope aan het opstarten was?'

'Ja?'

'Jiménez heeft ook banden met Red de Engelen. Hij werkte in een tehuis dat ze zestien jaar geleden hebben gefinancierd. Ik ga kijken of ik hem kan vinden en of hij ons meer informatie over de adoptie van embryo's kan geven.'

'Oké, goed.'

'Kan Carrie een afkorting zijn?' vroeg ze.

'Dat weet ik niet. Voor Caroline misschien?'

'Ik ga ermee aan de slag en laat het je horen als het iets oplevert.'

'Nog één ding.' Ik gaf haar de straatnamen van de dichtstbijzijnde kruising. 'Kun je die door Google halen en kijken of dat iets oplevert?'

'Niet als je bedoelt wie er woont. Zo te zien is het boerenland of zoiets. Geen idee wie de eigenaar is. Wil je dat ik ernaar kijk?'

'Ja, alsjeblieft.'
'Ik bel je zodra ik iets heb.'
Ik verbrak de verbinding. 'Kijk dan,' zei Berleand.
Hij wees naar een boom langs de weg. Er zat een beveiligingscamera op gemonteerd, die op de ingang was gericht.
'Strikte beveiliging,' zei hij, 'voor een stuk boerenland.'
'Ken had het over een privéweg. Dat Carrie die op liep.'
'Als wij dat doen, zullen we vrijwel zeker worden opgemerkt.'
'Als die camera het doet. Misschien is het wel een nepding.'
'Nee,' zei Berleand. 'Dan zouden ze hem meer in het zicht hebben gezet.'
Daar had hij waarschijnlijk gelijk in.
'We zouden gewoon die weg op kunnen lopen,' zei ik.
'Dan zijn we in overtreding,' zei Berleand.
'Nou en? We moeten toch iets doen? Er moet een boerderij of een of ander huis aan het eind van die oprijlaan zijn.' Op dat moment bedacht ik iets. 'Wacht even.'
Ik belde Esperanza.
'Jij zit achter je computer, hè?'
'Ja,' zei ze.
'De locatie die ik je net doorgaf, kun je die in Google Maps intypen?'
Kort en snel geratel op het toetsenbord. 'Oké, gebeurd.'
'Dan klik je op satellietfoto en zoom je in.'
'Momentje... ja, ik heb beeld.'
'Wat zie je bij die smalle oprijlaan aan de rechterkant van de weg?'
'Veel groen, en iets wat eruitziet als het dak van een flink groot huis. Ongeveer tweehonderd meter van waar jij nu staat, meer niet. Dat is het enige wat ik zie.'
'Bedankt.'
Ik verbrak de verbinding. 'Een groot huis.'
Berleand nam zijn bril af, poetste de glazen schoon, hield hem tegen het licht en poetste nog even door. 'Wat denk jij dat hier precies gaande is?'

'Wil je een eerlijk antwoord?'
'Heel graag.'
'Ik heb geen idee.'
'Denk je dat Carrie Steward in dat grote huis is?' vroeg hij.
'Er is maar één manier om daarachter te komen,' zei ik.

Aangezien de oprit was afgesloten met een ketting, besloten we te voet te gaan. Ik belde Win en praatte hem bij over wat we aan het doen waren, voor het geval er iets heel erg mis ging. Hij zou nog eens bij Terese gaan kijken en daarna deze kant op komen. Berleand en ik voerden overleg en kwamen tot de conclusie dat we net zo goed konden doorlopen tot aan de voordeur en gewoon aanbellen.

Het was nog licht, maar de zon liep op zijn laatste benen. We stapten over de ketting en liepen onder het oog van de beveiligingscamera de oprijlaan op. Aan weerszijden waren bomen. Op minstens de helft ervan waren bordjes met VERBODEN TOEGANG getimmerd. De oprijlaan was niet bestraat, maar het wegdek was redelijk egaal. Het was hier en daar met grind hersteld, en de rest bestond uit gewone losse grond. Berleand trok een vies gezicht en liep op zijn tenen. Om de paar stappen veegde hij zijn handen af aan zijn broekspijpen en liet hij zijn tong langs zijn lippen gaan.

'Dit bevalt me helemaal niet,' zei hij.

'Wat bevalt je niet?'

'Al die aarde en die bomen en dat ongedierte. Het voelt allemaal zo smerig.'

'Ah, juist,' zei ik, 'maar in die stripteasetent, Upscale Pleasures, was alles brandschoon?'

'Hé, dat was een eersteklas herenclub. Heb je niet gelezen wat er boven de deur stond?'

In de verte, achter de struiken en de bomen, zag ik een stuk van een blauwgrijs leistenen dak.

In mijn hoofd klonk een zachte *ding-dong*. Ik ging sneller lopen.

'Myron?'

Achter ons hoorde ik de ketting op de grond vallen en een auto aankomen. Ik versnelde mijn pas, want ik wilde het huis zien. Ik keek achterom en zag een auto van de regiopolitie vaart minderen. Berleand bleef staan. Ik liep door.

'Meneer? U bevindt zich op privéterrein.'

Ik liep de bocht om. Er stond een hek om het huis. Meer beveiliging. Maar nu, vanaf deze plek, kon ik het huis van de voorkant zien.

'Blijf staan. Zo is het ver genoeg.'

Ik bleef staan en keek naar het huis. De aanblik bevestigde wat ik had vermoed zodra ik het leistenen dak had gezien. Het volmaakte hotel-restaurant, pittoresk gelegen, in bijna overdreven victoriaanse stijl, vol lijsten en torentjes en gebrandschilderde ramen, een groot overdekt terras en een grijs leistenen dak.

Het landhuis dat ik op de website van Red de Engelen had gezien.

Een van de huizen waarin ze hun ongehuwde moeders hadden ondergebracht.

Twee agenten stapten uit de patrouillewagen.

Ze waren jong en gespierd en liepen met de bekende smerissenbravoure. En ze hadden allebei een Mountie-hoed op hun hoofd. Mountie-hoeden, vond ik, zagen er nogal stompzinnig uit en werkten contraproductief op het gezag dat politiemensen wilden uitstralen, maar ik hield die gedachten voor mezelf.

'Kunnen we iets doen voor de heren?' vroeg de ene agent.

Hij was de grootste van de twee en de korte mouwen van zijn uniformhemd spanden als tourniquets om zijn biceps. Op zijn naamplaatje stond dat hij Taylor heette.

Berleand haalde de foto uit zijn zak. 'We zijn op zoek naar dit meisje.'

De agent pakte de foto aan, keek ernaar en gaf hem door aan zijn collega, die volgens zijn naamplaatje Erickson heette. 'En u bent?' vroeg Taylor.

'Inspecteur Berleand van de Brigade Criminelle in Parijs.'

Berleand gaf Taylor zijn penning en legitimatie. Taylor pakte ze aan met twee vingers, alsof hij een papieren zak met warme hondenpoep kreeg aangereikt. Hij bekeek de legitimatie uitvoerig en gebaarde met zijn kin in mijn richting. 'En uw vriend hier?'

Ik stak mijn hand op. 'Myron Bolitar,' zei ik. 'Aangenaam kennis te maken.'

'En op welke manier bent u hierbij betrokken, meneer Bolitar?'

Lang verhaal, wilde ik zeggen, maar toen bedacht ik dat het eigenlijk helemaal niet zo ingewikkeld was. 'Het meisje dat we zoeken is misschien de dochter van mijn vriendin,' zei ik.

'Misschien?' Taylor wendde zich weer tot Berleand. 'Oké, inspecteur Clouseau, kunt u me vertellen wat ú hier doet?'

'Inspecteur Clouseau,' herhaalde Berleand. 'Heel grappig. Omdat ik Fransman ben, is dat het?'

Taylor keek hem alleen maar aan.

'Ik werk aan een zaak die draait om internationaal terrorisme,' zei Berleand.

'U meent het.'

'Ja. In dat verband is de naam van dit meisje genoemd. Wij denken dat ze hier woont.'

'Hebt u een arrestatiebevel?'

'Tijd is hier de cruciale factor.'

'Dus dat betekent "nee"?' Taylor slaakte een zucht en keek naar zijn partner. Erickson kauwde op zijn kauwgom en liet niets blijken. Taylor keek weer naar mij. 'Is dit waar, meneer Bolitar?'

'Ja.'

'Dus de mogelijke dochter van uw vriendin is op de een of andere manier verzeild geraakt in een internationaal terroristisch complot?'

'Ja.'

Hij krabde aan een van zijn bolle kinderwangen. Ik probeerde te raden hoe oud ze waren. In de twintig, vermoedde ik, hoewel ze ook nog op de middelbare school konden zitten. Wanneer was dat begonnen, dat ze bij de politie steeds jongere jongens aannamen?

'Weten jullie wat dit voor een huis is?' vroeg Taylor.

Berleand schudde zijn hoofd, maar ik zei: 'Een tehuis voor ongehuwde moeders.'

Taylor richtte zijn wijsvinger op me en knikte. 'Dat hoort vertrouwelijke informatie te zijn.'

'Dat weet ik,' zei ik.

'Maar u hebt helemaal gelijk. Dus jullie begrijpen dat privacy hier groot goed is.'

'Natuurlijk,' zei ik.

'Als een huis als dit geen veilige haven is... tja, wat is dat dan nog wel? Ze zijn hiernaartoe gekomen om aan nieuwsgierige blikken te ontsnappen.'

'Dat begrijp ik.'

'En u bent er zeker van dat de mogelijke dochter van uw vriendin hier niet alleen maar is omdat ze in verwachting is?'

Nu ik erover nadacht, was dat een redelijke vraag. Maar ik zei: 'Dat doet er niet toe. Inspecteur Berleand kan jullie vertellen hoe het in elkaar zit. Het gaat hier om een terroristisch complot. Of ze in verwachting is of niet maakt geen verschil.'

'De mensen die hier de leiding hebben... ze hebben nog nooit problemen veroorzaakt.'

'Ik begrijp het.'

'En we zijn hier nog steeds in de Verenigde Staten van Amerika. Als zij niet willen dat jullie op hun terrein komen, hebben jullie, zonder een arrestatiebevel, niet het recht om hier te zijn.'

'Dat begrijp ik ook,' zei ik. Ik keek naar het landhuis en vroeg: 'Hebben zij jullie gebeld?'

Taylor kneep zijn ogen half dicht en ik nam aan dat hij me ging vertellen dat dat me niets aanging. Maar in plaats daarvan keek hij naar het huis en zei: 'Merkwaardig genoeg, nee. Normaliter zijn zij het die ons bellen. Als er jongelui op het terrein rondlopen, dat soort dingen. We werden op jullie geattendeerd door Paige Wesson van de bibliotheek, en daarna had iemand jullie op de campus achter een jongen aan zien rennen.'

Taylor bleef naar het huis kijken alsof het net uit de grond was verrezen.

Berleand zei: 'Luister naar me, alsjeblieft. Dit is een heel belangrijke zaak.'

'En dit is nog steeds Amerika,' zei Taylor weer. 'Als ze niet met jullie willen praten, zullen jullie dat moeten respecteren. Dat gezegd hebbende...' Hij keek naar zijn collega Erickson. 'Zie jij een reden waarom we niet even zouden aanbellen om deze foto te laten zien?'

Erickson dacht er even over na. Toen schudde hij zijn hoofd.

'Jullie blijven hier staan.'

Ze liepen langs ons heen, openden de poort in het hek en liepen naar de voordeur. Ik hoorde motorgeronk achter ons. Ik draaide me om. Niets te zien. Misschien gewoon een auto die over de weg langsreed. De zon was nu onder en het begon donker te worden. Ik keek naar het huis. Alles was stil en roerloos. Ik had nog helemaal niets zien bewegen sinds we hier waren.

Ik hoorde weer motorgeronk, deze keer min of meer uit de richting van het huis. Maar opnieuw zag ik niets. Berleand kwam dichter bij me staan.

'Heb jij hier ook een slecht gevoel over?' vroeg hij.

'In ieder geval geen goed gevoel.'

'Ik vind dat we Jones moeten bellen.'

Mijn mobiele telefoon ging over op het moment dat Taylor en Erickson de treden van de veranda op liepen. Het was Esperanza.

'Ik heb iets gevonden wat je moet zien.'

'O?'

'Weet je nog dat ik je vertelde dat dokter Jiménez in een tehuis van Red de Engelen heeft gewerkt?'

'Ja.'

'Ik heb nog een paar mensen gevonden die daar toen hebben gewerkt. Ik ben op hun Facebook-pagina's geweest. Een van die mensen had er een hele serie foto's op staan. Ik stuur nu een van die foto's naar je toe. Het is een groepsfoto, maar dokter Jiménez staat helemaal rechts.'

'Oké, ik maak de lijn voor je vrij.'

Ik drukte op het rode knopje waarna het BlackBerry-deel van mijn telefoon het zacht zoemend overnam. Ik opende Esperanza's e-mailbericht en klikte op het attachment. Langzaam werd de foto gedownload. Berleand keek over mijn schouder mee.

Taylor en Erickson hadden de voordeur bereikt. Taylor drukte op de bel. Er werd opengedaan door een blonde tienerjongen. Ik stond te ver weg om te horen wat er werd gezegd. Maar Taylor zei iets en de jongen zei iets terug.

De foto was op mijn BlackBerry geladen. Het schermpje was klein en de gezichten op de foto nog veel kleiner. Ik gebruikte de zoomoptie, bewoog de cursor naar rechts en zoomde verder in. Het beeld werd vergroot, maar het werd ook steeds onduidelijker. Ik klikte op 'optimaliseren'. Er verscheen een zandlopertje op het schermpje terwijl de foto scherper werd.

Ik keek naar de voordeur van het victoriaanse huis. Taylor deed een stap naar voren, alsof hij naar binnen wilde. De blonde jongen stak zijn hand op. Taylor keek Erickson aan. Ik kon de verbazing op zijn gezicht zien. Nu hoorde ik Erickson. Zijn stem klonk boos. De tienerjongen zag er angstig uit. Terwijl de foto nog scherper werd, deed ik een stap naar het huis toe.

De foto verscheen op het schermpje. Ik keek ernaar, zag het gezicht van dokter Jiménez en liet bijna de telefoon uit mijn handen vallen. Het was een schok, en toch, toen ik terugdacht aan wat Jones me had verteld, begon alles op een heel gruwelijke manier in elkaar te passen.

Dokter Jiménez – heel slim om een Spaanse naam en identiteit aan te nemen wanneer je een donker uiterlijk hebt – was Mohammad Matar.

Voordat ik kon bedenken wat dat allemaal inhield, riep de tienerjongen: 'Jullie kunnen niet binnenkomen!'

Erickson: 'Ga opzij, knul.'

'Nee!'

Dat antwoord beviel Erickson niet. Hij bracht zijn handen omhoog alsof hij de blonde tiener opzij wilde duwen. Maar opeens had de jongen een mes in zijn hand. Voordat iemand kon reageren, kwam zijn hand omhoog en stootte hij het mes in Ericksons borst.

O nee...

Ik stak mijn telefoon in mijn zak en wilde naar de deur rennen.

Door een plotselinge uitbarsting van lawaai bleef ik abrupt staan.

Schoten.

Erickson werd geraakt. Hij draaide om zijn as, met het mes nog in zijn borstkas, en zakte ineen op de grond. Taylor wilde zijn dienstwapen trekken, maar hij had geen schijn van kans. Er klonken meer schoten door het duister. Taylors lichaam schokte een keer, toen nog een keer, en zakte in een hoopje in elkaar.

Ik hoorde het motorgeronk weer; er kwam een auto de oprijlaan op rijden, en een tweede auto kwam achter het huis vandaan. Ik zocht naar Berleand. Hij kwam mijn kant op rennen.

'Zoek dekking in het bos!' riep ik.

Slippende banden van remmende auto's. Nog meer schoten.

Ik rende naar de bomen en het duister, weg van het huis en de oprijlaan. Het bos, dacht ik. Als het ons lukte het bos te bereiken, konden we ons verstoppen. Een auto kwam het terrein op rijden, met zwenkende koplampen die naar ons zochten. Er werd willekeurig in het rond geschoten. Ik keek niet achterom om te zien waar de salvo's vandaan kwamen. Ik zag een rots en dook erachter. Draaide me om en zag dat Berleand nog geen dekking had gevonden.

Er werd weer geschoten. En Berleand ging neer.

Ik kwam achter het rotsblok vandaan, maar Berleand was te ver bij me vandaan. Er waren al twee mannen bij hem. Drie andere mannen, allemaal gewapend, sprongen uit een jeep. Ze renden naar Berleand toe terwijl ze wilde, ongerichte salvo's het bos in losten. Een kogel schampte de boom achter me. Ik dook weer achter de rots op het moment dat een volgende salvo als een golf over mijn hoofd vloog.

Het bleef enige tijd stil. Toen: 'Kom tevoorschijn! Nu!'

De stem had een zwaar accent, zo te horen uit het Midden-Oosten. Ik bleef laag en gluurde voorzichtig langs de rots. Het begon donkerder te worden, de nacht eiste steeds meer van de schemer op, maar ik kon zien dat ten minste twee van de mannen een getinte huidskleur, een volle baard en donker haar hadden. Anderen hadden groene halsdoeken om hun nek, van het soort waarmee je je gezicht kon verbergen. Ze riepen naar elkaar in een taal die ik niet kon verstaan, maar waarvan ik aannam dat het Arabisch moest zijn.

Wat was er verdomme aan de hand?

'Kom tevoorschijn of we gaan je vriend pijn doen.'

De man die het zei moest de leider zijn. Hij blafte bevelen in het rond en wees naar links en naar rechts. Twee mannen kwamen in een omtrekkende beweging mijn kant op. Een derde man stapte weer in de auto en reed een rondje om met de koplampen de bosrand te verlichten. Ik maakte me zo klein mogelijk en drukte mijn ene wang tegen de grond. Mijn hart zat in mijn keel.

Ik had geen wapen meegebracht. Dom. Zo verdomde stom.

Ik stak mijn hand in mijn zak en probeerde mijn telefoon eruit te halen.

'Laatste kans!' riep de leider. 'Of ik schiet hem door zijn knieën.'

'Laat hem maar kletsen!' riep Berleand.

Mijn vingers vonden mijn telefoon toen een enkel pistoolschot door de nacht klonk.

Berleand schreeuwde het uit.

De leider: 'Kom tevoorschijn! Nu!'

Ik nam de telefoon in mijn hand en drukte op de keuzeknop van Wins nummer. Berleand maakte jankende huilgeluiden. Ik deed mijn ogen dicht, probeerde het buiten te sluiten, want ik moest nadenken.

Toen hoorde ik Berleands snikkende stem weer. 'Niet naar hem luisteren!'

'Zijn andere knie.'

Weer een pistoolschot.

Berleand schreeuwde het uit van de pijn. Het geluid raakte me diep, verscheurde me vanbinnen. Maar ik wist ook dat ik me niet kon overgeven. Als ik tevoorschijn kwam, waren we er allebei geweest. Win zou inmiddels hebben gehoord wat hier gaande was. Hij zou Jones en de hulptroepen bellen. Het zou niet lang duren voordat ze er waren.

Ik hoorde Berleand huilen.

Toen, opnieuw, maar verzwakt deze keer, Berleands stem: 'Niet… naar… hem… luisteren.'

Ik hoorde de mannen in het bos, niet zo ver van me vandaan. Ik had geen keus meer. Ik moest iets doen. Het victoriaanse landhuis was rechts van me. Mijn vingers sloten zich om een zware kei terwijl er in mijn hoofd iets ontstond wat in de buurt van een plan kwam.

'Ik heb hier een mes,' zei de leider. 'Ik ga nu zijn ogen uitsnijden.'

Er bewoog nu iets in het huis. Ik had het door een raam gezien. Veel tijd had ik niet. Ik kwam overeind, maar nog wel gehurkt en ik was klaar om weg te sprinten.

Zo hard als ik kon slingerde ik de kei de andere kant op, weg van het huis. Met een doffe klap kwam hij tegen een boomstam aan.

De leider draaide zich om in de richting van het geluid. Ook de mannen in het bos keerden zich om en vuurden hun wapens af. De jeep reed bij me vandaan, eveneens in de richting waarin ik de kei had gegooid.

Tenminste, ik hoopte dat dat zo was.

Ik bleef niet wachten om te kijken wat er gebeurde. Zodra ik de kei had losgelaten, stormde ik tussen de bomen door naar de zijkant van het huis. Ik bewoog me weg van Berleands geschreeuw en de mannen die me probeerden te doden. Het was hier donkerder en ik zag bijna niets, maar daar liet ik me niet door weerhouden. Takken sloegen in mijn gezicht. Het kon me niet schelen. Ik wist dat ik maar een paar seconden had. Tijd betekende nu alles, maar ik vond het erg lang duren voordat ik bij het huis was.

Bijna zonder vaart te minderen raapte ik nog een kei van de grond.

De leider riep: 'Ik ga nu zijn oog uitsnijden.'

'Nee!' hoorde ik Berleand roepen, en toen begon hij te krijsen.

Er was geen tijd meer.

Ik bleef rennen en gebruikte mijn snelheid om de kei naar het huis te gooien. Ik gaf de worp alles wat ik had en ontwrichtte daarbij bijna mijn schouder. Ondanks het duister zag ik de kei in een opwaartse boog door de lucht vliegen. Aan de rechterkant van het huis

– de kant waar ik me bevond – was een groot, mooi erkerraam. Ik volgde de baan die de kei beschreef en schatte dat ik niet hard genoeg had gegooid.

Ik had het mis.

De kei ging dwars door het raam en veroorzaakte een regen van glasscherven. Er brak paniek uit. Waar ik op had gehoopt. Ik maakte rechtsomkeert en schoot het bos weer in terwijl de gewapende mannen naar het huis renden. In een flits zag ik twee blonde tieners – een jongen en een meisje – in het huis naar het kapotte raam rennen. Heel even vroeg ik me af of het meisje Carrie was, maar ik had geen tijd voor een tweede blik. De mannen riepen iets in het Arabisch. Wat er daarna gebeurde, kon ik niet zien. Ik maakte een omtrekkende beweging, zo snel als ik kon, gebruikte de verwarring om achter de leider te komen.

Ik zag de jeep stoppen en de bestuurder uitstappen. Hij rende ook naar het kapotte raam. Dat was blijkbaar hun belangrijkste taak: het huis beschermen. Ik was hun grondgebied binnengedrongen. Ze hadden zich verspreid en probeerden zich nu te hergroeperen. Er was sprake van verwarring.

Zonder gezien te worden en zonder tijd te verspillen was het me gelukt het bos weer te bereiken en voorbij mijn oorspronkelijke schuilplaats te rennen. De leider stond nu met zijn rug naar me toe naar het huis te kijken. Ik bevond me zo'n zestig, zeventig meter achter hem.

Hoe lang zou het nog duren voordat de hulptroepen kwamen?

Te lang.

De leider riep zijn orders naar de anderen. Berleand lag aan zijn voeten op de grond. Roerloos. En wat erger was, Berleand was stil. Hij huilde niet meer, kreunde niet meer.

Ik moest naar hem toe.

De vraag was alleen hoe. Als ik achter deze boom vandaan kwam, bevond ik me op open terrein en was ik zo kwetsbaar als wat. Maar ik had geen keus.

Ik begon naar de leider toe te rennen.

Ik had nog maar een paar passen gedaan toen ik iemand een

waarschuwing hoorde roepen. De leider draaide zich naar me om. Ik was nog veertig meter van hem vandaan. Mijn benen pompten als zuigerstangen op en neer, maar al het andere vertraagde. De leider had ook een groene halsdoek om zijn nek, als een bandiet in een oude western. Hij had een volle baard. Hij was groter dan de anderen, ongeveer één meter vijfentachtig, en stevig gebouwd. Hij had een mes in zijn ene hand en een pistool in de andere. Hij richtte het pistool op mij. Ik overwoog me op de grond te laten vallen of opzij te duiken om aan zijn kogel te ontkomen, maar mijn geest maakte een razendsnelle inschatting van de situatie en kwam tot de conclusie dat een plotselinge verandering van richting hier niet zou werken. Ja, misschien zou de eerste kogel me missen, maar daarna zou ik geen enkele dekking meer hebben. De tweede kogel zou me zeker níét missen. Bovendien was er dan geen verrassingselement meer. De andere mannen kwamen onze kant al op. Die zouden straks ook het vuur op me openen.

Ik moest erop gokken dat de leider even in paniek zou raken en me zou missen.

Hij richtte het pistool. Ik keek hem in zijn ogen en zag de kalmte die kortzichtige morele zekerheid een mens schijnt te geven. Ik had geen enkele kans. Ik besefte dat nu. Hij zou me niet missen. En toen, op het moment dat hij de trekker wilde overhalen, schreeuwde hij het uit van de pijn en keek hij omlaag.

Berleand had zijn tanden in zijn kuit gezet en beet door als een valse rottweiler.

De leider liet zijn hand met het pistool zakken en richtte het wapen op Berleands hoofd. Met een vloedgolf van adrenaline lanceerde ik mezelf in de richting van de leider, met mijn armen gestrekt, klaar om hem te grijpen. Maar voordat ik bij hem was, zag ik het pistool schokken in zijn hand en hoorde ik de droge knal. Berleands lichaam vloog tien centimeter achteruit op het moment dat ik bij de leider was. Ik sloeg mijn beide armen om de klootzak heen en maakte gebruik van mijn snelheid. Op het moment dat we voorover tuimelden, zette ik mijn elleboog onder zijn neus. We sloegen hard tegen de grond en ik zette mijn volle lichaamsgewicht achter mijn elleboog. Zijn neus explodeerde als een ballon vol water. Zijn bloed spatte in mijn gezicht. Het voelde warm op mijn huid. Hij schreeuwde het uit van de pijn maar had nog een hoop vechtlust in zich. Ik ook. Ik gaf hem een kopstoot. Hij probeerde me in een klemgreep te nemen. Een fatale fout. Ik stond toe dat hij zijn armen om mijn lijf sloeg. Maar voordat hij kracht kon zetten, rukte ik mijn armen los. Hij had nu geen enkele dekking meer. Ik aarzelde geen moment. Ik dacht aan Berleand, aan hoe deze man mijn vriend had laten lijden.

Tijd om er een eind aan te maken.

De vingers van mijn rechterhand waren gekromd als klauwen. Ik ging niet voor de ogen, of voor de neus, of een ander zacht doelwit om hem uit te schakelen of pijn te doen. Onder aan de hals, daar waar de borstkas begint, zit een holte waar de luchtpijp niet wordt beschermd. Met alle kracht die ik in me had stootte ik twee vingers en mijn duim in die holte en sloot ze als een ijzeren klauw om zijn luchtpijp. Ik schreeuwde het uit toen ik die met een harde ruk naar me toe trok, jankte als een beest terwijl ik hem met één hand om het leven bracht.

Ik trok het pistool uit zijn roerloze hand.

De anderen kwamen onze kant op rennen. Ze hadden nog niet geschoten uit angst dat ze hun leider zouden raken. Ik rolde over de grond naar het lichaam rechts van me.

'Berleand?'

Maar hij was dood. Ik zag dat nu. Zijn rare bril met die veel te grote glazen stond scheef op dat zachte, vriendelijke gezicht. Het liefst had ik mijn tranen de vrije loop gelaten. Had ik alles willen opgeven, hem in mijn armen willen nemen en hier een potje gaan zitten janken.

De mannen kwamen dichterbij. Ik keek op. Ze konden me niet goed zien, maar door het licht uit het huis vormden ze voor mij goed zichtbare silhouetten. Ik richtte het pistool en vuurde. Eén man ging neer. Ik richtte meer naar links en vuurde opnieuw. Een tweede man ging neer. Ze begonnen nu terug te schieten. Ik rolde over de grond naar hun leider en gebruikte zijn lijk als schild.

Schoot nog een keer. Een derde man sloeg tegen de grond.

Sirenes.

Ik richtte me op, bleef zo laag mogelijk en sprintte naar het huis. Politiewagens kwamen het terrein op rijden. Ik hoorde een helikopter, misschien wel meer dan een. Er werd meer geschoten. Zij mochten het afhandelen. Ik wilde zo gauw mogelijk dat huis in.

Ik rende langs Taylor. Dood. De deur stond nog open. Erickson lag ernaast, op de veranda, met het mes nog in zijn borst. Ik stapte over hem heen en sloop de hal in.

Doodse stilte.

Dat beviel me niet.

Ik had het pistool van de leider nog steeds in mijn hand. Ik schoof met mijn rug langs de muur. Het huis zag er compleet verwaarloosd uit. Het behang kwam van de muren. Vanuit mijn ooghoeken zag ik iemand wegschieten en hoorde ik voetstappen een trap af gaan. Er moest een lagere verdieping zijn. Een souterrain of kelder.

Buiten werd weer geschoten. Ik hoorde iemand met een megafoon roepen dat ze zich moesten overgeven. Het zou Jones kunnen zijn. Wat ik moest doen was wachten. Er was geen kans dat ik Carrie hier ongezien weg zou krijgen. Ik moest me koest houden, de deur dekken en zorgen dat er niemand in of uit liep. Dat zou ik moeten doen als ik slim was. Afwachten.

Misschien zou ik dat ook hebben gedaan. Misschien zou ik niet naar de kelder zijn gegaan als ik die blonde jongen de trap niet af had zien stormen.

Ik noemde hem een jongen. Dat was niet helemaal waar. Goed, hij zag eruit als een jaar of zeventien, achttien, niet eens zo veel jonger dan de mannen met het donkere haar die ik buiten zonder enige aarzeling had neergeschoten. Maar toen ik deze tiener de trap af zag komen, met zijn blonde haar, zijn witte overhemd en zijn kakibroek – én met een pistool in zijn hand – schoot ik niet meteen.

'Blijf staan!' riep ik. 'Laat dat pistool vallen.'

Het gezicht van de jongen veranderde in een gruwelijk dodenmasker. Zijn hand met het pistool kwam omhoog en hij richtte het wapen op mij. Ik dook weg, rolde over de grond naar links en kwam vurend overeind. Ik ging niet voor het dodelijke schot, zoals ik buiten wel had gedaan. Ik ging voor de benen en richtte laag. De tiener schreeuwde het uit en viel om. Maar hij had nog steeds het pistool in zijn hand, en die afzichtelijke, doodse uitdrukking op zijn gezicht. Hij richtte zijn pistool weer op mij.

Ik dook vanuit de hal de gang in en stond ineens oog in oog met de kelderdeur.

De blonde tiener was in zijn been geraakt. Het was uitgesloten dat hij me achterna zou komen. Ik haalde een keer diep adem, greep met mijn vrije hand de deurknop vast en opende de kelderdeur.

Het was pikdonker.

Ik hield het pistool tegen mijn borst gedrukt. Stond met mijn rug tegen de muur om mezelf tot een zo klein mogelijk doelwit te maken. Langzaam begon ik de trap af te dalen, voelend met mijn ene voet. Met het pistool in de ene hand en met de andere zoekend naar een lichtschakelaar. Die ik niet vond. Met mijn lichaam schuivend langs de muur daalde ik langzaam de treden af, waarbij de ene voet de ondergrond aftastte en de andere zich erbij aansloot. Ik dacht aan mijn munitie. Hoeveel patronen zou ik nog hebben? Geen idee.

Ik hoorde gefluister beneden.

Daar bestond geen twijfel over. Het licht mocht dan uit zijn, er was daar wel iemand. Zo te horen meer dan één persoon. Opnieuw vroeg ik me af wat het verstandigst was: stoppen, me omdraaien, naar boven lopen en wachten op versterking. Het schieten buiten was opgehouden. Jones en zijn mannen, daar was ik van overtuigd, hadden het terrein ingenomen.

Maar ik wachtte niet op versterking.

Mijn ene voet voelde de onderste tree. Ik hoorde zacht geschuifel waardoor mijn nekhaartjes overeind gingen staan. Mijn vrije hand ging over de muur totdat die de lichtschakelaar vond. Of om preciezer te zijn: schakelaars, meervoud. Drie stuks, naast elkaar. Ik hield mijn hand erbij, hield het pistool gereed in mijn andere hand, haalde een keer diep adem en zette in één beweging alle drie de schakelaars om.

Later zou ik me de overige details herinneren: de Arabische graffiti op de muren, de groene vlaggen met de maansikkel waar bloed van afdroop, de posters van martelaren in krijgstenue en met zware wapens in hun handen. Later zou ik me de portretten herinneren, die van Mohammad Matar, in diverse stadia van zijn leven, ook toen hij als assistent-arts onder de naam Jiménez werkte.

Maar op dat moment waren al die dingen niet meer dan bijzaken.

Want daar, in de uiterste hoek van de kelder, zag ik iets wat mijn hart tot stilstand bracht. Ik knipperde met mijn ogen, keek nog eens goed, kon niet geloven wat ik zag, en toch vielen tegelijkertijd alle puzzelstukjes in elkaar.

Een groep blonde kinderen en tieners die zich hadden verzameld rondom een zwangere vrouw in een zwarte boerka. Stuk voor stuk met kille blauwe ogen die me vol haat aanstaarden. Ze begonnen geluid te maken, een snauwend gegrom, als uit één mond, totdat ik besefte dat het geen gegrom wás. Het waren woorden, die alsmaar werden herhaald...

'Al-sabr wal-sayf.'

Hoofdschuddend deinsde ik achteruit.

'Al-sabr wal-sayf.'

Het brein vonkte en legde zijn verbanden. Het blonde haar. De blauwe ogen. CryoHope. Dokter Jiménez die eigenlijk Mohammad Matar is. Geduld. Het zwaard.

Geduld.

Ik moest een kreet onderdrukken toen de waarheid tot me doordrong. Red de Engelen hád de embryo's niet gebruikt om onvruchtbare echtparen te helpen. Ze hadden ze gebruikt om het ultieme terreurwapen te creëren, om overal te infiltreren en zich voor te bereiden op de mondiale jihad.

Met geduld en het zwaard zullen we de ongelovigen uitroeien.

De blonde tieners bleven op me af komen, ook al was ik degene met het pistool. Sommigen bleven hun woorden prevelen. Sommigen snauwden alleen maar. Sommigen verstopten zich achter de zwangere vrouw met de boerka en zagen er angstig uit. Ik deinsde terug, sneller, in de richting van de trap. Boven me hoorde ik een bekende stem mijn naam roepen.

'Bolitar? Bolitar?'

Ik keerde de helse monstertjes met hun kille blauwe ogen de rug toe, klauterde de trap op, dook de gang in en sloeg de kelderdeur achter me dicht. Alsof ik daar iets mee opschoot. Alsof het nu niet meer bestond.

Jones was er. En zijn mannen, allemaal in een kogelvrij vest. Jones zag de blik in mijn ogen.

'Wat is er?' vroeg hij. 'Wat heb je beneden gezien?'

Maar ik kon geen woord uitbrengen, wist niet hoe ik het moest zeggen. Ik rende naar buiten, naar Berleand. Ik stortte neer naast zijn roerloze lichaam. Ik hoopte op een herkansing, hoopte dat ik het in de algehele verwarring misschien verkeerd had gezien. Maar dat was niet zo. Berleand, de arme, lieve schoft, was dood. Ik nam hem in mijn armen, één, twee seconden, langer niet.

Want mijn werk was nog niet gedaan. Berleand zou de eerste zijn geweest die me daaraan zou herinneren.

Ik moest nog steeds Carrie zien te vinden.

Ik rende terug naar het huis en riep Tereses naam. Niemand antwoordde.

Ik sloot me snel aan bij de mannen die het huis doorzochten. Jones en zijn team waren al in de kelder. De blonde kinderen werden naar boven gebracht. Ik keek ze aan en zag hun van haat vervulde ogen. Carrie was er niet bij. We vonden nog twee vrouwen, gekleed in traditionele zwarte boerka's. Ze waren allebei zwanger. Toen ze naar boven werden afgevoerd, keek Jones me aan met een blik vol afgrijzen en ongeloof. Ik keek hem in de ogen en knikte. Deze vrouwen waren geen moeders. Het waren hooguit draagmoeders, levende machines die de embryo's moesten uitbroeden.

We gingen door met zoeken, trokken alle kasten open, vonden trainingsinstructies op papier en film, op laptops, de ene nog gruwelijker dan de andere. Maar geen Carrie.

Ik haalde mijn telefoon tevoorschijn en belde Terese weer. Nog steeds geen antwoord. Niet op haar mobiele nummer. Niet in de flat in het Dakota.

Wankelend liep ik naar buiten. Win was gearriveerd. Hij stond op de veranda op me te wachten. We keken elkaar aan.

'Terese?' vroeg ik.

Win schudde zijn hoofd. 'Ze is weg.'

Alweer.

39

Provincie Cabinda, Angola, Afrika, drie weken later.

We hebben meer dan acht uur in deze pick-up over het meest bizarre terrein gereden. Ik heb al zes uur geen mens en geen huis meer gezien. Ik ben eerder in afgelegen oorden geweest, maar dit hier is afgelegen in het kwadraat.

Als we onze bestemming naderen, neemt de chauffeur gas terug en zet hij de motor af. Hij opent het portier voor me en geeft me mijn rugzak aan. Hij wijst me het pad naar de hut. Er is telefoon in de hut, zegt hij tegen me. Als ik terug wil, kan ik hem daar bellen. Dan komt hij me ophalen. Ik bedank hem en loop het pad op.

Na ruim vijf kilometer lopen zie ik de open plek.

Terese is daar. Ze staat met haar rug naar me toe. Toen ik die avond thuiskwam in het Dakota, was ze, zoals Win had gezegd, er niet meer. Ze had een kort briefje voor me achtergelaten.

Ik hou zó veel van je.

Dat was alles.

Terese heeft haar haren zwart geverfd. Om zo min mogelijk de aandacht te trekken, neem ik aan. Iemand met blond haar valt op, ook hier, in deze uithoek van de wereld. Het staat haar goed, vind ik, dat donkere haar. Ik zie haar van me weglopen en ongewild komt er een glimlach op mijn gezicht. Ze loopt met geheven hoofd, de schouders naar achteren en de rug kaarsrecht. Ik denk terug aan de beelden van de beveiligingscamera, toen ik zag dat

Carrie dezelfde lichaamshouding en zelfverzekerde manier van lopen had.

Terese is in het gezelschap van drie zwarte vrouwen gehuld in vrolijk gekleurde doeken. Ik loop op het groepje af. Een van de vrouwen ziet me en zegt iets. Terese draait zich om, nieuwsgierig. Wanneer ze me herkent, licht haar hele gezicht op. Net als het mijne, vermoed ik. Ze laat de mand uit haar handen vallen en komt mijn kant op rennen. Zonder een seconde te aarzelen. Ik ren haar tegemoet. Ze slaat haar armen om me heen en trekt me tegen zich aan.

'God, wat heb ik je gemist,' zegt ze.

Ik beantwoord haar omhelzing. Meer doe ik niet. Ik wil niets zeggen. Nog niet. Ik wil me laven aan dit gevoel. Ik wil erin opgaan, voor altijd deze armen om me heen voelen. Diep in mijn hart weet ik dat het zo hoort te zijn, dat ik haar in mijn armen houd, en van dat vredige gevoel, waarnaar ik zo heb verlangd, wil ik nog even genieten.

'Waar is Carrie?' vraag ik ten slotte.

Ze pakt mijn hand en neemt me mee naar de rand van de open plek. Ze wijst en ik zie een doorgang die naar een andere open plek hoger op de heuvel leidt. Daar, een kleine honderd meter van ons vandaan, zit Carrie, met twee zwarte meisjes van haar leeftijd. Ze zijn iets aan het doen, een of ander soort werk. Ik kan niet zien wat het is. Ze zijn aan het pellen of plukken. De zwarte meisjes lachen. Carrie niet.

Carries haar is ook zwart geverfd.

Ik keer me weer naar Terese. Ik kijk haar in de ogen. Die zijn blauw en hebben een dunne gouden ring om de pupil. Haar dochter heeft diezelfde gouden ring om haar pupillen. Dat heb ik op de foto gezien. De zelfverzekerde manier van lopen en de gouden ring. De onmiskenbare genetische echo.

Wat, vraag ik me af, is er nog meer doorgegeven?

'Probeer alsjeblieft te begrijpen waarom ik ben gevlucht,' zegt Terese. 'Ze is mijn dochter.'

'Dat weet ik.'

'Ik moest haar redden.'

Ik knik. 'Toen ze je de eerste keer belde, heeft ze je haar telefoonnummer gegeven.'

'Ja.'

'Je hád het tegen me kunnen zeggen.'

'Ja, ik weet het. Maar ik had gehoord wat Berleand zei. Dat haar leven niet dat van duizenden andere mensen waard was.'

Het horen van Berleands naam veroorzaakt een scherpe steek van pijn. Ik weet niet goed wat ik moet zeggen. Ik houd mijn hand boven mijn ogen en tuur naar Carrie. 'Besef je wat voor leven ze heeft geleid?'

Terese kijkt niet, knippert niet met haar ogen. 'Ze is grootgebracht door terroristen.'

'Het is meer dan alleen dat. Mohammad Matar deed zijn coassistentschap in het Columbia-Presbyterian, net toen kunstmatige bevruchting en opslag van embryo's voor het eerst mogelijk waren geworden. Hij zag het als zijn kans om zijn grote slag te slaan... die van het geduld en het zwaard. Red de Engelen was een radicale terreurbeweging onder het mom van een rechtse, christelijke groepering. Hij heeft valse voorwendselen en intimidatie gebruikt om die embryo's in zijn bezit te krijgen. En niet om ze aan onvruchtbare echtparen af te staan. Hij gebruikte moslimvrouwen die met zijn beweging sympathiseerden als draagmoeder... als een soort mobiele opslag totdat de embryo's als kind ter wereld kwamen. Vervolgens hebben hij en zijn volgelingen die kinderen vanaf de allereerste dag tot terroristen gekneed. Alleen dat, verder niks. Carrie mocht zich aan niemand hechten. Ze heeft nooit geweten wat liefde is, ook niet als klein kind. Ze heeft nooit tederheid gekend. Niemand heeft haar ooit in de armen genomen. Niemand heeft haar getroost wanneer ze huilde in haar slaap. Zij en de anderen zijn elke dag van hun leven geïndoctrineerd en geprogrammeerd om hun eigen landgenoten te vermoorden. Dat was het enige. Verder niks. Ze zijn gesmeed tot de ultieme wapens, om op te gaan in de massa en klaar te zijn voor de ultieme heilige oorlog. Stel je voor. Matar koos alleen embryo's van ouders die blond waren en blauwe ogen hadden. Ze konden gaan en staan waar ze wilden, want wie zou ze ergens van verdenken?'

Ik wacht op een schrikreactie van Terese. Maar die komt niet. 'Hebben jullie ze allemaal gearresteerd?' vraagt ze alleen.

'Ik niet. Ik heb alleen de harde kern in Connecticut ontmanteld. Jones heeft in het huis meer informatie gevonden, en ik neem aan dat ze sommigen van de overlevende terroristen hebben ondervraagd.' Ik wil niet nadenken over hóé ze dat hebben gedaan... of misschien ook wel, dat weet ik niet zeker. 'De Groene Dood had nog een kamp, een paar kilometer buiten Parijs. Dat is enkele uren later opgerold. En de Mossad en de Israëli's hebben luchtaanvallen uitgevoerd op een groot trainingskamp bij de grens van Syrië en Iran.'

'Wat is er met de kinderen gebeurd?'

'Een deel ervan is gedood. De rest is in hechtenis genomen.'

Terese begint de heuvel af te lopen. 'Jij denkt dat Carrie, omdat ze nooit liefde heeft ervaren, nooit meer liefde zal kunnen voelen?'

'Dat zeg ik niet.'

'Zo klinkt het wel.'

'Ik vertel je alleen wat de realiteit is.'

'Jij hebt vrienden die kinderen hebben grootgebracht, hè?' vraagt ze.

'Ja, natuurlijk.'

'Wat is het eerste wat ze tegen je zeggen? Dat hun kinderen zich op een bepaalde manier ontplooien. Op een voorbestemde manier. Aard versus opvoeding, elke keer weer. Hun ouders kunnen ze sturen, kunnen proberen ze op het rechte pad te houden, maar uiteindelijk komt het erop neer dat ze weinig meer dan verzorgers zijn. Sommige kinderen groeien op als schatten van mensen, wat er ook gebeurt. Anderen groeien op als regelrechte psychoten. Kijk naar je vrienden die twee of meer kinderen hebben, die ze allemaal op dezelfde manier opvoeden. Het ene kind is extrovert en sociaal, het andere stil en teruggetrokken; het ene voelt zich voortdurend ellendig, het andere gaat huppelend door het leven. Ouders leren algauw dat hun invloed beperkt is.'

'Ze heeft helemaal nooit liefde gekend, Terese.'
'En dat gaat nu veranderen.'
'Je weet niet waar ze toe in staat is.'
'Dat weet ik van niemand.'
'Dat is geen antwoord,' zeg ik.
'Wat moet ik dán? Ze is mijn dochter. Ik ga voor haar zorgen. Want dat doen ouders. En ik ga haar beschermen. Je hebt het trouwens mis. Je hebt Ken Borman ontmoet, is het niet? Die jongen die met haar uit wilde?'
Ik knik.
'Carrie voelde zich tot hem aangetrokken. Ondanks de onvoorstelbare hel van haar dagelijkse bestaan voelde ze iets voor hem. Ze heeft zelfs geprobeerd zich uit dat bestaan los te maken. Daarom was ze met Matar in Parijs. Ze moest heropgevoed worden.'
'Was ze daar toen Rick werd vermoord?'
'Ja.'
'Haar bloed is op de plaats delict gevonden.'
'Ze zegt dat ze heeft geprobeerd hem te verdedigen.'
'En dat geloof jij?'
Terese glimlacht naar me. 'Ik heb een dochter verloren. Ik zou alles doen, álles, om haar terug te krijgen. Kun je dat begrijpen? Als jij bijvoorbeeld tegen me zou zeggen dat Miriam het auto-ongeluk had overleefd en in een of ander gruwelijk monster was veranderd, zou dat geen verschil maken.'
'Carrie is Miriam niet.'
'Maar ze is wel mijn dochter. Ik ben niet van plan haar op te geven.'
Achter Terese zie ik haar dochter opstaan en de heuvel af lopen. Ze ziet ons en blijft staan. Terese lacht en zwaait naar haar. Carrie zwaait terug. Het kan zijn dat ze ook lacht, maar zeker weet ik het niet. Ik weet ook niet of Terese hier goed of fout aan doet. Maar ik vraag het me af. Ik denk terug aan de blonde tienerjongen die op me wilde schieten, en waarom ik aarzelde voordat ik op hem schoot. Aard versus opvoeding. Als het meisje daar op de heuvel Matars genen in zich had gehad, als een kind was verwekt en grootgebracht

door gestoorde extremisten om zelf een gestoorde extremist te worden, zouden we het zonder enige aarzeling doodschieten. Waren het dan de genen die alles anders maakten? Alleen dat blonde haar en die blauwe ogen?

Ik weet het echt niet. En ik ben veel te moe om erover na te denken.

Carrie had nooit liefde ontvangen. Nu zou ze die wel krijgen. Stel dat u en ik waren grootgebracht zoals Carrie. Zou het het beste zijn om ons maar af te maken, gewoon omdat we beschadigd waren? Of bestaat er een elementaire menselijkheid die uiteindelijk alles zal overwinnen?

'Myron?'

Ik kijk naar Tereses beeldschone gezicht.

'Ik zou jouw kind nooit opgeven,' zegt ze. 'Geef het mijne alsjeblieft ook niet op.'

Ik zeg niets. Ik neem haar beeldschone gezicht in mijn handen, druk een kus op haar voorhoofd, laat mijn lippen erop rusten en sluit mijn ogen. Ik voel haar armen om me heen.

'Pas goed op jezelf,' zeg ik.

Ik maak me van haar los. De tranen staan in haar ogen. Ik loop naar het pad.

'Ik had niet naar Angola hoeven teruggaan,' zegt ze.

Ik blijf staan en draai me om.

'Ik had ook naar Myanmar of Laos of weet ik veel waar kunnen gaan, naar een plek waar je me nooit gevonden zou hebben.'

'Waarom ben je dan hiernaartoe gegaan?'

'Omdat ik wilde dat je me zou vinden.'

Nu springen mij de tranen ook in de ogen.

'Ga alsjeblieft niet weg,' zegt ze.

Ik ben zo moe. Ik slaap al weken niet. Zodra ik mijn ogen dichtdoe, zie ik al die dode gezichten voor me. Die kille blauwe ogen die me aanstaren. Ik word achtervolgd door nachtmerries en als ik wakker word, ben ik alleen.

Terese komt naar me toe. 'Alsjeblieft, blijf bij me. Alleen vannacht, oké?'

Ik wil iets zeggen, maar ik kan het niet. De tranen lopen nu over mijn wangen. Ze slaat haar armen om me heen en ik moet heel erg mijn best doen om niet in te storten. Ik leg mijn hoofd op haar schouder. Ze streelt mijn haar en troost me.

'Het is oké,' fluistert ze. 'Het is nu allemaal voorbij.'

En zolang zij me in haar armen houdt, geloof ik haar.

Maar op deze zelfde dag stopt er ergens in de Verenigde Staten, op een druk plein met een nationaal monument, een gehuurde touringcar vol zestienjarige jongens en meisjes. Vandaag is het de derde dag van hun studietrip door het land. De zon schijnt. De lucht is strakblauw.

De deuren van de bus zwaaien open en een meute giechelende, kauwgom kauwende tieners komt naar buiten.

De laatste die uit de bus stapt is een jongen met blond haar.

Hij heeft blauwe ogen met een dunne gouden ring om beide pupillen.

En hoewel hij een zware rugzak om heeft, loopt hij met geheven hoofd, de schouders naar achteren en de rug kaarsrecht de mensenmassa in.

Dankbetuiging

Oké, laat ik beginnen met de mensen van Quai des Orfèvres 36, want die zijn van de politie en ik zou niet graag willen dat ze boos op me werden: Monsieur le Directeur de la Police Judiciaire, Christian Flaesch; Monsieur Jean-Jacques Herlem, Directeur-Adjoint chargé des Brigades Centrales; Madame Nicole Tricart, Inspectrice Générale, conseiller auprès du Directeur Générale de la Police Nationale; Monsieur Loïc Grarnier, Commissaire Divisionnaire, Chef de la Brigade Criminelle; en Mademoiselle Frédérique Conri, Commissaire Principal, Chef-Adjoint de la Brigade Criminelle.

In willekeurige volgorde, maar met heel veel dank: Marie-Anne Cantin, Eliane Benisti, Lisa Erbach Vance, Ben Sevier, Melissa Miller, Françoise Triffaux, Jon Wood, Malcolm Edwards, Susan Lamb, Angela McMahon, Ali Nasseri, David Gold, Bob Hadden, Aaron Priest, Craig Coben, Charlotte Coben, Anne Armstrong-Coben, Brian Tart, Mona Zaki en Dany Cheij.

Sommige personages in dit boek zijn afkomstig uit iets wat je verschillende lichtbronnen zou kunnen noemen. Jaren geleden heb ik hen geschapen, andere personages hebben hen in een ander daglicht gezet, ze worden door iedereen anders ervaren en ten slotte heb ik van hen heel andere mensen gemaakt. Daarom zou ik ook graag willen bedanken: Guillaume Canet, Philippe Lefebvre (twee keer) en François Berleand.